Dodenwake

Bezoek onze internetsite www.awbruna.nl
voor informatie over al onze boeken en softwareproducten.

John Sandford

Dodenwake

A.W. Bruna Uitgevers B.V., Utrecht

Oorspronkelijke titel
Dead Watch
© 2006 by John Sandford
Vertaling
Martin Jansen in de Wal
Omslagbeeld
Getty Images/Alex L. Fradkin
Omslagontwerp
Select Interface
© 2007 A.W. Bruna Uitgevers B.V., Utrecht

ISBN 978 90 229 9174 9
NUR 332

1

Ondanks de mist reed ze een uur lang op Chica, en daar rook ze naar: paardenzweet vermengd met mensenzweet, en een vleugje Chanel No. 5. Vanaf de zuidgrens reed ze stapvoets terug over het pad en voelde ze het hart van de merrie kloppen tussen haar knieën en dijen.

In galop en tijdens de sprongen had de mist niet koud aangevoeld, maar nu koelde ze snel af. Haar wangen en voorhoofd waren roze en haar handen waren steenkoud. Een douche, dacht ze, dat zou lekker zijn, en daarna een warm broodje en een kop soep.

Ze waren net bij de afrastering aangekomen. Ze draaide zich om in het zadel om te zien of het hek achter haar dichtging, toen ze aan de bosrand het hoofd zag. Er bestond geen twijfel over dat het een hoofd was, en een fractie van een seconde later was het verdwenen, opgegaan in de schaduw tussen de bomen.

Quasiachteloos draaide ze zich om en probeerde zich te herinneren wat ze had gezien. Een bleke, ovale vorm waarvan alleen de boven- en onderkant te zien waren, en daaronder een donker trapezium. Het was iemand die door een verrekijker naar haar stond te kijken, wist ze. De donkere vorm, het trapezium, waren de armen geweest, die samenkwamen bij de verrekijker, gehuld in een camouflagejack.

Een rilling van angst kroop langs haar ruggengraat omhoog. Zaten ze nu ook achter haar aan?

Ze onderdrukte de neiging om haar paard de sporen te geven, maar niet de neiging om het tot een halve draf te manen. Ze kwam bij het binnenhek, haalde de afstandsbediening uit haar zak, richtte die erop en het hek zwaaide open. Toen ze erdoorheen was en zich omdraaide om het weer te sluiten, zocht ze opnieuw de bosrand af. Niets te zien. Daarna liepen ze door naar de stal. Chica had haast; ze verheugde zich op de haverzak. Toen ze was afgestegen, voelde ze zich weer lenig en sportief, en vroeg ze zich af wat ze nu eigenlijk had gezien. Verbeeldde ze zich dingen? Begon ze te bezwijken onder de druk van de laatste tijd? Het enige wat ze had gezien, was een licht ovaal, in een flits.

Lon, de stalknecht, kwam naar haar toe lopen toen ze met het paard de geuren van paardenmest, hooi en haver binnen liep, de geuren van het goede leven. Ze joeg een vlieg weg bij Chica's oog en gaf de teugels aan Lon. 'Ik heb haar flink laten lopen, Lon. Ze is aardig warm.'

Ze keek over de schouder van de stalknecht naar de lichte rechthoek van de open staldeur en zag de huishoudster over het erf rennen, met een opgevouwen krant boven haar hoofd om haar haar tegen de motregen te beschermen. Lon, een oudere man met een haakneus en een gegroefde huid die op de bast van een eikenboom leek, draaide zich om en zei: 'Zo te zien heeft ze haast.'

'Wat is er, Sandi?' vroeg ze bij de staldeur aan de huishoudster.
'Er zijn twee mannen voor u.'
'Twee mannen?'
'Van de burgerwacht,' zei Sandi.
Ze keek naar het huis. 'Heb je hen binnengelaten?'
'Eh... het regent.' Sandi was opeens bang dat ze iets verkeerds had gedaan. 'Ik heb gezegd dat ze in de hal moeten wachten.'
'O, dan is het goed.' Ze knikte. 'Zeg maar dat ik er zo aankom.'
Sandi rende over het erf terug naar het huis. Lon en zij praatten nog even over het paard en toen ze zich weer naar het huis omdraaide, zei Lon: 'Wees voorzichtig, Maddy.'
Ze nam de tijd, maakte haar laarzen schoon in de borstelbak naast de achterdeur en veegde haar voeten op de mat. Ze trok haar regenjack uit, zette de valhelm af, schudde haar haar los en hing de kleding aan de haken in de bijkeuken. Met haar rijlaarzen nog aan liep ze de keuken door en de achtertrap op. In de slaapkamer deed ze de kast open en haalde het 'huispistool', een blauwstalen .380, eruit. Ze trok de slede naar achteren, liet een patroon in de loop springen, zétte de veiligheidspal om en stak het pistool in de zak van haar jasje.
Ze was bang voor de burgerwacht, maar het was niet alleen dat, want ze was ook nieuwsgierig naar wat ze te zeggen hadden en voelde zich opgewonden door het vooruitzicht van een woordenwisseling. Ze was geen echte sensatiezoeker, maar ze hield wel van een uitdaging, en hoe groter de uitdaging, hoe beter. Ze had rotswanden beklommen en hield van snelle auto's. En natuurlijk waren de paarden er altijd geweest, de paarden die haar nog eens het leven zouden kosten, bedacht ze. Want paardrijden was net zo gevaarlijk als in een messengevecht verzeild raken.

Ze liep de trap naar de keuken weer af en ging door de woonkamer naar de hal aan de voorkant. Daar stonden twee mannen op haar te wachten, beiden gekleed in een blauw overhemd, een kakibroek en een zwartleren vliegeniersjack. Ze hadden zich voor dit bezoek in hun uniform gehuld. De ene man kende ze. Hij heette Bob Sheenan en stond achter de onderdelencounter in Canelo's Farm & Garden. In de hiërarchie van de plaat-

selijke burgerwacht bekleedde hij de vierde of vijfde plaats. De andere man kende ze van gezicht, maar ze wist niet hoe hij heette.
'Bent u uit rijden geweest?' vroeg Sheenan toen ze de hal in kwam lopen. Ze gaf geen antwoord. Geen vriendelijkheden voor de burgerwacht.
'Wat wil je, Bob?'
'Nou, eh...' Sheenan was een grote man en had het gezicht van een kroegvechter: lichtblauwe, loerende ogen, een beschadigd ooglid dat half over zijn linkeroog hing, littekenweefsel onder beide ogen, een kromme bananenneus en grote gele tanden. Hij stonk naar pizza's en bier, hoewel het nog geen tien uur 's ochtends was. 'U vertelt rond dat de burgerwacht iets met de verdwijning van uw man te maken heeft.'
'Dat hebben jullie ook,' zei ze ronduit. 'Ik wil weten waar hij is. Als jullie me dat niet willen vertellen, kunnen jullie beter weggaan.'
Sheenan zwaaide dreigend met zijn wijsvinger en deed een stap naar haar toe. 'We hebben niks te maken gehad met de verdwijning van uw man. Als u dat soort dingen blijft vertellen, slepen we u voor de rechter.'
Ze ging recht voor hem staan en maakte zich groot. 'Of jullie slaan me in elkaar?'
'Dat doen wij niet.'
'Gelul. En die Mexicaanse jongen dan, twee weken geleden? Jullie hebben zijn jukbeen gebroken.'
'Hij wilde ontsnappen,' zei de tweede man.
'Jullie zijn niet van de politie!' snauwde ze. 'Jullie zijn padvinders! Waarom hadden jullie hem trouwens opgepakt. Nou?'
Sheenan en de andere man keken elkaar even aan, in verwarring gebracht, en toen deed Sheenan een stapje achteruit. 'We hebben het nu niet over die Mexicaan. Die heeft niks met deze zaak te maken.'
Ze grijnsde en liet hem haar tanden zien. 'Heeft Goodman jullie gestuurd? Of hebben jullie deze achterlijke onzin zelf verzonnen?'
'Het ís geen onzin, mevrouw.' Zijn ogen waren groter geworden en hij had zijn schouderspieren aangespannen alsof hij op het punt stond naar haar uit te halen. 'U haalt onze goede naam door het slijk. Ik weet niet waar uw man mee bezig is of waar hij naartoe is, maar daar komen we wel achter. In de tussentijd houdt u uw verdomde praatjes voor u.'
'Ik ben helemaal niet van plan om mijn praatjes voor me te houden,' zei ze. 'En ik zal je nog iets vertellen, Bob, je kunt hier maar beter in opdracht van Goodman zijn, want je zult alle steun nodig hebben die je kunt krijgen. Als je hier op eigen gezag bent, zorg ik ervoor dat je vóór middernacht voor schut gaat. En nu, gaan jullie zelf weg of moet ik de sheriff bellen?'
Sheenan deed weer een halve stap naar voren en boog zich dreigend

naar haar toe, zichtbaar onaangedaan door haar laatste opmerking. De beveiligingscamera's stonden aan. Dit werd allemaal op tape gezet. Ze vertikte het achteruit te gaan, maar ze stak haar rechterhand wel in de zak van haar spijkerjack en raakte het koele staal van de .380 aan. 'Er is hier iets gaande,' snauwde Sheenan, weer zwaaiend met zijn wijsvinger maar zonder haar aan te raken. 'Wij gaan uitzoeken wat dat is. In de tussentijd zou ik maar dicht bij huis blijven, mevrouw. We willen niet dat u ook iets overkomt.'

Toen begon hij te lachen, draaide zich om en liep naar buiten. De andere man pakte de deurknop vast en voordat hij de deur dichttrok zei hij: 'We houden u in de gaten.'

Ze ademde uit, liep de bibliotheek in zodat ze buiten het bereik van de beveiligingscamera's was, haalde met trillende hand het pistool uit haar zak en zette de veiligheidspal om. Haar grootste angst was geweest dat ze iets doms zouden doen; dat ze een of ander ongeluk of een mysterieuze moord of verdwijning zouden ensceneren. Want ook al zouden ze uiteindelijk gepakt worden, schoot zij daar weinig mee op.

Ze hoorde in gedachten de stem van de plaatselijke nieuwslezer al: '... en is ze spoorloos verdwenen in dezelfde duisternis die haar man heeft opgeslokt.' Ze had als verslaggeefster voor een nieuwszender in Richmond gewerkt en zelf dat soort teksten geschreven; ze wist hoe het moest.

Ze was al twee weken van plan hier weg te gaan. Sheenan was nu de druppel geweest. Ze stak het pistool in haar zak, liep naar de trap en riep: 'Sandi?'

Met een theedoek in haar handen kwam Sandi de keuken uit. 'Ja?'

'Ik ga de stad in. Had je de kleren van de stomerij opgehaald?'

'Ja. Ze liggen hier in de keuken.'

'Ik heb mijn rode blouse en grijze bandplooibroek nodig. Breng ze boven en leg ze op het bed. Ik ga douchen.'

'En de schnitzel? Bent u met de lunch terug?'

'Ik eet in de stad wel iets. Jij kunt met Lon en Carl eten. Leg de mijne maar in de koelkast; die eet ik vanmiddag wel koud op.'

'Ja, mevrouw.'

Ze stapte in de pick-up, ging op weg naar Lexington, reed te hard en genoot van het gevoel van de wegslippende achterkant in de bochten en het grind dat alle kanten op werd geworpen. Als iemand haar volgde, zou hij ook flink gas moeten geven en zichzelf daardoor verraden. Maar ze zag niemand. Het hoofd tussen de bomen achtervolgde haar nog steeds. Was het echt iemand geweest? Of had ze het zich verbeeld?

In de stad ging ze eerst even naar de bank, waar ze vijfduizend dollar in contanten opnam, vervolgens bracht ze twee boeken terug naar de bibliotheek, liet de tank van de pick-up volgooien en ging naar de dierenwinkel, waar ze vier grote zakken voedingssupplementen voor de paarden kocht. In het postkantoor hief ze haar postadres op en liet alles doorsturen naar Washington. De man achter het loket was een burgerwacht, maar hij floot een deuntje terwijl hij haar tijdelijke adreswijziging in orde maakte en glimlachte toen ze hem gedag zei.

Toen ze al haar plichten had gedaan, liep ze Pat's Tea House binnen voor een puddingbroodje en een kop thee. Pat was een vriendin, ook een paardrijdster, en zoals altijd kwam ze even naar haar tafeltje toe om haar gedag te zeggen. 'Hoe gaat het?'

'Prima,' antwoordde ze. 'Hoor eens, kan ik jouw telefoon even gebruiken om naar Washington te bellen? Ik heb mijn mobiel thuis laten liggen.'

'Natuurlijk. Ga maar naar mijn kantoor.'

Ze belde en dacht voortdurend dat ze paranoïde aan het worden was. Ze zouden toch geen telefoons afluisteren? Of wel?

Om één uur was ze terug op Oak Walk en stuurde ze Sandy naar de stal om Lon en Carl te halen. Toen het drietal zich in de keuken had verzameld, vertelde ze dat ze naar Washington ging en niet wist wanneer ze terug zou zijn.

'Met de onzekerheden over Lincoln en de burgerwacht die hier vanochtend op bezoek was, lijkt het me beter dat ik een tijdje naar de stad ga. Dus ik draag de ranch aan jullie over. Deborah Benson komt vrijdag jullie loonzakjes brengen. Als jullie iets groots moeten kopen, bel me, dan bespreken we het en laat ik Deborah een cheque brengen. Ik laat drieduizend dollar in contant geld bij Lon achter. Als jullie kleine dingen nodig hebben, gebruik dan dat geld en stop de bonnetjes in de stenen pot op het aanrecht. De sleutels van de pick-up en de auto geef ik ook aan Lon.'

Ze hadden een paar vragen, maar ze hadden dit al eerder gedaan.

'Heb je enig idee wanneer je terugkomt?' vroeg Lon.

'Ik kom af en toe langs,' zei ze, 'om een uurtje te rijden, als er geen gekke dingen gebeuren. Maar het kan een tijdje duren voordat ik definitief terugkom, waarschijnlijk pas als Linc weer boven water is.'

Toen ze zich ervan had overtuigd dat de ranch in goede handen was, at ze de koude schnitzel met brood op. Daarna ging ze naar boven, haalde haar sieraden uit de kluis, pakte een kleine koffer in met kleding die ze mee wilde nemen naar de stad, ging naar de beveiligingskamer, haalde de videotapes uit de beveiligingscamera's en deed er nieuwe in.

Ze ging nog een uurtje rijden op Rochambeau – Rocky – een oudere ruin die altijd een van haar lievelingspaarden was geweest, nam een douche, trok haar reiskleding aan en liep het hele huis door om te zien of ze niets vergeten was. Om vier uur hoorde ze de zoemer van de poort. Ze keek uit het raam aan de voorkant naar het gazon en de lange oprit vanaf de weg. Twee auto's kwamen de heuvel over rijden, een zilvergrijze Mercedes en een zwarte Lincoln Town Car.

Ze liep de veranda op toen de auto's voor het huis stopten. De chauffeur van de Mercedes stapte uit en bleef naast de auto staan. De chauffeur van de Lincoln stapte ook uit en deed het achterportier open. Een jonge vrouw en een man die iets ouder was dan zij, beiden met een attachékoffertje, stapten uit. Madison liep hen tegemoet tot aan de treden van de veranda.

'Hallo,' zei de vrouw. 'Ik ben Janice Rogers, dit is Lane Parks en Johnnie laat u de groeten doen. Hij ziet u vanavond.'

'Twee auto's?' vroeg ze.

'Johnnie dacht dat een konvooi beter zou zijn,' zei Rogers. 'Als u zich echt zorgen maakt... het maakt het een stuk lastiger als iemand iets van plan is.'

'Oké,' zei ze. 'Ik pak even mijn spullen.'

De rit naar Washington duurde iets meer dan drie uur. Haar advocaat, Johnson Black, stond al bij de voordeur te wachten toen de Mercedes voor het huis stopte, waarschijnlijk gewaarschuwd door de twee assistent-juristen in de Lincoln. Black was gekleed zoals hij heette, in diverse tinten zwart onder een zwarte regenjas, maar met een kleurige das met exotische vogels erop.

Ze stapte uit en de chauffeur liet de klep van de kofferbak openspringen om haar bagage te pakken. Black kuste haar op de wang en zei: 'Wat een gedoe.'

'Van het soort waar ik bepaald geen behoefte aan heb.'

'Randall James komt vanavond langs, als je het goedvindt. Hij wil over de tapes praten, en hij wil je morgen in zijn programma.'

Ze zocht naar de sleutels van de voordeur en vond ze ten slotte. 'Denk je dat we er goed aan doen?'

'Nou, dan moet ik eerst de tapes bekijken, maar tot nu toe doet de pers alsof we alles over Linc en Goodman verzonnen hebben. Dit kan daar verandering in brengen. Hangt van de tapes af...'

Randall James had een middagprogramma, *Washington Insider*, op het plaatselijke kanaal van ABC. De show had de juiste stek gevonden.

James arriveerde om negen uur, een aalgladde man met zorgvuldig gekapt zwart haar, een puntige neus en een kuiltje in zijn kin. Iemand die voor zijn plezier loog, dacht ze, maar ja, wel de juiste man hiervoor. James nam plaats in een fauteuil, bekeek de tapes en keek haar van tijd tot tijd van opzij aan. Toen ze alles hadden gezien zei hij: 'Ik zet u aan het begin van het programma, om twaalf uur, live. Dit is verdomd goed materiaal, mevrouw Bowe.' Hij pakte de afstandsbediening en spoelde terug naar het moment waarop Sheenan vlak voor haar was gaan staan. De dreiging zag er op tape groter uit dan die in werkelijkheid was geweest. James zette het beeld stil en zei: 'Moet je het gezicht van die hufter zien...' Ze heette Madison Bowe. Haar echtgenoot, voormalig senator van de staat Virginia, was twee weken daarvoor, na een lezing in Charlottesville, van de aardbodem verdwenen. Alsof hij in rook was opgegaan.

De volgende dag.
De gouverneur van Virginia stond in de woonkamer van zijn privévertrekken in het gouverneurshuis en keek naar de televisie. Zijn wangen gloeiden en hij was boos, maar hij zei niets.
Dat gold niet voor zijn broer. Die schreeuwde naar het beeldscherm: 'Moet je dat rotwijf zien, Arlo. Moet je haar zien! Ze ruïneert je en dat weet ze. Moet je verdomme die ogen zien...'
'Ze doet het goed,' zei Arlo Goodman na een tijdje, met een vage glimlach op zijn gezicht. 'Die stomme klootzak van een Sheenan draagt een toupetje, hè? Hij ziet eruit als een besneden lul waar een rat bovenop is gesprongen.'
Darrell Goodman kon er niet om lachen. Hij zat op de bank, achter de gouverneur, in zijn lichtbruine regenjas, met zijn handen in de zakken en op zijn hoofd een tennishoedje met slappe rand, waardoor zijn ogen in de schemerige kamer niet te zien waren. Hij zat voorovergebogen naar de televisie en trilde van woede. 'Wil je dat ik...'
De gouverneur draaide zich snel om en richtte zijn wijsvinger op hem. 'Nee, je doet niks! Er komt niemand in haar buurt, om geen enkele reden. Ik leg wel een verklaring af, luchtig, alsof er niks aan de hand is, bied mijn verontschuldigingen aan en roep de burgerwacht op het matje. Hoe heet die knaap? Sheenan? Die krijgt ervan langs. Maar als haar iets overkomt, ben ik er geweest, definitief, over en uit. Blijf verdomme uit haar buurt.'
'Maar die Sheenan dan? Misschien zweert hij wel met haar samen. Misschien spelen ze toneel om ons in een kwaad daglicht te stellen.'
De gouverneur kreunde. 'Als dit toneelspel is, verdient hij een Oscar. Dit is geen samenzwering, Darrell. Dit is een onvervalste, levensechte bedreiging. Hij dacht waarschijnlijk dat hij het juiste deed.'
'Stomme klootzak, om zich te laten filmen.'

'Maak je geen zorgen. Ik laat John Patricia wel met hem afrekenen. Maar ik zal je dit zeggen, dit is niet de manier om president te worden.' Darrell Goodman keek naar zijn broer, naar het kalme gezicht en de glimlach om zijn mond terwijl ze op televisie in mootjes werden gehakt. Vroeg of laat zou de gouverneur beseffen dat ze in oorlog waren. Dan zou hij meer moeten doen dan relativeren. Dan zou hij boos moeten worden en in actie moeten komen. Darrell verheugde zich op die dag.

De jager kende Madison Bowe van naam. Hij had haar foto gezien, had haar nooit ontmoet, had geen idee waar ze woonde en had nooit gedacht dat hun wegen elkaar binnenkort zouden kruisen. Terwijl zij in Randall James' programma een half miljoen mensen toesprak, zat hij op zijn knieën op een rubbermatje, nog geen zeventig kilometer van haar ranch, te wachten. Boven hem was de zon een vage lichte schijf die schuilging achter de wolken.

Het was de afgelopen drie nachten steeds gaan regenen, als gevolg van een lagedrukgebied dat zich boven de Appalachen had gevestigd. De afgelopen nacht was het even na drie uur begonnen. Hij was wakker geworden in de logeerkamer op de eerste verdieping van het jachthuis, onder het schuin aflopende zinken dak. Hij had even geluisterd naar het zachte geruis van het water in de regenpijp, had de geur van zijn katoenen deken opgesnoven, had zich toen omgedraaid en doorgeslapen tot halfvijf.

Hij werd elke ochtend om halfvijf wakker. Toen hij zijn ogen opendeed, bleef hij even liggen om bij te komen, keek op de wekker op het nachtkastje, rekte zich uit en stapte uit bed. Hij deed vijftig push-ups en vijftig sit-ups op het handgeweven Chinese vloerkleed en daarna een serie strekoefeningen, met extra aandacht voor zijn slechte been. Toen hij klaar was, hoorde hij beneden een wekker afgaan.

Hij pakte zijn spijkerbroek en een schone onderbroek uit zijn tas en liep op blote voeten door de gang naar de badkamer. Je kon beter de eerste zijn dan in de rij aansluiten...

Hij poetste zijn tanden, sloeg scheren over en nam snel een douche. Hij droogde zich af met zijn handdoek met monogram, trok de boxershort en spijkerbroek aan en deed de deur open. Peyson Carter stond tegen de muur tegenover de badkamerdeur geleund, met de slaap nog in haar groene ogen, een badjas aan en een haardroger in haar hand.

'Morgen, Jake,' zei ze, zonder naar zijn blote borst te kijken. Hij heette Jake Winter. 'Billy is ook net wakker.'

'Oké, ik zal je niet in de weg lopen.'

Hij gleed langs haar heen de gang in, waarbij hij goed oppaste dat hij haar niet aanraakte. Peyson was de vrouw van zijn beste vriend. Vanaf het moment dat Billy haar voor het eerst had meegenomen, vijftien jaar geleden, in hun studietijd, was Jake een beetje verliefd op haar geweest. Dat gevoel, vermoedde hij, was voor een deel wederzijds. Ze letten er altijd op dat ze elkaar niet aanraakten, want de grote vraag was dat ze geen van beiden wisten wanneer dat aanraken zou ophouden. En ze hield van Billy...

De jongens beneden waren minder snel met opstaan, maar tegen de tijd dat hij zich had aangekleed, zijn laarzen had aangetrokken en zijn camouflagejack en uitrusting bij elkaar had gezocht, waren ze eindelijk in beweging gekomen. Hij hoorde de douche ruisen, het gepruttel van het koffiezetapparaat en rook de geur van verse koffie op een frisse, regenachtige ochtend.

Toen hij de deur van zijn kamer dichttrok, kwam Peyson de badkamer uit, dampend en roze van het warme water, gehuld in haar badjas. 'Roerei?' vroeg Jake, en ze zei: 'Ja', en daarna riep ze: 'Billy, opstaan!' Jake liep achter haar de gang door, keek naar haar kontje en dacht: god sta me bij, als zijn beste vriend Billy ooit bij een auto-ongeluk om het leven kwam, zou híj een week later voor de deur van deze vrouw staan. Peyson liep door naar de andere slaapkamer en Jake liep de trap af.

In de keuken brak hij een paar eieren, deed de inhoud in een kom, legde een stel voorgebakken broodjes op een bakplaat, zette de oven aan en haalde een pak bacon uit de koelkast. Bob Wilson kwam uit de badkamer op de begane grond, met zijn haar nog nat, en zei: 'Regen.' 'Motregen.' 'Het maakt het in elk geval stil in het bos. Ik hoop dat de vogels zich niet verstopt hebben.' Sam Barger kwam met halfdichte ogen de slaapkamer uit en vroeg aan Wilson: 'Ben je klaar in de badkamer?' 'Ja, ga je gang.' 'Het regent,' zei Barger. 'Op televisie zeiden ze dat het rond het middaguur over zou trekken.' Ze namen de tijd voor het ontbijt en snoven de geuren van verse broodjes uit de oven, roerei met bacon, koffie en de vurenhouten wanden van het jachthuis op. Peyson Carter zat tegenover hem aan tafel, met krullend blond haar en een blik die af en toe de zijne zocht. Hielden alle aantrekkelijke vrouwen er een reserve op na?

Elk voorjaar en najaar gingen ze jagen, in Virginia, op wilde kalkoenen, vier mannen en de vrouw van een van hen. Ze hadden een vaste routine ontwikkeld. Ze wisten allemaal wat ze moesten meebrengen – bogen, laarzen, camouflagekleding, pasta, drank, vuilniszakken, toiletpapier, oefendoelwitten – en iedereen wist van elkaar waar hij of zij in hinderlaag lag. Ze joegen allemaal met pijl en boog. Met z'n vijven kwamen ze op een gemiddelde van twee kalkoenen per seizoen per persoon. Wilde kalkoenen waren lastige rakkers.

Door al die dingen zat hij nu op een rubbermatje, op zijn knieën in de ochtendschemer, en wachtte hij totdat zijn kalkoen in beweging zou komen. Hij had alweer honger maar sloeg er zo min mogelijk acht op. Door de rubbermat, die anderhalf bij anderhalf groot was, kon hij geruisloos van houding veranderen, wat hij regelmatig moest doen vanwege zijn slechte been. Het groen rondom hem was hoog genoeg om zijn boog te richten zonder door zijn prooi gezien te worden.

Hij had een Semiweiss Lighting-compoundboog waarvan de trekkracht zo was afgesteld dat hij kon aanleggen en de pees lange tijd gespannen kon houden. Hij schoot met carbonpijlen met een tweeënhalve centimeter brede punt en een stopper. Achter hem, in het eikenbos, had hij een redelijk grote kalkoenhaan gesignaleerd, en met een beetje geluk zou de haan naar dit maïsveld gaan en het pad naar het ondiepe dal onder hem volgen. Jake wist dat hij dat soms deed, want hij had tijdens zijn verkenningstochten sporen en uitwerpselen ontdekt.

Maar of de haan het vandaag zou doen, wist hij niet.

Hij wachtte, luisterde, spande zijn ogen in om hopelijk iets in het groen te zien en voelde de problemen van de wereld van zich af glijden. Hij had zijn hele leven gejaagd, vanaf zijn zesde jaar, toen zijn grootvader hem voor het eerst had meegenomen. Hij had in Virginia op herten en kalkoenen gejaagd en in het westen op rendieren en antilopen. Wanneer hij op jacht was, stapte hij een soort zenwereld binnen en werd hij een deel van het landschap. Tijd verstreek niet langer, stopte ook niet... tijd bestónd gewoon niet meer. Dan zweefde hij weg van zichzelf en zijn alledaagse problemen.

Hij zat hier al sinds zonsopgang. De zon was opgekomen, hoger geklommen, even door de wolken gebroken en weer verdwenen. Hij had een briesje gevoeld, dat met de eikenbladeren had gespeeld en weer was gaan liggen. Eekhoorns hadden in het rond gerend, de lawaaischoppers, en op een takje op amper dertig centimeter van zijn neus was een meesje neergestreken.

Hij had er niet naar gekeken, maar het wel allemaal gezien. Hij wachtte af...

Toen zijn mobiele telefoon overging.

14

'Ah! Jezus!'

Het geluid verbijsterde hem alsof hij een sneeuwbal in zijn gezicht kreeg. Hij haastte zich terug naar het heden, uit zijn zenwereld terug naar het hier en nu. Hij trok de rits van zijn camouflagejack omlaag, zocht in de borstzak van zijn shirt en haalde de telefoon tevoorschijn.

'Ja.' De enige mensen die het nummer van dit toestel hadden, waren de mensen voor wie hij bereikbaar moest zijn.

Een vrouwenstem, rustig, netjes articulerend: 'Jake, met Gina Press. Het spijt me dat ik je moet lastigvallen; ik weet dat je met vakantie bent. De baas wil je spreken.'

'Wanneer?'

'Vandaag. Waar ben je?'

'In de vallei. Het kan even duren.'

'Het is nogal dringend. Kan ik je voor kwart voor vijf op de agenda zetten?'

Jake keek op zijn horloge: één uur. 'Oké, maar geef me een hint waar het over gaat.'

'Madison Bowe.'

'Ik zal er zijn.'

De moordenaar voelde het gewicht van de .45 in zijn zak; het trok aan zijn ene schouder, en misschien ook aan zijn ziel.

Hij verplaatste Lincoln Bowe. Bowe was bleek, naakt en buiten bewustzijn, een baal mensenvlees, om praktische redenen. De moordenaar had hem gewikkeld in een blauw plastic dekzeil dat hij bij een Wal-Mart had gekocht, en hem bij het licht van de kale gloeilamp aan het plafond de smalle trap af gezeuld.

Hij was een grote man, maar het kostte hem de nodige moeite om honderd kilo slap mensenvlees de trap af te slepen en daarbij ook nog een zekere tederheid aan de dag te leggen. Hij had een blauwe overall van de Wal-Mart aan, speciaal voor de moord aangeschaft, een sweatshirt met een capuchon die hij helemaal over zijn hoofd had getrokken, en gummihandschoenen. Hij wist alles van DNA, en daarom was hij bezorgd. Eén haar, één spatje speeksel, en voor je het wist lag je vastgebonden op een brancard en staken ze de naald van de dodelijke injectie in je arm...

Puffend en zuchtend sjouwde hij zijn last de trap af, en toen hij beneden was, keek hij achterom naar de trap, want straks, over een paar minuten, moest hij het lijk weer naar boven sjouwen. Maar hij kon de moord niet boven doen; de huizen van de buren stonden te dichtbij en iemand zou het schot kunnen horen.

Hij legde Bowe neer in het licht van de gloeilamp en sloeg het dekzeil open. Bowe lag op zijn rug, week en hulpeloos. Zijn lichaam was heel bleek, met hier en daar de oneffenheden – sproeten, moedervlekken en wratten – van iemand die de vijftig naderde en hopeloos uit vorm was. Hij keek enige tijd neer op Bowe en zei toen hardop: 'Nou, daar zijn we dan. Godallemachtig.'

Geen reactie. Bowe had een overdosis Rinolat genomen.

De moordenaar haalde de .45 uit zijn zak, een oud, versleten pistool, gemaakt in de eerste helft van de twintigste eeuw, een koopje, onnauwkeurig op afstanden langer dan je arm, maar voor deze taak goed genoeg.

Met zijn door gummi omhulde vingers trok hij de slede naar achteren en dacht: verdomme, het telefoonboek! Hij rende de trap op, pakte het telefoonboek van de keukentafel, deed de kelderdeur achter zich dicht en kwam de trap weer af. Er zaten al twee kogelgaten in het boek, van proeven die hij op het platteland van Virginia had gedaan. Hij legde het op Bowes blote borstkas.

Hij zette de veiligheidspal om, zei: 'Linc...' en dacht: mijn oren... verdomme!

Hij zette de veiligheidspal weer terug en rende de trap op om zijn oordoppen te pakken. Die waren van elastisch geel schuimrubber, ongeveer zo groot als een kogel, en werden gebruikt door baanschutters. Hij kneep ze samen, duwde ze in zijn oren en wachtte totdat ze waren uitgezet. Als hij in de kleine kelderruimte zonder oorbescherming een pistool afschoot, zou hij een weeklang niks horen.

Hij zette de veiligheidspal weer om, voelde het brok in zijn keel, veegde de tranen van zijn wangen, richtte het pistool op de plek waar het telefoonboek het hart van de naakte man bedekte, zei: 'Lincoln', en haalde de trekker over.

Zonder de oordoppen zou de knal oorverdovend zijn geweest, en zelfs mét was die nog flink hard. De naakte man stuiterde op van de vloer, zijn ogen openden zich in een reflex en keken hem aan met melkwitte pupillen, alsof hij sliep. Hij bleef de moordenaar één, twee seconden aankijken en viel toen weer terug op de vloer.

'Moeder Maria,' zei de moordenaar geschrokken. Hij bleef nog even naar het gezicht staren, geschokt door de melkwitte ogen, zoekend naar een mogelijk spoor van leven, en voelde de haartjes in zijn nek overeind komen. Ten slotte bukte hij zich en pakte het telefoonboek op. De kogel was erdoorheen gegaan en in de naakte borstkas zat een paars gat waar bloed uit opborrelde. Het gat zat midden in de hartstreek. Hij zette de veiligheidspal van de .45 terug, stak het pistool in zijn zak en hurkte neer.

De naakte man ademde niet meer. Zijn ogen, zag de moordenaar toen hij met zijn duim de oogleden opduwde, waren omhooggedraaid, zodat hij alleen het oogwit zag. Hij legde zijn door gummi omhulde vingertop op de halsslagader van de naakte man en wachtte totdat hij een hartslag voelde. Die voelde hij niet. Lincoln Bowe was dood.

Hij rolde Bowe half om en keek naar zijn rug. Geen uitgangswond. Het telefoonboek had als rem gewerkt en de kogel was in de borstholte blijven steken.

De moordenaar bleef gehurkt zitten en keek naar het gezicht van de man op de vloer. Zoveel jaren. Wie had kunnen denken dat het zo zou aflopen? Toen slaakte hij een zucht, stond op, trok het magazijn uit het pistool, liet de huls uit de loop springen en duwde hem weer in het magazijn. Toen keek hij om naar de trap.

Dit zou het gevaarlijkste onderdeel worden, het lijk vervoeren. Als de politie hem aanhield, om wat voor reden ook, was hij de klos.

Maar ze hadden hun plannen gemaakt en hij zou zich eraan houden. Hij had nog heel wat werk te doen. Hij stond daar, keek nog steeds naar het gezicht van de dode man en zei: 'Kom op, Linc, we moeten gaan.'

2

Jake reed naar huis, kleedde zich om in pak, overhemd en das en nam een taxi naar het Witte Huis. Hij ging naar binnen via de dienstingang aan de westkant, eerst door de buitenpoort, waar een bewaker zijn legitimatie controleerde, en daarna door de binnenpoort, waar de röntgenscanners waren.

De bewaker daar, een nieuwe man, trok een paar minuten uit om Jakes wandelstok te bestuderen, totdat er een oudere collega voorbijkwam, even een blik op de stok wierp en zei: 'Het is oké. Meneer Winter is hier vaste klant.'

Eenmaal door de beveiliging werd hij meegenomen naar een wachtkamer waar hij koffie kreeg aangeboden en gebruik kon maken van de kranten en breedbandinternet. De kamer was onlangs opgeknapt. De muren waren nu blauw, de lievelingskleur van de First Lady, en er hingen portretten van voormalige First Ladies.

Een van hen, Hillary Clinton, keek glimlachend neer op de kalende schedel van John Powers, docent aan Georgetown en af en toe adviseur van het ministerie van Defensie. Powers zat in een fauteuil *The Wall Street Journal* te lezen. Hij en Jake kenden elkaar als consultants en als collega's van Georgetown.

'Ik ben veel belangrijker dan jij,' zei Powers, die zijn krant dichtsloeg toen Jake hinkend de kamer binnen kwam. Hij was een flamboyante man die eigenaar van een kunstgalerie had kunnen zijn. Zijn kuithoge sokken waren donkerblauw met kleine glimlachende zonnetjes. 'Ik publiceer in *Foreign Policy*.'

'Dat kan wel zo zijn, maar mijn dassen komen van Hermès,' zei Jake terwijl hij zich in de fauteuil tegenover hem liet zakken. 'Wacht maar tot de faculteitsstaf hoort dat je *The Journal* leest.'

'Die lezen ze allemaal, in het geniep, de geldbeluste ratten,' zei Powers, en vervolgens informeerde hij: 'Kom je voor de boten?'

Jake schudde zijn hoofd en loog: 'Nee, ik weet niet waarom ik hier ben. Voor het partijcongres, denk ik. Geschiedkundige info die in het programma opgenomen moet worden; opvolger van John F. Kennedy, Lyndon B. Johnson, William Jefferson Clinton, allemaal grote Amerikanen, blabla.'

'Het partijcongres.' Powers glimlachte en liet zijn schitterende tanden zien. Op de campus ging het gerucht dat hij ze had laten bleken voor de televisie. 'Ik kom voor de boten. Vicepresident Landers steunt de motie.'

'Dan wens ik je veel succes.' Jake opende zijn koffertje, haalde zijn laptop eruit, legde die op zijn schoot en zette hem aan.

'Dat meen je niet,' zei Powers, en hij hield zijn hoofd schuin. Weinig mensen van Georgetown zouden het plan steunen.

'Jawel,' zei Jake. 'Ik hoop dat ze ze alle vijf bouwen.'

Powers' gezicht klaarde op; hij herinnerde zich iets. 'Ah, dat is waar ook. Jij hebt in het leger gezeten.'

'Een tijdje.' De boten waren vijf door atoomkracht aangedreven vliegdekschepen die twaalf miljard doller per stuk kostten. 'Met het huidige budget en al die oude mensen in de bijstand maak je volgens mij geen schijn van kans.'

Powers fronste zijn wenkbrauwen en zei: 'Maar de Chinezen en Indiërs...' Een lange man met een wit overhemd stak zijn hoofd om de deur en knikte naar Powers. 'Oeps, ik ben aan de beurt. Ik zie je op school.' Powers liep naar de deur, bleef staan en vroeg: 'Echt, een Hermès?'

'Ja.'

'Wat kosten die tegenwoordig? Tweehonderdvijftig?'

'Ja.'

Toen Powers weg was, sloot Jake de laptop aan op het net en typte hij een zoekopdracht voor Madison en Lincoln Bowe in. Hij kreeg zestigduizend hits, filterde de afgelopen drie dagen eruit en vond een link die verwees naar het interview van Randall James met Madison Bowe in *Washington Insider* op Channel 7.

Hij opende de website, klikte op de link van het interview en zag Madison Bowe haar verhaal houden. 'Zij hebben hem ontvoerd, dat weet ik zeker.' De camera was verliefd op haar gezicht. 'Zij hebben Lincoln. Want als dat niet zo is, waarom maken ze zich dan zo druk over mij? Ze hebben van alles gedaan om me de mond te snoeren. Ik zal eerlijk zijn, ik maak me grote zorgen. Ik ben bang dat ze hem zullen vermoorden, en als ze met hem klaar zijn...'

Ze had een videotape bij zich, met beelden van een grote, ongure man die haar in haar eigen huis bedreigde. De beelden waren indringend omdat ze met hun beveiligingscamera waren gemaakt. 'Zo gaan ze te werk,' zei ze toen de tape afgelopen was. Ze was heel aantrekkelijk en beet af en toe nerveus op haar lip, op een manier die ervoor zorgde dat je mannelijke hormonen opsprongen en riepen: 'Wij willen voor jou zorgen!'

'Dit is wat ze ons in Amerika aandoen,' zei ze recht in de camera.
Ze, dacht Jake, dat zijn wíj.

Hij ging snel door, las het nieuws, probeerde zo veel mogelijk over haar te weten te komen, en over Lincoln Bowe, hoe hij was verdwenen en wie hun vrienden en politieke bondgenoten waren. Lincoln Bowe was een conservatieve republikein, trouw aan de partij en het conservatieve beginsel, en een aristocraat. Madison Bowe was de dochter van een jurist, intelligent, met de nodige media-ervaring, aantrekkelijk; kortom, de perfecte partner voor de rijzende ster van de republikeinen.
Toen was de ster gevallen, uit de lucht geschoten door Arlo Goodman. De strijd was begonnen toen Goodman campagne voerde voor het gouverneurschap, en had zich voortgezet tijdens de opkomst van de burgerwacht en Bowes eigen herverkiezingscampagne. Bowe was een grote jongen in de politiek van Virginia geweest en Goodman was de nieuwe man van de tegenpartij, een bedreiging voor Bowes alleenheerschappij. Het was begonnen als een politieke strijd, maar die was algauw persoonlijk geworden.
Bowe: Hebben jullie hem gezien, met zijn burgerwacht? Het doet je denken aan München in de jaren dertig, een ordinaire dictator met zijn politieke rapaille, een Hitlertje zonder snor...
Goodman: Hebben jullie die foto gezien, van hem tijdens de eerste Irakoorlog? Het rijke advocaatje met zijn babyface en zijn aristocratische gelaatstrekken? Terwijl hij met zijn Ivy League-vrienden zat te pokeren en Cubaanse sigaren rookte? Laat die arme soldaten maar sneuvelen, maar zij niet, onze bevoorrechte jongeheren in hun spierwitte truien met een grote blauwe Y op de voorkant...
Bowe moest spijt als haren op zijn hoofd hebben gehad dat hij zich op die dag in zijn Yale-sweater had laten fotograferen, in korte broek en met instappers – zonder sokken – met kwastjes eraan, een grote sigaar in zijn mond terwijl ze aan een tafeltje zaten te kaarten, met ongekamd haar dat over zijn voorhoofd viel... een onschuldige, leuke foto van toen hij vierentwintig was, die hem op zesenveertigjarige leeftijd voor de voeten zou worden geworpen...

Goodman had de strijd om het gouverneurschap gewonnen. Twee jaar later had hij, met een flinke dosis hulp van het Witte Huis en een landelijke wervingscampagne, de strijd tegen Bowe aangescherpt. Bowe was zijn zetel in de Senaat aan een stroman van Goodman kwijtgeraakt.
Bowe had verloren, maar hij was nog niet tot zwijgen gebracht. Hij had het geld en de familie om zichzelf te herscholen tot de meest uitgespro-

ken criticus van de regering, en de dingen te zeggen die de zittende leden van het Congres niet durfden te zeggen, omdat ze te bang waren dat ze dan hun plek aan de voedseltrog zouden kwijtraken. Sommige mensen dachten dat hij weer campagne zou gaan voeren om zijn oude Senaatszetel terug te krijgen. Anderen dachten dat als de republikeinen weer aan de macht kwamen, hij misschien in aanmerking zou komen voor een ambassadeurschap, een functie aan het Hof van St. James, of een standplaats in Parijs.

Toen was hij verdwenen. Kort nadat hij hard had uitgehaald naar het Syrië-beleid van de regering en, op binnenlands niveau, naar de belangengroepen die de president steunden, was hij in een auto gestapt en van de aardbodem verdwenen.

De pers was in alle staten geweest. En hoe langer Bowes verdwijning duurde, hoe wilder de speculaties waren geworden.

ABC had zijn vermissing vergeleken met die van rechter Crater en Jimmy Hoffa, en gesuggereerd dat de georganiseerde misdaad erachter moest zitten. CNN had er een special aan besteed, met duistere verwijzingen naar de nazi's, het Midden-Oosten en de politiek van ZuidAmerika. Ze hadden hun uitspraken geïllustreerd met beelden van de burgerwacht, in hun vliegeniersjacks en kakibroeken, tijdens een bijeenkomst in een footballstadion in Emporia, met Goodman op het podium en een reusachtige Amerikaanse vlag achter hem. De vergelijking was duidelijk geweest.

Fox had de slag om de kijkcijfers gewonnen met een programma waarin nóg krankzinniger theorieën werden gepresenteerd, waaronder die dat Bowe ontvoerd zou zijn door buitenaardse wezens, en dat hij spontaan in brand gevlogen zou zijn.

Jake had veertig minuten gewacht en in de tussentijd alle nieuwscommentaren doorgenomen, toen zijn mobiele telefoon ging. Het was Gina. 'Je bent aan de beurt. Kom maar binnen.'

Jake Winter was drieëndertig jaar, een meter vijfentachtig lang, mager en pezig, met messcherpe jukbeenderen, een spitse neus, zwart haar dat langer was dan de mode voorschreef, artistiek lang, en lichtgroene ogen. Zijn ex-vrouw had hem een 'Ichabod in pak' genoemd, naar Ichabod Crane, de negentiende-eeuwse schoolmeester. En Jake ging vaak gekleed in pak. Een verkoopster van Saks had ooit twee uur van haar leven uitgetrokken om zijn pakken, overhemden en dassen aan te passen aan de kleur van zijn ogen, en hem uit te leggen hoe hij dat in de toekomst zelf kon doen.

'Het gaat om uw ogen,' zei ze. 'De juiste das laat ze meer spreken. Als ik heel eerlijk ben, zou u normaliter niet als een knappe man worden beschouwd, vanwege uw aangezichtsbeenderen, maar uw ogen maken u juist heel aantrekkelijk. Uw ogen en uw schouders...'

Juist. De soort man die door verkoopsters van Saks aantrekkelijk werd gevonden. Geen slechte zaak. Hij had een week lang een goed humeur gehad na haar opmerking. Een man met stijl...

Jake was geboren in Montana en opgegroeid op een ranch. Zijn moeder was ingenieur en zijn vader, de zoon van een rancher, eerst advocaat en later congreslid. Jake was te laat in hun leven gekomen. Aangezien zijn ouders allebei katholiek en anti-abortus waren, en omdat de politiek een belangrijke rol speelde, werd de zwangerschap volbracht, maar eigenlijk voelden ze er weinig voor om nóg een kind groot te brengen. Jakes broers en zussen waren vijftien jaar ouder dan hij.

Toen Jake twee was, brachten zijn ouders, die voortdurend heen en weer reisden tussen Billings en Washington, hem steeds vaker en langer bij zijn grootouders onder. Tegen de tijd dat hij vijf was, waren ze compleet uit zijn leven verdwenen. Jakes grootmoeder overleed toen hij negen was en zijn grootvader volgde haar toen hij vijftien was. Zijn ouders wilden hem niet. Na de middelbare school ging hij studeren aan de universiteit van Virginia, een eenzame jongen van zestien, met een geschiedenisboek onder zijn arm.

Hij studeerde af toen hij negentien was en kon doen wat hij wilde, want toen zijn grootvader overleed, bleek uit zijn testament dat de ranch verkocht moest worden en dat het geld naar Jake zou gaan, en niet naar Jakes vader...

Twee weken nadat hij was afgestudeerd zat hij op de officiersopleiding van het leger. Vervolgens zat hij acht jaar bij de inlichtingendienst van het leger. De eerste twee jaar daarvan waren training geweest. Het derde, vierde en vijfde jaar bracht hij door in Afghanistan, bij een aantal eenheden van de Special Forces.

In het begin van zijn zesde jaar was hij in een buitenwijk van de stad Ghazni en stond hij te dicht bij een landmijn toen die ontplofte. Een stuk van de behuizing, zo groot als een softbal, was dwars door zijn heup gegaan. Een hospik had een pak watten in het gat in zijn been en bil gepropt, hem in een helikopter van de Medische Dienst gelegd en gezegd: 'Shit, man, je hebt geluk gehad. Als je een kwartslag naar rechts gedraaid had gestaan, zou je nu je ballen kwijt zijn.'

De rest van het zesde jaar bracht hij door in het Walter Reed-legerhospitaal in Bethesda, voor de revalidatie van zijn been.

Daarna werd hij, nog steeds in therapie, overgeplaatst naar het Pentagon, waar hij ontdekte dat hij het talent had om zich in de wereld van de bureaucratie te bewegen. Terwijl zijn militaire collega's zich bezighielden met research naar de training van de Special Forces in China, of de elektronica in schouderraketwerpers in India, deed Jake zijn werk bínnen het Pentagon, in de diverse takken van het Congres en het rattennest van bureaus en departementen die de inlichtingendiensten huisvestten.

Hij ontdekte dingen, werd de Sam Spade van het ronde archief, de Philip Marlowe van de doofpot.

En hoewel hij er uiteindelijk in slaagde om acht kilometer in een halfuur te lopen, in een wat hobbelende gang en klapwiekend met zijn armen, zou het leger hem nooit meer als volledig gerevalideerd beschouwen. Die carrière was voorbij. Hij mocht wel blijven, kon een staffunctie krijgen om op een dag met pensioen te gaan als een van de legerintellectuelen die vraagtekens zetten bij de theorieën over oorlogsvoering, maar daar voelde hij niets voor.

In plaats daarvan was hij tijdens zijn revalidatie en later, toen hij op het Pentagon werkte, college gaan lopen in Georgetown, met het idee om zelf ooit op universitair niveau te gaan lesgeven. Hij had zijn doctoraalscriptie geschreven over de twintigste-eeuwse modernistische opvattingen en hoe die in de politiek waren geïntegreerd, en die scriptie vervolgens herschreven tot een boek: *Modernisme & politiek: theorieën die de wereld hebben veranderd.*

Hij kreeg goede recensies in de belangrijke wetenschappelijke tijdschriften en schreef nog een boek: *De nieuwe elites*, een studie van beroepsmatige bureaucratieën. Daarmee had hij zijn status van politiek intellectueel gevestigd. Hij deed geen televisie. Televisie, vond hij, was goed voor de verkoop, maar hij hield zich liever bezig met de research en het schrijven.

Hij was getrouwd voordat hij gewond was geraakt, maar het huwelijk had zijn revalidatie niet overleefd. Het zou het toch niet gered hebben, wist hij. Die vrouw was een krokodil. Alhoewel, bedacht hij, als ze had geweten dat hij ooit in het Witte Huis terecht zou komen...

Zijn invloedrijkste publicatie was nooit in boekvorm verschenen. Op aandringen van een vriend uit het leger had hij *Winters gids voor ingewijden*, een wegwijzer in de doolhof van militaire en inlichtingendiensten geschreven. Het was een bestseller geworden in de ondergrondse literatuur van het Pentagon.

De *Gids* had hem ook een parttimebaan opgeleverd, bij de op een na belangrijkste man van de Verenigde Staten.

Tien seconden nadat Gina had gebeld, werd hij opgehaald door een kapitein van de mariniers, die hem voorging naar de lift en hem door de gebroken witte gang meenam naar Danzigs kantoor.

Op bezoek bij de 'baas'. De baas was Bill Danzig, de stafchef van de president. Danzig was twee regeringen daarvoor staatssecretaris van Defensie geweest, en daarna, toen de partij geen macht meer had, adviseur op het Pentagon. Hij had *Winters gids* gelezen, en toen hij op het Witte Huis was gaan werken, had hij Jake meteen op zijn shortlist van consultants gezet.

Jake had in de afgelopen drie jaar ongeveer twintig klussen voor hem gedaan, waarbij het altijd ging om het opsporen van problemen in de bureaucratie. Naarmate Danzig meer vertrouwen in hem had gekregen, waren de problemen complexer geworden, en zijn opdrachten frequenter. Het was geen fulltimebaan, maar wel een heel lucratieve. Zijn werk gaf hem ook toegang tot een paar geheime overheidscomputers, wat heel interessant was voor iemand die wilde weten wat er echt gebeurde.

In de gang, voor de deur van Danzigs kantoor, stond een agent van de Secret Service, keurig in het pak, met een smetteloos wit overhemd, een wijnrode das en een oordopje. Hij knikte naar Jake en de kapitein, ging midden in de gang staan om de weg naar de kamer van de president verderop in de gang te blokkeren en maakte een uitnodigend gebaar naar de deur van Danzigs kantoor.

Jake bleef staan en knikte. De agent van de Secret Service zei: 'Leuk u weer te zien, meneer Winter.'

'Ook leuk om jou weer te zien, Henry,' zei Jake, die altijd van iedereen de naam onthield, wat een van zijn talenten was.

Het kantoor van Danzigs secretaresse was zeven meter breed en acht meter lang, met een zijkamertje waar de printers en het kopieerapparaat stonden. Hij had drie secretaresses. Twee zaten tegenover elkaar bij de zijmuur, aan identieke kersenhouten bureaus, naar hun beeldscherm te staren.

De derde zat aan een grote antieke tafel met gebogen, gebeeldhouwde poten die in de dikke, diepblauwe vloerbedekking wegzakten, onder een portret van Theodore Roosevelt, naast de deur van Danzigs kantoor. De tafel lag vol met papieren, ingebonden rapporten, en er stonden een paar familiefoto's op en een vaas met orchideeën, grote gele bloemen met een dieprode bladverf.

De derde secretaresse was Gina, de belangrijkste van de drie, degene die hem had gebeld. Ze was begin veertig, had een onbewogen, ovaal gezicht, kortgeknipt haar, helderblauwe ogen en een paar rimpeltjes in haar hals. Ze knikte naar hem en glimlachte, wat niet betekende dat ze geen seconde zou aarzelen om hem de keel door te snijden als haar baas daar opdracht toe gaf. 'Mooie das,' zei ze, en ze drukte op een knop op het tafelblad. Danzig wist nu dat Jake er was.

'Mooie ketting,' zei Jake. 'Is die nieuw?'

Gina's hand ging naar de ketting met haar identiteitspasje van het Witte Huis; blauwgroene, halfrond geslepen edelsteentjes gezet in Navajo-zilver. 'Ik heb hem pas... van mijn man gekregen voor onze trouwdag.'

'Ziet er antiek uit,' zei Jake. 'Heel mooi.'

In Washington onderscheidden identiteitspasjes de insiders van de toeristen. En de elite-insiders onderscheidden zich van de gewone insiders door pasjeskettingen met edelstenen, waarvan de verkoop een flinke vlucht had genomen.

Gina keek naar het tafelblad, waarop een groen lampje was gaan branden, en zei: 'Je kunt naar binnen. Hij wacht op je.'

Bill Danzig zat zijn schoenveter te strikken. Hij keek op toen Jake binnenkwam en gromde: 'Koop nooit ronde schoenveters.'

'Ik zal er een notitie van maken,' zei Jake.

Danzig wees naar een stoel en Jake ging zitten. 'Hoe ziet je agenda eruit?' vroeg Danzig. 'Heb je tijd voor me?'

Jake haalde zijn schouders op. 'Ik kan altijd tijd maken. We hebben paasvakantie, dus ik heb anderhalve week vrij.'

'Heel mooi. Nou, wat weet je van Madison Bowe?' Danzig leunde achterover in zijn stoel. Hij was dik, had afhangende schouders en een dunne nek. Hij had kleine, donkere ogen en dunnend, achterovergekamd zwart haar waarin witte puntjes van roos te zien waren. De geur van aftershave hing om hem heen als die van een overrijpe appel.

'Alleen wat ik op televisie heb gezien en in de kranten heb gelezen,' zei Jake.

'Geef me jouw versie van een minuut.'

Jake haalde zijn schouders weer op. 'Madison Bowe, vierendertig jaar, getrouwd met geld in de gedaante van voormalig senator Lincoln Bowe, zesenveertig jaar. Heeft op televisie verteld dat Lincoln Bowe op de universiteit van Virginia een – ik citeer – "tamelijk verhitte speech" heeft gehouden voor een groep republikeinse rechtenstudenten.'

Danzig imiteerde met zijn lippen het geluid van een wind. Jake wachtte even en vervolgde zijn verhaal.

'Naderhand, zei ze, was hij gezien met drie mannen in pak, toen hij in een auto stapte en vervolgens is verdwenen. Getuigen hebben haar verteld dat de mannen eruitzagen als mensen van de politie of geheime dienst, compleet met stekeltjeshaar en oordopjes. Mevrouw Bowe heeft gezegd dat ze van een hooggeplaatste bron heeft gehoord dat de burgerwacht hem heeft ontvoerd. Ze vreest voor zijn leven, aangezien nooit toegegeven zal worden dat het werkelijk zo is gegaan.'

'Dat is waar,' zei Danzig.

'Ze zegt ook dat ze bespied is op haar ranch bij Lexington, en dat ze thuis is bedreigd door de burgerwacht. Ze heeft een videotape als bewijs. Daar is op te zien dat ze geïntimideerd wordt. Als die tape niet in scène gezet is, heeft ze een goede reden om bang te zijn. Die man van de burgerwacht gedroeg zich als een soort SS'er. Dat is het zo'n beetje... ik bedoel, er zijn nog wel meer details...'

'Die verdomde pers,' zei Danzig. 'Stelletje imbeciele rechtse rakkers met hun kloterige paardenfarms. Dit is verdomme het grootste mediacircus sinds Bill Clinton zich heeft laten pijpen.'

'Ja, meneer.'

'Ze ziet er goed uit ook, Madison Bowe. Blond, goeie tieten, lekker kontje. Daar houdt de pers van.'

'Ja, meneer,' zei Jake. 'Ik heb haar op televisie gezien.'

'Lincoln Bowe heeft geen – ik citeer – tamelijk verhitte speech gegeven,' zei Danzig. Hij wachtte even, hield Jakes gezicht in de gaten met half neergeslagen ogen. 'Als je die speech gehoord had, zou je weten dat die aan pure waanzin grensde. Bowe klonk alsof hij dronken was. Wat hij in principe beweerde, was dat de president en de leider van de oppositie in de Senaat criminelen waren. Het was absoluut ongehoord.'

'Ja, meneer.'

Danzigs dunne lippen plooiden zich in een hagedissenglimlach. 'Nou, Jake... roept dat vragen bij je op?'

'De voor de hand liggende: heeft de burgerwacht hem ontvoerd?'

Danzig liet zijn bureaustoel een hele draai maken en zette zijn voeten op de grond voordat hij aan een volgende draai kon beginnen. 'Dát is de vraag. En het antwoord is: dat weten we niet. Het kan, denk ik. God weet wat Goodman daar allemaal uitvreet.'

'Wat is óns probleem?' vroeg Jake.

'Gêne. Goodman is iemand van ons, dat kunnen we niet ontkennen. We vonden het een goed idee, van die burgerwacht... het idee om vrijwilligers in te zetten voor Amerika, als een soort vredeskorps, maar dan aan onze kant. Het was iets wat John F. Kennedy verzonnen zou kunnen hebben. En het mooist van alles was, het kostte niks. Nu gaan er stemmen op dat het een stel nazi's is. Wij wilden Lincoln Bowe kwijt, wij wilden hem uit de Senaat, en we hebben Goodman de middelen gegeven om het werk voor ons te doen. Nu Bowe ook echt verdwenen is, krijgen wij het op ons brood.'

26

Jake knikte. Er viel niet veel te zeggen. De democraten, met de president voorop, hadden zeventig miljoen dollar in de verkiezingsstrijd in Virginia gepompt en Goodman als hun frontman gebruikt.

'Dus, zoek uit wat er met Bowe is gebeurd,' zei Danzig. 'Op legale manier, als dat kan. Gebruik de FBI voor de technische zaken. Maar zorg ervoor dat je hem opspoort en hou me op de hoogte via Gina.'

'Wat doet de FBI?' vroeg Jake. 'Ik weet niet wat ík er verder nog aan kan bijdragen.'

'De FBI vreet uit zijn neus, dát doen ze,' zei Danzig geïrriteerd. 'Ze herkennen een verloren zaak als ze er een zien. Ze zoeken wel, maar ik heb de directeur gesproken en weet verdomde goed dat ze niet met hart en ziel zoeken. Ze zeggen dat er geen sporen van een ontvoering zijn, geen sporen van geweld, geen sporen van wat ook. Dus kijken ze een beetje rond en verder doen ze geen bal.'

'En wat ga ik doen?'

'Wat je altijd doet,' zei Danzig. 'Mensen de duimschroeven aandraaien, de boel overhoop halen, mensen bedreigen. We willen dit probleem de wereld uit hebben. We kunnen het niet laten voortduren tot na de zomer, want dan komen de verkiezingen eraan.'

'Wat is de deadline?'

Danzig schudde zijn hoofd. 'Moeilijk te zeggen. Het is al een aardige puinhoop. Op dit moment houden we ons hart vast, voorzien we de pers via de achterdeur van informatie en zeggen we dat het een probleem van de staat Virginia is, en niet van het Witte Huis. Tot nu toe zijn ze erin getrapt. Maar je weet hoe het gaat: er hoeft maar één ding te gebeuren en ze storten zich als een troep hongerige wolven boven op ons.'

'Wat is mijn autoriteit?' vroeg Jake. Soms wilde Danzig liever dat niemand dat wist.

'Ik ben jouw autoriteit,' zei Danzig. 'Je kunt mijn naam gebruiken. Gina zal het bevestigen als het nodig is.'

'Oké.' Jake sloeg met zijn handen op zijn dijbenen. 'Dan kan ik beter aan de slag gaan.'

Toen hij opstond en zich naar de deur omdraaide, vroeg Danzig: 'Heb je nog kalkoenen geschoten?'

'Nee, ik werd gestoord door een telefoontje.'

'Dat is het leven in de grote stad, vriend,' mompelde Danzig terwijl hij al in de papieren op zijn bureau aan het bladeren was. 'Misschien kun je tijdens deze klus een paar vreemde vogels schieten.'

Jake werd door een agent naar de uitgang begeleid, ging door de beveiliging en even later stond hij op straat, waar hij een taxi naar huis nam.

De zon scheen, de roze en witte magnolia's stonden in volle bloei en in de bloemperken staken de narcissen als uitroeptekens uit de grond. Het was begin april en in het Tidal Basin zouden de kersenbomen er prachtig bij staan, als je er tenminste tussen de horden toeristen door bij kon komen. Hij nam zich voor er te gaan kijken, als hij tijd had.

De regen van de afgelopen dagen had de stad een opfrisbeurt gegeven. Washington Monument wees als een naald naar de hemel en vertelde de rest van de wereld wie de grootste had. De straten waren versierd met bloemen en overal waar je keek zag je kantoormensen met witte identiteitspasjes om de nek en dikke, bruine attachékoffertjes in de hand. Op een mooie dag als deze zagen zelfs de bureaucraten van Washington er gelukkig uit.

Jake woonde in Burleith, iets ten noorden van Georgetown, in een huis dat eruitzag alsof het in het begin van de twintigste eeuw gebouwd had kunnen zijn, maar dat in werkelijkheid een pas vijftien jaar oude, gedetailleerde kopie daarvan was.

De straat was al enige tijd opgebroken. De eigenaar van het huis drie deuren verderop, een beurshandelaar, had de andere bewoners van de straat ervan overtuigd dat ze de oorspronkelijke stoepen, van betonplaten, moesten laten vervangen door bakstenen stoepen. Die zouden de straat opwaarderen, had hij gezegd, en de verkoopwaarde van de huizen verhogen omdat de buurt dan meer op Georgetown zou lijken. Het kon Jake allemaal niet zoveel schelen, maar hij had ingestemd omdat de anderen dat ook hadden gedaan. Bovendien had de kleine druktemaker waarschijnlijk gelijk.

Vanwege het werk aan de straat liet Jake zich door de taxi afzetten bij het begin van het steegje dat naar de achterkant van zijn huis liep. Hij draaide de poort van het hek van het slot en liep de treden naar de achterdeur op.

Het was een echt vrijgezellenhuis, met een functionele keuken, een compacte eetkamer, een woonkamer met een breedbeeldtelevisie, een zijkamer die als bibliotheek en kantoor dienstdeed, en een kleine badkamer. Op de eerste verdieping waren de grote slaapkamer met badkamer, de logeerkamer en een derde slaapkamer waar hij al zijn rommel had staan: oude golfclubs, een nooit gebruikte roeitrainer, afgedankte computers die te oud waren om nog te gebruiken, maar nog te goed om weg te gooien, drie versleten, veelgebruikte rugzakken en twee nieuwere; hij was een echte rugzakkenjunk. In de kamer stond ook een wapenkluis, een kast waarin zijn bogen hingen, en er lag een stapel koffers.

De verwarmingsketel, de wasmachine met droger, de hoofdtelefoonaansluiting, de stoppenkast en de hoofdaansluiting van de alarminstallatie bevonden zich allemaal in de kleine kelder. Hij had een garage voor twee auto's achter het huis laten bouwen, zodat er van de achtertuin niet veel was overgebleven.

Jake hield het huis op orde door twee uur per week, meestal op zondagochtend, schoonmaakwerk te doen. De reden daarachter was een praktische, want je kon beter twee uur per week schoonmaken dan twee hele dagen eens per kwartaal.

Tegen de tijd dat hij thuis was, was zijn werkdag voorbij. Hij ging online, zocht de website van de staat Virginia op, vond de naam van de stafchef van de gouverneur – Ralph Goines – zocht zijn telefoonnummer op in de database van de FBI en belde hem op zijn geheime privénummer. Hij vertelde wie hij was en zei: 'Ik moet de gouverneur dringend spreken. Morgen, als het mogelijk is.'

'Kan ik de gouverneur vertellen waar het over gaat?'

'Over Lincoln Bowe. Als u het programma van Randall James hebt gezien...'

'Ja, dat hebben we gezien,' zei Goines. 'Absoluut onverantwoordelijk. Mevrouw Bowe maakt zich schuldig aan roddel en laster.'

'O, ja?' zei Jake. 'Wie was die grote kerel op de videotape, die met dat leren jack? Roddel? Of Laster?'

Bureaucraten provoceren was de enige manier om hen wakker te krijgen. Het bleef vijf seconden stil en toen zei Goines: 'Daar zijn we mee bezig. Het kan zijn dat het een samenzwering was.'

'Juist,' zei Jake zonder zijn scepsis te verbergen. 'Misschien kan de gouverneur me daarover vertellen.'

De bal werd nog een paar keer heen en weer gekaatst en toen kreeg hij eindelijk zijn afspraak. 'Eén uur. Zorg dat u op tijd bent. De gouverneur is een drukbezet man.'

Jake knikte naar de telefoon, zei: 'Natuurlijk', hing op en richtte zijn aandacht weer op zijn computer.

Door zijn werk voor Danzig had Jake beperkte toegang tot de informatiebestanden van de overheid. Hij opende opnieuw de database met telefoonnummers van de FBI. Het echtpaar Bowe had een huis in Georgetown, niet zo ver van zijn eigen huis, een ranch in de Blue Ridge en een flat in New York. Hij vond een niet-geregistreerd mobiel nummer van Madison Bowe en belde het.

Ze nam op nadat het toestel drie keer was overgegaan.

3

Madison Bowe woonde in een huis van vier verdiepingen in Georgetown, een stukje heuvelopwaarts vanaf M Street. Jake betaalde de taxichauffeur, trok zijn das recht, liep de treden van de veranda op en belde aan. Ze deed zelf open, op blote voeten, gekleed in een zwarte broek en een Chinees huisjasje van groene zijde, dat tot op haar heupen viel. Ze glimlachte niet, maar keek hem aan en vroeg: 'Bent u Jake Winter?'
'Ja, dat klopt.' Jake had haar alleen op televisie gezien, waar iedereen werd samengeperst totdat hij of zij in het beeld paste en beeldschone blondjes dagelijkse kost waren, zodat je er niet op lette. Maar Madison Bowe was echt, en de echtheid van de vrouw was als een klap in het gezicht. Ze was kleiner dan hij had verwacht, had kort blond haar, een gebeeldhouwd neusje, groene ogen die je recht aankeken, en een vleugje roze lipstick op haar lippen. Ze praatte met een zacht plattelandsaccent, met een lichte schorheid die deed vermoeden dat ze wel eens een glaasje whisky dronk.
Ze glimlachte nog steeds niet, keek naar links en naar rechts de straat in en zei: 'Ik vind het vreselijk om een democraat in vertrouwen te nemen.'
'Mijn oprechte excuses daarvoor,' zei Jake. 'Ik kan naar huis gaan en mezelf voor mijn hoofd schieten, als u dat wilt.'
Jake had iets met kleine blondines. Zijn ex-vrouw mocht dan rechtstreeks uit de hel per luchtpost naar hem toe gestuurd zijn, maar ook zij was een kleine blondine geweest, tot aan de echtscheiding toe, en ook zij had zijn aandacht getrokken vanaf de allereerste keer dat hij haar had gezien. Net als Madison Bowe. En Madison rook lekker, naar lelies, of vanille.
'U kunt beter binnenkomen,' zei ze, zonder te reageren op zijn grapje. 'We zitten in de salon.'
Jake hinkte achter haar aan. Hij wist dat ze het zag.
De andere helft van de 'we' over wie ze het had, was een advocaat die Johnson Black heette. Hij zat op de bank, bij de salontafel, met een porseleinen kopje in zijn hand. Jake kende hem, kwam hem een keer of zes per jaar tegen op de diverse diners voor lobbyisten. Black was kalend, had roze appelwangen en droeg een brilletje met halfronde glazen. Hij liep tegen de zeventig en was een bekende figuur in Washington, een

30

van de juristen die hun privépraktijk afwisselden met opdrachten voor de overheid.

Zoals altijd was Black in het zwart gekleed, maar hij had zijn kleurige das losgetrokken. Hij stond op, glimlachend, om Jake een hand te geven. 'Verdomme, Jake, ik kon mijn oren niet geloven toen Maddy zei dat jíj zou komen. Ik heb haar verteld dat je oké bent.'

'Dat is aardig van je,' zei Jake. 'Hoe is het, Johnnie? Hoe gaat het met je hart?'

'Ah, ik sta op een dieet van boomschors en twijgjes. Het is óf dat, óf een bypassoperatie.'

Madison keek Jake aan. 'Johnnie vertelde me dat u doceert op Georgetown,' zei ze. 'Waar zou een universiteitsprofessor...'

'Ik ben geen professor,' zei Jake. 'Ik geef één college. Ik werk voor de overheid, als consultant. Ik ben gespecialiseerd in...' Hij onderbrak zichzelf, keek Johnson Black aan en zei: 'Ik weet niet precies waarin ik gespecialiseerd ben. Weet jij het, Johnnie?'

'Moeilijk te zeggen,' zei Black. 'In forensische bureaucratie misschien?'

'Dat is het,' zei Jake, en hij wendde zich weer tot Madison. 'Forensische bureaucratie. Als er ergens iets misgaat, probeer ik uit te vinden wat er écht is gebeurd.'

Madison ging naast Black op de bank zitten. Ze keek ernstig, had nog steeds niet geglimlacht, en Jake wilde haar juist zo graag zien glimlachen. Hij ging in de fauteuil aan de andere kant van de salontafel zitten, zette zijn koffertje naast zich op de grond en boog zich naar voren.

'De president heeft me opgedragen senator Bowe op te sporen. Om te beginnen ga ik een heel stel bureaucraten wakker schudden, daarna ga ik heibel schoppen bij Justitie, de FBI en de Binnenlandse Veiligheidsdienst, én ik ga met gouverneur Goodman praten.'

'Met andere woorden: u gaat er een grote publiciteitsshow van maken omdat de president de bui al ziet hangen,' zei Madison.

Jake schudde zijn hoofd. 'Nee, geen show. Daar heb ik heel duidelijke afspraken over gemaakt. Ik doe niet aan publiciteit. Maar ik ga wel uw man opsporen. Er moet een reden voor zijn verdwijning zijn.'

'Omdat hij zich heeft uitgesproken,' zei Madison. 'Omdat hij kritiek heeft geuit op Arlo Goodman en zijn boevenbende, en hem in verband heeft gebracht met de huidige regering.'

Jake hield zijn beide handen op naar Madison. 'Mevrouw Bowe, ik heb gehoord wat u op televisie zei. Ik zal die mogelijkheid in mijn achterhoofd houden. Maar er zijn nog meer mogelijkheden en ik ben niet van plan die uit te sluiten.'

'Wat voor mogelijkheden?'

'Dat uw man zelf redenen had om te willen verdwijnen,' zei Jake.

'Dat gelooft u toch zelf niet?' zei ze, en ze rechtte haar rug. Haar handen lagen ineengeklemd in haar schoot en Jake was blij dat zijn nek er niet tussen zat.

'Ik geloof op dit moment helemaal niks, mevrouw Bowe,' zei Jake. 'Maar er zijn geruchten in die richting geweest. Dat dit een poging is om Arlo Goodman in een kwaad daglicht te stellen. Dat u het beiden op hem gemunt hebt. In talkshows op de radio is gezegd dat uw televisieoptreden daar ook op gericht was.'

Ze keek hem oprecht verontwaardigd aan. 'Ik heb nooit...'

Jake onderbrak haar. 'Ik geef alleen maar mogelijkheden aan, zoals ik ze zie. Ik wil geen ruzie met u maken of u troosten. Ik moet u een paar vragen stellen en ik heb een verzoek.'

Ze leunde achterover op de bank en sloeg haar armen over elkaar. 'Wat wilt u weten?'

'Uw man is een te belangrijke publieke figuur om op eigen houtje van de aardbodem te verdwijnen,' zei Jake. 'Als hij dat heeft gedaan, moet u, of een goede vriend van hem, weten waar hij is. Wat ik wil, is dat u al zijn goede vrienden belt en zegt dat als ze iets over Lincoln Bowe weten, ze contact opnemen met mij. Want we zijn nu op een punt aangekomen dat mensen die iets met zijn verdwijning te maken hebben gestraft gaan worden, dat ze de gevangenis in gaan. Dat dit, als het als grap begonnen is, allang niet meer om te lachen is.'

Madison boog zich naar voren en keek Jake recht aan. 'Dat is wat ik wil! Dat iemand dat in het openbaar zegt. De president. De procureur-generaal. Dat we het over gevangenisstraf hebben. Of de doodstraf. Of weet ik veel. Dat er eindelijk eens druk wordt gezet op degenen die hem ontvoerd hebben. Ze zijn tot nu toe veel te soft geweest...'

'Dus u belt die mensen?'

'Ja, hoewel het ons niet verder zal helpen,' zei ze. 'Hij is niet vrijwillig verdwenen. Hij is niet ondergedoken bij een vriend. Dat zou hij tegen me gezegd hebben. Daar komt nog bij...'

Ze aarzelde en Jake vroeg: 'Wat wilde u zeggen?'

'Hij woont voornamelijk in onze flat in New York,' zei ze. 'Hij heeft daar twee katten. Toen hij verdween, vermoedelijk op die vrijdagmiddag, merkte niemand dat hij weg was, totdat hij op maandag niet op zijn afspraken kwam opdagen. Toen we naar de flat belden, nam het dienstmeisje op. Ze zei dat hij er niet was, maar niet alleen dat; ze zei ook dat niemand in het weekend de katten eten had gegeven. Ze zaten al dagen zonder eten en water en hadden uit de wc-pot moeten drinken. Linc zou dat nooit doen, die katten aan hun lot overlaten. Als hij zijn eigen verdwijning had gepland, zou hij zeker een of ander excuus verzonnen hebben om ervoor te zorgen dat er iemand naar die katten kwam kijken.'

Jake keek naar zijn bovenbenen, bracht in een onbewust gebaar zijn hand naar zijn voorhoofd en raakte het aan met zijn middelvinger. In elke jacht en in elk verhoor zat wel zo'n moment dat iemand iets zei wat schijnbaar niets te betekenen had, maar wat in werkelijkheid juist heel belangrijk was.

Madison vatte zijn zwijgen verkeerd op. 'Wat is er? Gelooft u me niet?'

'Nee, dat is het niet,' zei Jake, en hij keek naar haar op. 'Dit is het eerste brokje informatie dat me het idee geeft dat u gelijk hebt. Dat hij niet vrijwillig is verdwenen.'

Voor het eerst werd haar houding iets minder strak. 'Dat probeer ik iedereen duidelijk te maken. Hij zou die katten nooit aan hun lot overlaten.'

Jake bleef haar even aankijken en zei toen: 'U zei dat hij voornamelijk in New York woont. Bent u daar dan ook?'

'Nee, ik...' Ze onderbrak zichzelf, keek Black aan en zei: 'We zijn niet echt vervreemd van elkaar. We zijn nog goed bevriend. Maar we wonen niet meer samen. Hij zit meestal in New York en ik woon over het algemeen op onze ranch. Als we elkaar zien, is dat meestal hier, in Washington.'

Jake vatte het op als een complex van schijnbewegingen om aan te geven dat ze niet meer met elkaar naar bed gingen.

'Denkt u, als u alleen nog bevriend bent, dat het mogelijk is dat hij een vriendin heeft? Iemand met wie hij misschien een tijdje weg is gegaan?'

Ze was hogelijk verbaasd. 'Nee, daar geloof ik niets van. Als dat zo zou zijn, zou hij het me verteld hebben. En hij zou iemand voor de katten hebben laten zorgen.'

Oké, genoeg hierover.

Jake keek eerst Black en toen Madison aan. 'In de bureaucratie bestaat een theorie die de "regel" wordt genoemd. Hebt u daarvan gehoord?'

Madison schudde haar hoofd, maar Black knikte. 'Uit *Winters gids*. Je vraagt: wie heeft er voordeel van?'

'Precies,' zei Jake. 'Hoewel die niet van mij afkomstig is. Ik had het ergens gelezen.' Hij keek Madison recht aan. 'In elke analyse van een complex politiek probleem is het de regel dat je jezelf de vraag stelt: wie heeft er voordeel van? Als je die vraag kunt beantwoorden, kun je elk politiek of bureaucratisch probleem oplossen. Nou, senator Bowe is onder verdachte omstandigheden verdwenen en nu vragen we ons af: wie heeft er voordeel van?'

'Ja, en?' vroeg ze.

Jake schudde zijn hoofd. 'Deze regering is het in elk geval niet. Degenen die er tot nu toe het meest voordeel van hebben gehad, waren de politieke bondgenoten van uw man. En de grootste verliezer tot nu toe is Arlo Goodman.'

'Maar...'

'Ik weet hoe u over Goodman denkt, dat u hem niet mag.'

'Goodman is een vuile schoft,' zei ze.

'Dan begrijpt u mijn probleem. Uw man verdwijnt en vrijwel niemand loopt schade op, behalve Arlo Goodman. En, in het verlengde daarvan, andere democraten. Over zeven maanden zijn de verkiezingen...'

Madison keek opzij naar Black en toen weer naar Jake. Haar hals en wangen gloeiden van boosheid. 'Oké,' zei ze, 'laten we de gegadigden nog eens doornemen, want u hebt het mis met wie er voordeel van heeft. Het gaat niet om een paar republikeinen die zich tegen Arlo Goodman hebben gekeerd... er zijn een heleboel mensen bang van hem. De burgerwacht is een soort Ku-Klux-Klan, een maffia, of Gestapo. Ze krijgen hun orders van Goodman. Als Lincoln niet wordt opgespoord en er wordt niemand gepakt, zullen de mensen nog banger van de burgerwacht worden. En dat willen ze graag. Ze willen angst zaaien. Ze willen macht. Wie er voordeel van heeft als we Lincoln niet terugvinden? De burgerwacht heeft er voordeel van.'

'Dat lijkt me een beetje overdreven,' zei Jake. 'Een stel mannen in leren jacks. Overjarige padvinders.'

Haar stem werd niet schril, maar de boosheid was er duidelijk in te horen. 'Zo zijn ze begonnen. De meesten van hen zijn nog steeds zo. Een stel overjarige padvinders. Maar er zitten erbij... In Lexington is de burgerwacht bij mij langsgekomen en hebben ze geprobeerd me onder huisarrest te plaatsen. Zonder gerechtelijk bevel, ik had niets gedaan... de burgerwacht. Ze zijn nu ook bezig in andere staten. U hebt geen idee hoe gevaarlijk Goodman is. Die neemt geen genoegen met het gouverneurschap. Dat is voor hem niet genoeg. Hij wil president worden.'

'Ik heb morgen een afspraak met de gouverneur,' zei Jake. 'Ik zal het er met hem over hebben.'

'Alsof we daar veel mee opschieten,' zei ze op scherpe toon.

'Terug naar waar we waren: wíj hebben er geen voordeel van. Ik weet nog niet of ik meega in uw analyse van de burgerwacht, maar ik zal het in mijn achterhoofd houden. Dus, wie hebben we nog meer? Is er nog een andere partij?'

Ze schudde haar hoofd. 'Dat weet ik niet. Als u denkt in de richting van Arabische terroristen, of de vrijmetselaars, of het Vaticaan, of een duizend jaar oude samenzwering, schiet u uw doel voorbij en zal het Linc waarschijnlijk het leven kosten. Ik weet zeker dat we het dichter bij huis moeten zoeken.'

Jake knikte en pakte zijn koffertje. 'Oké. Belt u die vrienden. Ik zal u mijn privénummer geven voor als u me wilt bellen.'

'U gaat hem opsporen?'

Jake knikte. 'Ja, ik ga hem opsporen. Hij is voor het laatst gezien in gezelschap van twee of drie mannen, toen hij in een auto stapte. Dat was geen onschuldig autoritje, want er heeft zich nog niemand gemeld om uit te leggen wat dat te betekenen had. Dus dát moet het moment zijn geweest, denk ik, dat hij verdwenen is, of de inleiding tot zijn verdwijning. Dit houdt in dat er een paar mannen zijn die weten wat er gebeurd is en waar hij is. Ik ga iedereen net zolang onder druk zetten totdat ik weet wie die mannen zijn. Geloof me, ik zal hem opsporen.'

'Wees voorzichtig met waar u gaat zoeken, vooral in Virginia.'

'De burgerwacht maakt mij niet bang,' zei Jake.

'Dat zit me dwars,' zei ze.

'Waarom?'

'Omdat dat misschien betekent dat u te dom bent om Lincoln op te sporen.'

Ze bleven elkaar even aankijken en toen brak er een glimlach door op Jakes gezicht. Hij mocht haar echt. 'Oké.'

Voordat hij vertrok, gaf ze hem een hand. Die voelde harder en ruwer aan dan hij had verwacht, waarschijnlijk van het paardrijden, of van het werk op de ranch, dacht Jake. Voordat ze de deur achter hem dichtdeed, draaide hij zich om en zei: 'Ik zal met de gouverneur over u praten... dat u terug kunt naar de ranch en dat hij ervoor zorgt dat u niet meer wordt lastiggevallen. Als ik meer informatie nodig heb, mag ik dan nog eens terugkomen?'

'Ja, natuurlijk, wanneer u maar wilt,' zei ze. 'Als we Linc niet gauw opsporen, is het te laat.'

Black, die achter haar stond, zei: 'En hé, pas een beetje op, wil je? Denk aan wat Maddy over de burgerwacht heeft gezegd. Ik heb gehoord dat je altijd erg snel was met uit vliegtuigen springen.'

Toen Jake vertrokken was, zei Madison tegen Johnson Black: 'De politie van Virginia en de FBI zijn al naar Linc op zoek. Die boeken geen enkel resultaat, en nu stuurt de president een of andere bureaucraat die hem wél zou moeten opsporen? Schieten we daar iets mee op? Of ben ik nu gek?'

35

'Jake is niet bepaald een bureaucraat,' zei Black.

'Dat van die forensische bureaucratie was wel grappig,' zei ze toen ze weer in de woonkamer waren, 'maar wat betekent het?'

'Jake lost dingen op,' zei Black. 'Als er een of ander ernstig politiek probleem is dat niemand kan oplossen maar dat wel opgelost moet worden, doet Jake dat. Hij maakt lijsten van mensen die ontslagen moeten worden, en mensen die promotie moeten krijgen. Hij duikt in de bureaucratie en jaagt die mensen de stuipen op het lijf. En dát is wat er moet gebeuren als we Linc willen opsporen.'

'Wat? Bureaucraten de stuipen op het lijf jagen?'

'Ja. Want ze zijn wel op zoek naar Linc, en ze doen wel wat vanwege de aandacht van de pers, maar ze gaan niet tot het uiterste om hem te vinden. Jake kan ervoor zorgen dat ze wel tot het uiterste gaan. Hij kan hun het gevoel geven dat hun baan op het spel staat als ze hem niet opsporen, en soms is dat ook zo.'

'Hm.' Ze leunde achterover op de bank. 'Nou ja, het is beter dan niks.'

'Hij is met Nikki Lange getrouwd geweest, wist je dat?'

Haar wenkbrauwen schoten omhoog. 'Dat meen je niet! Was hij dat?'

'Ja, dat was hij. Dat huwelijk kon natuurlijk niet standhouden. Nikki was altijd vooral met zichzelf bezig.'

'En met haar geld,' zei Madison. 'Krijgt hij alimentatie?'

'Nee. Hij heeft tegen de rechter gezegd dat het enige wat hij graag terug wilde, zijn leven was. De rechter viel bijna van haar stoel van het lachen... die kende Nikki ook. Trouwens, Jake is niet onbemiddeld. Hij had een ranch in Montana geërfd en heeft die voor heel veel geld aan een of andere filmster verkocht.'

'Misschien rijdt hij wel paard,' zei ze.

'Ik weet vrij zeker dat hij dat doet.' Black glimlachte. 'Ik heb jullie geobserveerd terwijl jullie aan het praten waren. Jullie schijnen elkaar wel te mogen.'

Ze stak haar tong naar hem uit en zei: 'Hij is niet geheel onaantrekkelijk.'

Black lachte snuivend. 'Als je het maar rustig aan doet. Voor de meeste mensen is Jake een beetje te veel van het goede. Ik heb gehoord dat hij aardig heeft standgehouden met Nikki.'

'En hij springt uit vliegtuigen?'

'Jake heeft jaren in Afghanistan gezeten. Hij heeft mensen gedood; dat was zijn taak. Dus je kunt wel met hem spelen, maar ik zou hem niet boos maken.'

'Hm,' zei Madison weer. 'Misschien kan hij echt iets doen. Misschien hebben we wel behoefte aan iemand die uit vliegtuigen springt.'

Uit vliegtuigen springen.

Jake droomde die nacht dat hij uit vliegtuigen sprong, beelden die werden afgewisseld met het gezicht en het figuur van Madison Bowe, maar het springen vervulde de hoofdrol. Als andere parachutisten het over hun beste moment hadden, was dat meestal wanneer de parachute openging en ze zweefden, maar Jakes beste moment volgde onmiddellijk op de sprong, de klap van de wind, de slipstream van het vliegtuig, het gekriebel in zijn neus, het moment van overgave.

Hij had het naar zijn zin gehad in Afghanistan: het vechten, de kameraadschap, het land zelf, de Afghanen. In militaire kringen in Washington dicteerde de mode dat je nors en manhaftig toegaf dat je er geweest was en dat het zwaar was geweest, niet dat je het er naar je zin had gehad, of dat je had genoten van de opwinding van de strijd.

Maar voor Jake was dat wel zo. Hij had genoten van de nachtelijke patrouilles, de hinderlagen en de aanslagen. Hij had het niet erg gevonden dat hij af en toe pijn had gehad, tot de keer dat hij echt zwaargewond raakte. Zelfs die pijn had hij niet erg gevonden, in tegenstelling tot de handicap die hij eraan had overgehouden.

Maar hij droomde niet van zijn handicap; hij droomde van de open vliegtuigdeur, de lijn die uit de helikopter hing, de nachtkijkers waarmee ze de dorre ravijnen afzochten...

Hij werd niet echt glimlachend wakker, maar ook niet ongelukkig.

Na zijn gebruikelijke vierenhalf uur slaap friste hij zich op, ging naar beneden, at eieren op geroosterd brood en trok een uur uit voor het lezen van de netkranten, voor het laatste nieuws. Toen hij klaar was met de kranten logde hij in op het overheidsnetwerk om meer te weten te komen over Lincoln Bowe en Arlo Goodman. Om ongeveer halfacht had hij van beiden een biografie samengesteld. Hij belde de FBI en daarna een taxi.

Het zou een mooie dag worden, dacht Jake toen hij de deur achter zich dichttrok. Het moest 's nachts geregend hebben, want de tuinen en de stoepen waren nog nat, maar de lucht was nu aan het opklaren en de zon scheen al door de bladeren van de bomen. Vanwege de opgebroken stoepen en het bouwmateriaal liep hij naar het eind van de straat om daar op de taxi te wachten.

De chauffeur was jong, begin twintig, zwijgzaam, nors bijna, en droeg een oud tweedjasje over een T-shirt, en een plat tweedhoedje.

'Zware nacht?' vroeg Jake.

De blik van de chauffeur ging naar de achteruitkijkspiegel. 'Alle nachten zijn zwaar, vriend.'

37

Jake onderdrukte een glimlach. Die jongen leefde in een film en citeerde dialogen.

Het J. Edgar Hoover-gebouw van de FBI was een foeilelijke, lichte kantoorkolos aan Pennsylvania Avenue, ongeveer halverwege het Witte Huis en het Capitol. Jake ging door de beveiliging en stapte in de lift. Hij wist waar hij zijn moest.

Mavis Sanders was groepshoofd van de afdeling Contraterrorisme. Ze wachtte hem op bij de deur van haar privékantoor. 'Ik voel een hoofdpijn opkomen,' zei ze met een glimlach, maar haar stem was heel ernstig.

'Hoe gaat het met je, Mavis?' vroeg Jake, en hij kuste haar op de wang. 'Redelijk goed, totdat ik om halfacht het bericht kreeg dat jij zou komen,' zei ze.

'Kom op, we zijn oude kameraden.'

'Ja. Ga zitten, oude kameraad.' Ze was een slanke, zwarte vrouw met mooie gelaatstrekken, die haar reputatie had gevestigd door jihadstrijders met bases in Iran op te sporen. Ze liet zich in haar bureaustoel vallen, keek naar het blad papier dat voor haar lag, schoof het opzij, vouwde haar handen, legde ze op het bureaublad en vroeg: 'Wat is er aan de hand?'

'De president en de stafchef willen dat ik Lincoln Bowe op ga sporen. Ik wil toegang tot jullie onderzoeksdossiers en dat jij – of iemand anders, maar bij voorkeur jij – prioriteit aan deze zaak geeft en zorgt dat er echt iets wordt gedaan.'

'De zaak heeft al prioriteit.'

'Onzin,' zei Jake. 'Iedereen schuift de zwartepiet door en hoopt er het beste van. Jullie mensen in Richmond onderhouden de contacten en jullie hebben geen echte zwaargewichten op deze zaak gezet, afgezien van de perscontacten.'

'Jake, ik weet nauwelijks iets van deze zaak af.'

'Ik wil dat je Novatny erop zet.'

'Waarom wij?' vroeg ze, met een zucht van wanhoop. 'We doen geen moorden, en we hebben een propvolle agenda.'

'Omdat jij dit privé met de directeur kunt bespreken en tegen hem kunt zeggen dat de president deze zaak heel serieus neemt en dat hij goed de pest in heeft. Zeg maar tegen hem dat er bureaucratische koppen gaan rollen en carrières zullen worden beëindigd als er niet heel snel iets wordt gedaan. Oké?'

'Oké...'

'Bovendien zijn jullie de slimste mensen die ik hier ken. En ook al doen jullie geen moorden, jullie doen wel aan contraterrorisme, en dit riekt naar een samenzwering. Dat is waarin we moeten zien door te dringen, de kring van mensen die Lincoln Bowe hebben ontvoerd. En als laatste, jij beschikt over mensen van wie we kunnen aannemen dat ze hun mond dicht zullen houden. We willen de zaak niet verder opblazen dan inmiddels is gebeurd. We willen dat er een eind aan komt.'

Haar mondhoeken gingen omlaag en ze zei: 'Verder opblazen dan dit kan bijna niet. Heb je Madison Bowe op televisie gezien?'

'Ja. Ik heb haar gisteravond gesproken.'

Ze bleef hem even aankijken, zuchtte en zei: 'Goed, ik zal met de directeur gaan praten.'

'En hij doet wat we vragen.'

'Ja. Als je hem in windkracht negen zet, kan hij je vertellen uit welke hoek de wind waait.'

'En we krijgen Novatny.'

'Er kan wel iets geregeld worden, denk ik,' zei ze.

'Heel fijn,' zei Jake, en hij stond op uit zijn stoel. 'Dan zal ik je niet langer ophouden.'

'Laat je mijn naam vallen bij de grote baas?'

'Natuurlijk,' zei Jake. 'Over twee weken ben je ambassadeur. Naar welk land wil je?'

'Krijg de pest.'

'Bedankt, Mavis. Bij wie moet ik zijn voor de dossiers?'

Ze nam Jake mee naar een vrije vergaderkamer en na twee minuten bracht haar assistente hem een stapeltje papieren, computerprints. Veel te weinig, dacht Jake toen hij het stapeltje zag. Het federale onderzoek was geleid vanuit het regiokantoor van de FBI in Richmond, maar ze hadden er niet echt bovenop gezeten. Het merendeel van het werk was gedaan door de staatspolitie van Virginia, die Bowes verdwijning als een vermissing had aangepakt.

Maar niet als een gewone vermissing.

Uit het papierwerk dat tussen de politie van Virginia en de FBI heen en weer was gestuurd, begreep Jake dat de politie dacht dat ze op jacht naar een moordenaar waren, of dat er mogelijk sprake was van fraude. Ze hadden gesproken met enkele van Bowes vrienden die aanwezig waren geweest bij de speech die Bowe voor de rechtenfaculteit had gehouden, en zes verklaringen verzameld van vraaggesprekken gedaan door de politie van New York, waaronder dat met het dienstmeisje dat de uitgehongerde katten in de flat had aangetroffen.

Er was één opmerking die een paar keer terugkwam: dat Bowe, vlak voordat hij was verdwenen, ten minste twee keer in het openbaar dronken was geweest. Privéproblemen? Een vriendin, van wie Madison niets mocht weten? Maar zou dat hem ertoe aanzetten om zich overdag al vol te gieten, voordat hij op weg ging naar openbare optredens? Hij zou wel erg ver heen moeten zijn om dat te doen.

En een goede vriend van Bowe had gezegd, toen de FBI hem had gevraagd of Bowe dronk, dat hij Bowe nooit meer dan twee glazen per avond had zien drinken.

Was hij misschien pas met drinken begonnen? Was er onlangs iets gebeurd wat hem daartoe had aangezet?

Maar, dacht Jake, speculaties over drankzucht waren zinloos. Wat er ook met Bowe was gebeurd, had plaatsgevonden in de aanwezigheid van een aantal mannen met stekeltjeshaar en oordopjes. Hij had zich geen stuk in zijn kraag gedronken en was met zijn auto de rivier in gereden, maar op klaarlichte dag in een auto gestapt en verdwenen.

Jake was nog met de papieren bezig toen Chuck Novatny zijn hoofd om de deur stak. Hij werd op de voet gevolgd door zijn partner, George Parker.

'Man, jij brengt ons diep in de problemen,' zei Novatny, zonder Jake gedag te zeggen.

'Ach kom, jij vindt het best leuk om met de elitejongens mee te doen,' zei Jake terwijl hij opstond, Novatny een hand gaf en zich langs hem heen boog om Parker een hand te geven. 'Moet je zien wat het voor je carrière heeft gedaan.'

'Ja,' zei Parker. 'Een kwartier geleden zat ik in de kantine een drie dagen oud kadetje met door salmonella besmette kipsalade te eten. Als dat niet elitair is, weet ik het ook niet meer.'

Novatny was mager en pezig, had zandkleurig haar, zat vijftien jaar bij de FBI en bouwde in het weekend modelvliegtuigen die hij samen met zijn zoons liet vliegen. Parker was groot, zwaargebouwd en donker, met een vooruitstekende onderkaak en reusachtige voeten, een fanatiek golfer. Ze waren allebei gekleed in een donkerblauw pak, en Jake had altijd de indruk gehad dat ze dat meer voor de grap deden dan omdat de FBI-cultuur dat van hen verlangde. Ze waren zeker competent, en zelfs veel meer dan dat.

'Lincoln Bowe,' zei Novatny.

'Ja, en dit is wat jullie hebben,' zei Jake, gebarend naar de papieren op de vergadertafel. 'Voornamelijk tweederangsrommel van de politie van Virginia.'

'En jij wilt dat we...?'

'Ik wil dat jullie angst zaaien, namen opschrijven, mensen bedreigen en druk uitoefenen op iedereen die iets kan weten.' Jake keek op de klok aan de muur. 'En wel meteen.'

'We moeten een paar dingetjes afhandelen,' zei Novatny. 'Stuur de papieren naar ons toe als jij ermee klaar bent, dan kunnen wij er over een paar uur mee aan de slag. We vroegen ons al af wanneer iemand de druk zou opvoeren.'

'Toen Madison Bowe op televisie te zien was,' zei Jake.

'Wat een toeval,' zei Novatny. 'Dat was het moment waarop wij het ons gingen afvragen.'

Toen ze vertrokken waren richtte Jake zijn aandacht weer op de papieren en typte hij aantekeningen in zijn laptop.

De ooggetuigen die Lincoln Bowe in de auto van de mannen met de oordopjes hadden zien stappen, hadden gezegd dat hij er niet uitzag alsof hij daartoe werd gedwongen. Hij had de indruk gewekt dat hij verwachtte dat hij afgehaald zou worden, en er had geen andere auto voor hem klaargestaan. De mannen werden omschreven als groot, blank, met kort haar en gekleed in pak. Eén ooggetuige had gezegd dat Bowe glimlachte toen hij in de auto stapte.

De aan hun lot overgelaten katten duidden op dwang. De glimlach weersprak dwang.

Aan de ene kant had hij alleen Madison Bowes woord dat hij om de katten gaf. Aan de andere kant, als Bowe was meegenomen door iemand die hem de loop van een pistool tussen zijn ribben had geduwd en had gezegd: 'Glimlach, of ik schiet je hart aan flarden', had hij ondanks de dwang ook wel geglimlacht.

'Tja.' Het was nog te vroeg om conclusies te trekken. Hij had meer informatie nodig.

Uit de vraaggesprekken van de politie van Virginia was één ding duidelijk geworden: Bowes speech voor de rechtenstudenten was een heel bizarre geweest, en verscheidene personen hadden gezegd dat hij emotioneel van slag leek en tegelijkertijd fysiek een wankele indruk maakte. Hij was op bepaalde momenten zo boos geweest dat hij niet uit zijn woorden kon komen, en had op andere momenten verkeerde woorden gebruikt, woorden die gewoon niet pasten in de zinnen die hij uitsprak. Opnieuw had een van de getuigen gezegd dat hij misschien dronken was geweest.

Jake keek op zijn horloge, schoof de papieren bij elkaar, maakte er een stapel van en riep de assistente naar de vergaderkamer. Hij zei tegen haar dat ze digitale kopieën van alles naar zijn beveiligde e-mailadres moest sturen en de papieren naar Novatny's kantoor moest brengen. Hij moest maar eens bij Arlo Goodman op bezoek gaan.

Jake nam een taxi naar huis, maakte een dubbele boterham met pinda-kaas en jam klaar, at die op en ging in zijn eigen auto, een twee jaar oude Mercedes E-klasse, naar het zuiden. Het was ongeveer twee uur rijden van Washington naar Richmond, afhankelijk van het verkeer, door een roemrijk gebied waar de zwaarste en bloederigste veldslagen van de Amerikaanse Burgeroorlog hadden plaatsgevonden.

Jake was er vaak geweest, bij alle herdenkingen van de diverse veldsla-gen. De soldaten die in de Burgeroorlog hadden gevochten, wist hij, wa-ren verdomd taaie rakkers geweest.

Arlo Goodman was dat ook.

Vier jaar daarvoor was Goodman de populaire procureur van het dis-trict Norfolk geweest, een Irak-veteraan, en politiek uiterst strijdlus-tig.

Zijn politieke onvrede strekte zich in diverse richtingen uit en aan één facet ervan kon hij iets doen. Norfolk was het centrum van een hele reeks militaire onderdelen en Goodman, die ervan overtuigd was dat een terroristische aanval tot de mogelijkheden behoorde, had een team van vijf onderzoekers samengesteld, onder wie zijn broer, een voormalig lid van de Special Forces. Het team had een inlichtingennetwerk in het havengebied gevormd, met vertakkingen naar diverse andere steden, en later waren ze mensen – allemaal legerveteranen – gaan rekruteren voor een vrijwillige burgerwacht.

Toen was de pleuris uitgebroken.

Een groep dissidente Arabische studenten had voorbereidingen getrof-fen voor een of andere aanslag, hoewel nooit duidelijk was geworden wat die precies inhield. Een van de burgerwachten had er lucht van ge-kregen en het gemeld aan het onderzoeksteam. Er werden microfoontjes geplaatst in het huis van een van de Arabieren en Goodman kreeg de be-schikking over geluidsopnames van vijf studenten die het hadden over de mogelijkheden om aan wapens te komen, en over hun doelwitten, waaronder atoomonderzeeërs. De onderzoekers hadden de studenten gevolgd en hen gefotografeerd toen ze kaarten en plattegronden koch-ten.

Op een zeker moment waren drie van de studenten naar een natuurpark gegaan, waar ze de hele middag hadden geoefend in het gooien van mo-lotovcocktails – een mengsel van benzine en olie in wijnflessen – in het ravijn, om te zien wat er zou gebeuren. De onderzoekers hadden de ex-plosies gefilmd. Nu hadden ze het motief, de planning en de middelen.

De Arabieren waren gearresteerd tijdens een flitsende inval in hun huis en hun veroordeling was een koud kunstje geweest.

De dag daarna had Goodman het nieuws vrijgegeven van de oprichting van een groep legerveteranen die zich de 'burgerwacht' noemde, die zou waken over de straten van Norfolk in een poging vat te krijgen op straatcriminaliteit, prostitutie en drugshandel, en een oogje zou houden op 'verdachte activiteiten'.

Als populaire procureur had hij er de basis voor gelegd en toen andere regio's het idee van een burgerwacht hadden overgenomen, was zijn invloed groter geworden.

Hoewel hij oorspronkelijk democraat was, had hij toegegeven dat hij weinig tijd had voor politieke feestjes, noch die van de democraten, noch die van de republikeinen. Toen de democraten een liberale kandidaat voor het gouverneurschap in wilden zetten, was Goodman een non-conformistische campagne voor zijn benoeming begonnen.

Hij was, had hij gezegd, sociaal conservatief – hij had nooit een gebod gelezen dat hem niet beviel – maar economisch liberaal. Hij wilde meer hulp voor de ouderen en de oorlogsveteranen, en een hoger minimumloon voor jongeren op de arbeidsmarkt. Hij maakte zich sterk voor een staatsinkomstenbelasting die voornamelijk door de meerverdieners zou worden betaald, en een sterk oplopende wegenbelasting voor auto's die meer dan veertigduizend dollar kostten.

Tijdens de voorverkiezingen kreeg hij vijfenveertig procent van de democratische stemmen en negenenvijftig procent in de uiteindelijke verkiezingen.

Mensen die Goodman mochten, zeiden dat hij charmant, rechtdoorzee en intelligent was. Mensen die hem niet mochten, vonden hem een onruststoker, een demagoog, een ijdeltuit en een kleine Hitler, welke laatste aantijging op de burgerwacht sloeg.

Toen hem naar de vergelijking met Hitler was gevraagd, had de gouverneur gezegd: 'Deze zelfde mensen, van beide kanten, hebben de staat Virginia vijftig jaar lang in slaap gesust. Nu zijn we weer wakker en gebeuren er dingen. Daarom hebben we een vrijwilligerskorps opgezet, om een oogje op terroristische doelwitten te houden, om ervoor te zorgen dat oudere mensen hun maaltijden krijgen en om te helpen bij natuurrampen. En dan noemen ze ons nazi's? Typerend, vinden jullie niet? Precies wat je van dit soort mensen kunt verwachten. Ik heb maar drie woorden voor deze mensen: "Laat ze doodvallen."'

Hij had het echt gezegd, 'Laat ze doodvallen', en daarmee de voltallige pers geschoffeerd, maar verder niemand, want zijn populariteit in de polls was vervolgens met zes punten gestegen.

Twee jaar daarvoor, toen Goodman pas een jaar procureur was, voerde Lincoln Bowe campagne voor zijn tweede termijn in de Senaat. Er werd alom aangenomen dat het hem gemakkelijk zou lukken.

Aangemoedigd door het Witte Huis had Goodman een lichtgewicht democraat, Don Murray, gesteund en was hij de plaatselijke motor achter Murrays campagne geweest. De president had zes feestjes gegeven om geld voor de campagne in te zamelen. Het was er hard en smerig aan toegegaan in de campagne en Murray had Bowe verslagen met een verschil van vierduizend stemmen, met een onafhankelijke derde kandidaat ver achter hen. Goodman en zijn burgerwacht kregen zowel de lof als de schuld van Murrays overwinning, afhankelijk van welke partij je was.

De bittere wrok die tijdens de campagne was ontstaan, was nooit meer verdwenen.

Jake was in Richmond na twee uur en een kwartier, waarvan zes uitermate frustrerende minuten achter een suv met een boot op een aanhanger, die met nog geen tachtig per uur precies op de streep tussen de twee weghelften reed, en een ongeluk waarin een blauwe Chevy de achterkant van een andere blauwe Chevy had geramd. Een agent van de verkeerspolitie was in gesprek met de bestuurders van de Chevy's, allebei vrouwen gekleed in een mantelpakje, zonder acht te slaan op de verkeerschaos die ze veroorzaakten.

Tegen de tijd dat hij Richmond binnen reed, had hij goed de pest in, en Richmond was geen gemakkelijke stad om doorheen te rijden, een dichte wirwar van oude, smalle straatjes die werden gekruist door een paar snelwegen. Goodmans kantoor was in het Patrick Henry-gebouw, aan de zuidoostkant van het stadhuiscomplex.

Jake reed naar het gebouw toe, en na tien minuten zoeken zag hij een vrije parkeerplek, vier straten verderop, waar hij de auto neerzette en geld in de meter deed. Hij pakte zijn wandelstok en koffertje van de achterbank en liep terug via Broad Street, stak over en passeerde het oude stadhuis.

Het perceel van het stadhuis werd van de stoep gescheiden door een groen geschilderd smeedijzeren hek tussen pilaren in de vorm van bijlbundels, wat een glimlach op Jacks gezicht bracht. Toen hij het Patrick Henry-gebouw naderde, zag hij op een bankje bij de ingang twee mannen van de burgerwacht in de zon zitten. Ze waren allebei in burgerwachtuniform: een kakibroek, een blauw overhemd en een zwartleren vliegeniersjack.

Toen Jake steunend op zijn stok kwam aanlopen, stonden ze op, twee lange, slanke mannen, en vroeg de ene vriendelijk: 'Hebt u een afspraak, meneer?'

'Ja, met de gouverneur.'
'En u heet?'
'Jake Winter.'
De man keek op zijn klembord, glimlachte en knikte. 'U kunt doorlopen.'
Toen Jake dat wilde doen, vroeg de andere man: 'Hebt u in het leger gezeten?'
Jake bleef staan. 'Ja.'
'Irak? Syrië?'
'Afghanistan,' zei Jake.
'Ah, een slangenvreter,' zei de man. 'Voelt u er iets voor om lid van de burgerwacht te worden?'
'Ik woon niet in Virginia.'
'O,' zei de man. 'Nou ja, binnenkort zijn we ook waar u woont. Denkt u er dan nog eens over na.'
'Heb jij in het leger gezeten?' vroeg Jake.
'Ja, als zandhaas,' zei de andere man. 'Dat ziet u toch meteen?'
Jake lachte, zei: 'Tot ziens', en ging naar binnen.

Meteen na de ingang was een beveiligingspost in luchthavenstijl. Goines kwam aanlopen, waarschijnlijk gewaarschuwd door de mannen van de burgerwacht, toen Jake door de röntgenscanner en de metaaldetector heen was.
'Meneer Winter?' Jake knikte, en toen hij zijn stok en koffertje terugkreeg zei Goines: 'Deze kant op.'
Goines maakte een geërgerde indruk. Een kleine man met blond haar en een kuiltje in zijn kin, een goedkope imitatie van zijn baas, met een geïrriteerde blik in zijn ogen. Die deden denken aan de ogen van een kip, en net als een kip hield Goines zijn hoofd schuin en keek hij op naar Jake toen ze met de lift een paar verdiepingen naar boven gingen. Hij ging Jake voor naar zijn kantoor, langs een secretaresse die haar werkplek buiten zijn kantoor had. 'Ik hoop van harte dat dit belangrijk is,' zei hij terwijl hij Jake een stoel wees en aan zijn bureau ging zitten.
'Er zijn aanwijzingen dat de burgerwacht mogelijk betrokken is bij de verdwijning van Lincoln Bowe,' zei Jake, en hij sloeg zijn benen over elkaar. 'De president wil dat ik Bowe opspoor. En hij wil dat ik hem zo snel mogelijk opspoor.'
'Wat voor aanwijzingen?'
'Geruchten, voornamelijk,' zei Jake. 'Het FBI-onderzoek heeft vibraties opgepikt dat de burgerwacht erbij betrokken zou zijn, tenminste, dat denken een heleboel mensen.'

'Wat een onzin.' Goines stond weer op, ging met zijn handen in zijn zakken bij het raam staan en keek naar buiten. Hij had uitzicht op een blinde muur aan de overkant van de straat, een zijmuur van een medisch centrum. 'De mensen schijnen in de rij te staan om ons onder vuur te nemen. Als blijkt dat er iemand van de burgerwacht bij betrokken is, is hij op zichzelf aangewezen, een verstotene. We zouden dat beslist niet tolereren.'

'Vlak voordat Bowe is verdwenen,' zei Jake, 'heeft hij de gouverneur een hielenlikker genoemd.'

Al het bloed trok weg uit Goines' gezicht, en heel even kwam er een angstige blik in zijn ogen. Hij zwaaide dreigend met zijn wijsvinger naar Jake, maar zei op redelijk kalme toon: 'Dat was onvergeeflijk. Gouverneur Goodman is een gentleman, een fijnbesnaard mens, en voordat hij gouverneur werd, was hij een succesvol jurist. Hij kent mensen als Lincoln Bowe maar al te goed. Hij zou Bowe nooit kwaad doen, maar u kunt hem moeilijk kwalijk nemen dat hij weinig sympathie voelt voor iemand die zo laag-bij-de-gronds is. Hij zal niet blij zijn met het vooruitzicht dat hij de burgerwacht door Bowes toedoen moet opdoeken.'

Jezus, dacht Jake, dit soort politieke poppenkast heb ik jaren niet gezien. Zou het kantoor afgeluisterd worden?

'Ik kan dat helemaal begrijpen, en de president ook,' zei Jake. In bureaucratentaal: als hij het kan begrijpen, kan ik het ook, en misschien zelfs beter. 'De president zei tegen me: "Ik heb alle vertrouwen in de integriteit van gouverneur Goodman, maar dat betekent nog niet dat er onder in de mand niet een paar rotte appels zitten." En dat is alles wat ik vraag: keer de mand om en kijk of er rotte appels tussen zitten.'

'Dat is aan de gouverneur. Maar u zult ook gehoord hebben dat sommigen van ons denken dat Bowe zelf een korte vakantie heeft genomen, om reacties tegen ons uit te lokken.'

'Ook dat wordt onderzocht,' zei Jake.

'Mooi.' Goines keek op zijn horloge. 'Eén minuut. Kom, we gaan naar de gouverneur.'

4

Het secretariaat van de gouverneur was een grote, koele ruimte met mahoniehouten tafels, stoelen met grijze bekleding en schilderijen met adelaars. Natuurtaferelen zoals je die op postzegels ziet: adelaars met geopende klauwen, net voordat ze op een boomtak landen, of zwevend boven een meer met besneeuwde bergen op de achtergrond. Op een sokkel midden in het vertrek stond een bronzen adelaar die ruim een halve meter hoog was, op het punt om op te vliegen, met een bronzen papierrol met de Amerikaanse grondwet over de sokkel gedrapeerd.

Een oudere secretaresse en een blonde stagiaire zaten tegenover elkaar aan een dubbel bureau. De oudere vrouw belde het kantoor van de gouverneur terwijl de stagiaire naar Jake glimlachte en daar niet mee ophield.

'Ik zal de gouverneur zeggen dat u er bent,' zei de oudere vrouw.

Arlo Goodman was een joviale kerel met grote witte tanden en blond haar dat over zijn voorhoofd viel, losjes, alsof hij het voortdurend weg moest strijken. Hij had geen jasje aan en had de mouwen van zijn overhemd opgestroopt. Hij stak zijn hoofd om de hoek van de deur – iets wat Danzig nooit bij een ondergeschikte zou doen – en zei: 'Hé, Jake, kom binnen. Wil je koffie of water?'

'Koffie, graag,' zei Jake. Ze deden de Goodman-handdruk, met de linkerhand, want Goodman had een Syrische kogel in zijn rechterhand gekregen, die de botjes had verbrijzeld en zijn vingers had misvormd en verlamd.

'Jean, wil jij dat regelen?' zei Goodman tegen zijn secretaresse.

Ze liep weg en Goines zei: 'Ik zal jullie alleen laten.'

Goodman knikte, liet Jake zijn kantoor binnen en vroeg: 'Hoe gaat het met je been, ouwe mankpoot? Ben je nog steeds aan het revalideren?'

'Veel beter dan dit zal het niet worden,' zei Jake. Goodman had informatie over hem ingewonnen, maar Jake deed alsof het hem niet opviel. 'Ik doe strekoefeningen, maar dat is meer voor het onderhoud. Hoe gaat het met uw hand?'

Goodman trok een lelijk gezicht. 'Hetzelfde als met jouw been. Meer dan dit wordt het niet. Er zijn te veel zenuwen beschadigd. Ik kan er een pen doorheen schuiven en mijn handtekening zetten, dus dat is alvast iets.'

Ze praatten nog even over hun oorlogsverwondingen, totdat Jean de koffie kwam brengen in zware, witte koppen, en toen ze de deur achter zich had dichtgedaan zei Goodman: 'Ik maak me grote zorgen om Lincoln Bowe, Jake. Hij is niet goed snik, maar ik zou niet willen dat hem ook maar iets overkomt... al was het alleen maar voor mezelf, desnoods. Ik hoor al die geruchten om me heen... ik bedoel, jezus!'

'Waar bent u bang voor?'

Goodman werd heel serieus. 'Kom op, man, dat weet je best.'

Jake haalde zijn schouders op. 'Oké.'

Goodman wees naar een fauteuil van het zitje en nam zelf in de andere plaats. 'Jake,' zei hij, 'ik weet zeker dat je informatie over me hebt ingewonnen, dus waarschijnlijk ken je mijn standaardspeech. Dit land bevindt zich op een kruispunt. We zijn datgene aan het kwijtraken wat ons tot Amerikanen maakt. Het denkbeeld dat ons samen houdt, het denkbeeld dat in onze onafhankelijkheidsverklaring en in de grondwet beschreven staat. Maar de mensen die in dit land tegenwoordig de dienst uitmaken, niet de president, dat is een prima kerel, maar het Congres, en al die mensen die over onze grenzen het land binnenkomen, uit Zuid-Amerika, de Cariben, Afrika en het Midden-Oosten... al die mensen hebben één ding gemeen: ze willen pakken wat ze pakken kunnen en dit hele land kaalplukken. Ze geven geen bal om vrijheid van meningsuiting, vrijheid van geloof, en al onze andere verworvenheden... nou ja, zoals ik al zei, je kent mijn speech.'

'Ja.' Jake wachtte.

'Wij zetten ons af tegen die ontwikkeling. Maar de mensen proberen ons voortdurend zwart te maken en ons de mond te snoeren. Bowe was een van die mensen. En hij was daar niet fair in, want hij nam het nooit tegen je op in een openbaar debat. Hij gebruikte alle stukjes vuiligheid die hij kon vinden, echt of verbeeld, om ons te besmeuren. Hij was tot álles bereid, wat voor ons de belangrijkste reden was om nooit iets tegen hem te ondernemen. Om hem geen excuus te geven. En nu gebeurt er dit.' Goodman stond op, ging bij het raam staan en keek naar het stadhuis. 'Ken je Madison Bowe?'

'Ik heb haar ontmoet.'

'Ik ook,' zei Goodman grinnikend. 'Wat een vrouw. Lekkere tieten, lekker kontje, hersens, en – het ergst van alles – camera-ervaring. Wist je dat ze hier in Richmond als verslaggeefster heeft gewerkt? En ze deed het heel goed ook.'

'Ik heb er in haar biografie iets over gelezen,' zei Jake.

'En nu, als je aan de verkeerde kant van de lijn staat, is ze je grootste politieke nachtmerrie,' zei Goodman. 'Als ze met mij was getrouwd in plaats van met Bowe was ik allang president geweest.' Hij lachte en liep terug naar zijn bureau. Genoeg gebabbeld. 'Wat wil Bill Danzig precies? Wat is je opdracht? Een onderzoek? Informatie inwinnen?'

'Een zoektocht,' zei Jake. 'Orders van de president. Bowe wordt gebruikt om u onder vuur te nemen en wij vangen de missers op. Het wordt steeds erger. De verkiezingen komen eraan.'

'En als er geen missers waren, zouden jullie dan ook zo bezorgd zijn?' vroeg Goodman.

Hij daagde Jake uit, en Jake moest lachen. 'Wel bezorgd, maar een stuk minder,' zei hij.

'Dat dacht ik al,' zei Goodman. 'Danzig houdt zijn eigen winkel in de gaten. En wat ga jij precies doen?'

'Ik moet Lincoln Bowe opsporen, op welke manier dan ook. Ik werp een paar zwaargewichten van de FBI in de strijd. Misschien stap ik wel naar de Nationale Veiligheidsdienst, of naar de Geheime Dienst, weet ik veel. Ik ga mensen uitwringen. Ook een paar van uw burgerwachten, onder anderen.'

'Hm.' Goodman bleef Jake even aankijken, probeerde hem in te schatten. Toen zei hij: 'Wij hebben niks te maken gehad met de verdwijning van Lincoln Bowe. Dat kun je aan de president doorgeven.'

'Spreekt u nu voor uzelf,' vroeg Jake, 'of namens de hele staat Virginia?'

Goodman raakte geïrriteerd. 'Namens mezelf en de mensen om me heen. Ik kan natuurlijk niet namens iedereen spreken.'

'Mevrouw Bowe zegt dat de burgerwacht erbij betrokken is. En na dat incident bij haar thuis...'

'Dat was een stommiteit van een burgerwacht van de bovenste orde,' zei Goodman. 'En ze hebben hem flink de les gelezen daarover. Ik heb mevrouw Bowe een excuusbrief gestuurd waarin ik haar persoonlijk garandeer dat ze veilig naar haar ranch kan teruggaan en dat ze niet meer lastiggevallen zal worden. Als Amerikaans burger heeft ze daar recht op. De burgerwacht bestaat niet uit boeven, en dergelijk gedrag wordt niet getolereerd.'

'U kunt haar angst begrijpen...'

'En misschien kun jij die van ons begrijpen, en waarom die arme sukkel van de burgerwacht in de fout is gegaan,' zei Goodman, nu met meer vuur. 'Ze heeft ons zwartgemaakt, net zoals haar man altijd heeft gedaan. Ze heeft ons voor nazi's uitgemaakt en de mensen verteld dat we geen haar beter zijn dan de Ku-Klux-Klan. Ongefundeerde kritiek geuit op goedwillende burgers die dit land willen optrekken uit de puinhoop

waarin mensen als Lincoln Bowe het hebben gestort. En nu beweert ze dat wij haar man hebben ontvoerd en hem waarschijnlijk hebben vermoord. Dat is baarlijke, uiterst kwalijke onzin.'
'Gouverneur, niemand heeft ook maar een seconde geloofd dat u opdracht zou hebben gegeven om Lincoln Bowe uit de weg te ruimen. Daar bent u veel te slim voor...'
'Daar ben ik te fatsoenlijk voor,' onderbrak Goodman hem.
'Ik ben graag bereid u te geloven,' zei Jake. 'Maar als nu iemand van de burgerwacht er genoeg van had en op eigen initiatief heeft gehandeld? Iemand die dacht dat hij u daar een plezier mee deed? Zoals die knaap die naar mevrouw Bowes huis is gegaan? Iemand die in "geen woorden maar daden" gelooft?'
'Ken je John Patricia?' vroeg Goodman. 'De leider van de burgerwacht?'
'Ik weet wie hij is.'
'We hebben dat door hem laten onderzoeken. Hem laten informeren bij de groepshoofden op regionaal én op stedelijk niveau. Hij heeft gezocht naar aanwijzingen die een van de burgerwachten met Bowe in verband kan brengen. Tot nu toe heeft dat niks opgeleverd. We zijn geen stap verder gekomen.'
'Dus u kijkt ernaar.'
'We kijken ernaar en zullen ernaar blijven kijken,' zei Goodman.
'En als u iets vindt, neemt u dan contact met me op?' vroeg Jake.
'Dat zullen we zeker doen. Of met de FBI, als je dat liever wilt.'

Ze praatten nog tien minuten door, maar de gouverneur leek ervan overtuigd dat Bowes verdwijning op de een of andere manier door Bowe zelf was geregisseerd, of dat Bowe – heel misschien – het slachtoffer was geworden van een uit de hand gelopen routinevergrijp, een beroving die op een moord was uitgelopen, waarna ze zijn lijk in het bos hadden gedumpt.
'Maar...' Goodman schudde zijn hoofd. 'daar geloof ik niet echt in. Die mannen met wie hij is meegegaan... aan de getuigenverklaringen te horen waren dat overheidsmensen. Hij heeft toch niets gedaan waardoor hij door een of andere inlichtingendienst opgepakt kan zijn? Ik bedoel, hij zat in het inlichtingencomité van de Senaat, dus hij was op de hoogte van allerlei gevoelig liggende zaken.'
'Dat geloof ik niet. Mevrouw Bowe was het op dit punt min of meer met u eens. Ze zei dat we de oorzaak dicht bij huis moesten zoeken. Dat ze niet in een grote, internationale samenzwering geloofde.'
'Dat ziet ze goed, denk ik,' zei Goodman. 'Maar zij gelooft dat ík het

heb gedaan, en ik geloof dat Bowe het zelf heeft gedaan. Hij is er op de een of andere manier bij betrokken. Hij heeft dit gepland en het werkt.'
'Maar u kunt het niet bewijzen.'
'Nee, natuurlijk niet. Als ik dat kon, zou ik ze er zeker mee om de oren slaan.' Heel even kwam er weer een glimlach op zijn gezicht. 'En zelfs als ik geen bewijs had maar ik was er vrij zeker van, zou ik dat ook doen. Maar ik heb niks.'
Het gesprek was ten einde. Ze stonden allebei op en Goodman gaf Jake opnieuw een hand. 'Als je iets nodig hebt,' zei Goodman, 'bel je Ralph. Het maakt niet uit hoe laat; hij is dag en nacht bereikbaar.'
'Bedankt,' zei Jake, en hij liep naar de deur.
Goodman vroeg aan Jakes rug: 'Zou je het weer doen? Het leger? De strijd?'
Jake bleef staan en knikte. 'Ja.'
'Heb je ervan genoten?' Goodman grijnsde naar hem.
'Ja, en aan uw vraag te horen, u ook.'
'We zijn een stel onconventionele rakkers,' zei Goodman, en hij liep naar zijn bureau. 'Hou contact, Jake.'
Goines gaf Jake het privénummer van zijn mobiele telefoon en bracht hem naar de lift. Jake was bijna het gebouw uit toen hij een vrouw hoorde roepen: 'Meneer Winter.'
Jake keek naar links. In een zijgang stond de stagiaire die hij in Goodmans kantoor had gezien. Ze stak haar hand op en wenkte hem. Jake liep naar haar toe. 'Kan ik iets voor je doen?'
Ze was een grote, aantrekkelijke blondine, zo te zien uit een van de staten in het Zuiden, met flinke borsten, lange benen en volle lippen waar ze het puntje van haar tong langs liet gaan. Haar blouse en rok zagen eruit alsof ze elk algauw een paar honderd dollar hadden gekost, en Jake vermoedde dat haar zijden vest van Hermès was. 'In het stadje Scottsville woont een zekere Carl V. Schmidt,' zei ze. 'Hij is van de burgerwacht. Goodman, Patricia en Goines maken zich zorgen om hem. Ze zijn naar hem op zoek, maar ze kunnen hem niet vinden. Ze denken dat hij iets te maken heeft met de verdwijning van Lincoln Bowe.'
'Carl V. Schmidt.'
'Ja. Ik heb zijn naam en adres opgeschreven.' Ze gaf hem een strookje papier. 'Mijn naam en telefoonnummer staan er ook op. U kunt me thuis bellen.'
'Waarom vertel je me dit?'
'Omdat ik Arlo niet mag,' zei ze. 'Hij is niet goed snik. Hij wil president worden, en daar zit niemand op te wachten. En hij wil met me naar bed. Wat hem niet zal lukken.'

Jake glimlachte. 'Ben je niet bang dat je wordt betrapt?'

Ze schudde haar hoofd en glimlachte ook. 'Mijn ouweheer heeft meer geld dan Jezus Christus en hij draagt veel bij aan Arlo's campagne. Arlo zal me met geen vinger aanraken.'

'Maar je werkt voor Arlo,' zei Jake, die haar onbewust nadeed en Goodman ook bij zijn voornaam noemde.

'Omdat ik in mijn laatste jaar politieke wetenschappen zit,' zei ze. 'Arlo mag dan gek zijn, hij is wel gouverneur. Een prima kruiwagen. Hoe dan ook, ga Carl V. Schmidt na en als het iets oplevert, denk dan aan mij en bezorg me een baan. Ik pak alles aan zolang het in het Witte Huis is. Ik ben een harde werker en ben heel slim.'

Jake knikte. 'Bedankt. Als er iets uit komt, zal ik je bellen.'

'U wordt bedankt.' Ze draaide zich om en liep weg, de zijgang in. Jake keek haar na, keek naar haar achterste en dat wist ze, zonder zich om te draaien, want ze stak haar hand op en bewoog haar vingers naar hem: dahag!

Heel aantrekkelijk, dacht Jake toen hij naar de uitgang liep, en nog zo jong voor dit soort verraad.

In zijn kantoor nam de gouverneur de hoorn van de telefoon, toetste een nummer in en zei: 'Over een minuut ben ik klaar.'

Darrell Goodman, wiens werkplek een verdieping lager was, kwam na twee minuten binnen.

'Ik heb Winter gesproken,' zei de gouverneur. 'Hij doet wat hij gezegd heeft dat hij zou doen: mensen de stuipen op het lijf jagen.'

'Wil je dat we hem in de gaten houden?'

'Moeilijke vraag. Dat brengt risico's met zich mee...'

Na enige tijd stilte zei Darrell: 'Ik kan via het net waarschijnlijk wel toegang tot de account van Winters mobiele telefoon krijgen, de belgegevens. Dan weten we niet wat hij zegt, maar wel waar hij geweest is en met wie hij heeft gesproken.'

'Hoe groot is de kans dat we betrapt worden?'

'Nul komma nul. We volgen hem vanaf een niet-bestaand nummer en loggen in vanaf openbare hotspots.'

'Klooien met iemand van het Witte Huis is iets heel anders dan klooien met iemand als Howard Barber,' zei Arlo Goodman.

'Het stelt niks voor,' zei Darrell.

'Doe het dan maar,' zei Goodman. Hij pakte een zachte rubberoefenbal van zijn bureau, drukte die tussen de vingers van zijn geruïneerde hand en probeerde hem samen te knijpen. 'We raken achterop. We hebben iemand nodig uit wie we informatie kunnen wringen. En snel ook.'

Jake liep op straat, haalde zijn mobiele telefoon tevoorschijn en belde Novatny van de FBI.

'Ik heb een naam voor je. Kun je die door de computer halen? En kun je voor me uitzoeken waar Scottsville ligt? Volgens mij iets voorbij Charlottesville, ten zuiden ervan?' Hij vertelde over de tip die hij had gekregen, zonder iets te zeggen over het meisje dat hem de tip had gegeven. Cathy Ann Dorn, heette ze volgens het briefje, met een telefoonnummer in Richmond.

Terwijl Novatny de naam naging, liep Jake terug naar zijn auto, voegde zich in het verkeer en ging op zoek naar een oprit naar de snelweg.

Novatny belde terug. 'Heb je een goede reden om aan te nemen dat deze knaap een probleem zou kunnen zijn?'

'Nee, alleen dat mijn bron heeft gezegd dat Goodman en John Patricia naar hem op zoek zijn en denken dat hij bij Bowes verdwijning betrokken kan zijn.'

'En hoe was je van plan hem aan te pakken?'

Jake fronste zijn wenkbrauwen en zei: 'Hé, Chuck, wat is er? Wat heb je over hem ontdekt?'

'Heel wat. Om te beginnen heeft hij meer wapens dan de Nationale Garde.'

'Wat nog meer?'

Carl V. Schmidt was een ondernemer die overal in mislukt was, vertelde Novatny. Hij was mislukt als meubelstoffeerder, als eigenaar van een stomerij, als verkoper van cosmetica, als limousinechauffeur, als eigenaar van een snackcar op bouwterreinen, als eenmansbeveiligingsdienst, en twee keer als makelaar. Vijftien jaar daarvoor was hij oneervol uit de marine ontslagen, wat geen goede zaak was. Hij had de neiging te veel te drinken en bij vechtpartijen betrokken te raken, stond er in het marinerapport.

Er was beslag op zijn huis en inboedel gelegd, zowel door de staat Virginia als door de federale overheid, omdat hij zijn belasting niet had betaald. Uiteindelijk had hij die schulden weggewerkt en hij was nu bij. Hij was één keer beschuldigd van oplichting, maar blijkbaar had hij het slachtoffer terugbetaald, want de aanklacht was ingetrokken.

'Hij is zijdelings betrokken geweest bij de MacCallum-campagne tijdens de senaatsverkiezingen van twee jaar geleden,' vertelde Novatny. 'Er staat hier een verwijzing...' Hij zweeg even, zocht de passage op en vervolgde: 'Ik citeer: de campagneleiders van zowel Murray als Bowe hadden zich erover beklaagd dat auto's met hun campagnestickers op de bumper systematisch waren beschadigd, en dat zeven huizen in Lexington, die billboards met Bowes poster in de tuin hadden staan, met verf waren beklad, blijkbaar met verfballonnetjes. De politie heeft Schmidt en enkele anderen verhoord, maar ze zijn allemaal vrijgelaten wegens gebrek aan bewijs.'

'Die lui van MacCallum waren linke jongens,' zei Jake. 'Doorgedraaide idioten.'

'Hij is lid van een schietvereniging en de National Rifle Association. Hij bezit – laten we eens kijken – vierenzestig wapens.' Novatny telde ze uit. 'Vijftien jachtgeweren, tien karabijnen en negenendertig handvuurwapens. Ja, echt, vierenzestig. Jezus! En, wacht even... hm, het zijn geen verzamelobjecten, maar gewoon wapens om mee te schieten.'

'Wat denk jij ervan?'

'Ik zie hier niets wat in de richting van Lincoln Bowe wijst,' zei Novatny. 'Als jij denkt dat je tip echt is, kunnen we hem voor je opsporen.'

Jake aarzelde en zei toen: 'Ik wil er even over nadenken.'

'Jullie, van de politiek, hebben nogal eens de neiging om dingen stil te houden,' zei Novatny. 'Ik kan dat wel begrijpen, gezien je vak. Maar als je zelf naar hem op zoek gaat, pas dan een beetje op. Ik heb eerder bio's als deze gezien. Die gast kan problemen opleveren.'

'Misschien kan ik hem een tijdje schaduwen,' stelde Jake voor.

'Dat wil ik niet weten. Hou contact. Als je ook maar iets ontdekt wat hem in verband met Bowe brengt, bel ons dan.'

'Ik spreek je vanavond,' zei Jake. 'Kun je me dat dossier e-mailen? Bijvoorbeeld nu meteen.'

'Over twee minuten is het bij je,' zei Novatny.

Aan het stuur van de auto bij het verkeerslicht zat een keurig verzorgde vrouw van begin vijftig. Jake stopte naast haar en stapte uit. 'Pardon, mevrouw. Weet u hier misschien een Starbucks in de buurt?'

Ze bleef hem even aankijken, zag toen de Mercedes-ster op de motorkap van zijn auto en glimlachte naar hem. Iemand van haar eigen klasse. 'Als je nog drie straten rechtdoor rijdt, zie je op de hoek een Pea-in-the-Pod-winkel. Ga daar rechtsaf en dan is het op de volgende hoek.'

'Bedankt.'

Bij Starbucks kon hij tevens internetten. Jake parkeerde, ging naar binnen, bestelde een grote koffie met melk en een croissant, haalde zijn laptop uit zijn koffertje en ging online.

Het dossier was er al. Naast de informatie over Schmidt had Novatny hem een plattegrond van Scottsville en omgeving gestuurd, met Schmidts huis niet ver van Highway 20, bij de rivier de James aan de zuidkant van de stad. Zoals Jake had gedacht, lag Scottsville ten zuiden van Charlottesville.

Hij at zijn croissant op, dronk zijn koffiekop leeg, sloot de laptop af, liep terug naar zijn auto en ging op weg naar de I-64.

Er bestaat geen gemakkelijke manier om van Richmond naar Scottsville te rijden. Jake volgde de I-64 tot aan Zion Crossroads, sloeg af in zuidelijke richting, passeerde Palmyra, reed door tot aan Fork Union en sloeg daar rechts af richting Scottsville. Toen hij het stadje zag, herinnerde hij zich dat hij erdoorheen was gereden op zijn trips naar Charlottesville, vanaf Richmond via Lee's route naar Appomattox, dat verder naar het zuidwesten lag.

Hij herinnerde zich niet veel van het stadje – het had een deprimerende indruk gemaakt toen hij erdoorheen was gereden – maar wist nog wel dat er een brug was, een bol bouwsel dat de loom kabbelende James overspande. Nu, met alle regen die ze in het voorjaar hadden gehad, was de kracht van de stroming aanzienlijk toegenomen en sloegen de golven tegen de brugpijlers.

De brug was op Highway 20. Schmidt woonde aan Country Highway 747, die meer een laan dan een snelweg was en die in een bocht van Highway 20 wegliep. Het huis zelf, in een verbleekte blauwgroene tint met blauwe kozijnen en posten, leek meer op een schuur dan op een huis, en het stond bijna recht onder de hoogspanningskabels.

Links van het huis was een garage, van ongeschilderde golfplaat, die afgezien van een oude wasdroger en een stapel twee-bij-viertjes leeg was. Tussen het onkruid achter het huis stond een oude Ford-tractor met vergane banden. In de voortuin stak een stalen pen uit de grond, met eromheen een kale cirkel in het lange gras, wat aangaf dat daar waarschijnlijk een hond aan een ketting had gelegen.

Er was geen hond te bekennen. De jaloezieën aan de voorkant waren open. De hond kon binnen zijn. Vanuit de auto kon Jake zien dat er een vel papier op de voordeur zat.

Tijdens zijn training voor Afghanistan had Jake een cursus inbreken gedaan – 'clandestiene toegangsverschaffing' noemden ze dat in het leger – gegeven door een voormalige inbreker die in opdracht van de CIA werkte. Nu bleek clandestiene toegangsverschaffing niet bijzonder praktisch in een land als Afghanistan, maar de cursus was zeker interessant geweest.

Nadat hij drie keer langs het huis was gereden, minderde hij vaart en draaide Schmidts oprit op.

Alleen om te zien of er iemand thuis was, of even bij de voordeur te gaan kijken.

Het vel papier op de voordeur was van de burgerwacht. *Carl, meld je a.u.b. We zijn tot 5 uur op het hoofdkwartier. Dit is superbelangrijk. Dave Johnson, districtscoördinator burgerwacht.*
Het papier was slap van het vocht, alsof het al een hele tijd op de deur zat.
Jake klopte aan, hoorde geen geblaf, maar de deur was zo te zien het nieuwste onderdeel van het huis, een massieve klomp hout met twee kijkraampjes en een zwaar Schlage-slot. Jakes elementaire kennis van het inbreken schoot hier tekort.
Hij liep achterom. Hetzelfde verhaal: oud huis, nieuwe deur.
Hij liep de garage in, klopte op de tussendeur en riep: 'Is er iemand?'
Het huis stond afgelegen. Af en toe zoefde er op Highway 20 – uit het zicht – een auto voorbij en zoemde er een bij door de achtertuin. Jake liep nog een keer om het huis heen. Het had een betonnen fundering, dus er kon een kelder zijn, maar als dat zo was, had die geen ramen. De ramen van het huis zaten vrij hoog. Jake was lang, maar de kozijnen kwamen voor hem tot borsthoogte. De ruiten waren zo smerig dat hij er niet veel door kon zien. Maar nog steeds geen geblaf en in huis geen enkel geluid.
De tussendeur van de garage naar het huis werd waarschijnlijk het vaakst gebruikt. Jake herinnerde zich nog iets anders van zijn cursus clandestiene toegangsverschaffing. 'Veel mensen,' had de instructeur gezegd, 'verstoppen buiten het huis een sleutel. Als ze dat doen, ligt die op een van de volgende negen plaatsen. Zeg me na...'
Jake vond de sleutel in het pluizenfilter van de wasdroger.

Het was schemerig in huis en het rook er naar beschimmeld behang. De vloerplanken kraakten toen Jake naar binnen liep. Het had nu geen zin meer om quasiachteloos te doen, dus liep hij snel door en riep: 'Hallo? Hallo? Meneer Schmidt?' Geen antwoord.
Er waren twee slaapkamers, een kleine woonkamer, een keuken met een ontbijtbar, een badkamer en een kelder die naar afval en propaangas stonk. In de ene slaapkamer, tegen de muur, stonden vier Browning-wapenkluizen. Het was uitgesloten dat Jake die open gekregen zou hebben, als het nodig was, maar het was niet nodig, want de deuren stonden open en alle vier de kluizen waren leeg.
Hij ging op zoek naar papieren, of bloed, of wat Schmidt ook maar in verband met Lincoln Bowe zou kunnen brengen. Hij doorzocht de keuken, het gebied rondom de telefoon, trok de laden onder het aanrecht open, keek in de ovenlade. Hij vond wel papieren, maar daar had hij niets aan. Vier telefoonrekeningen, alle vier oud en afgevinkt met een

viltpen, waarschijnlijk om aan te geven dat ze betaald waren. Desondanks stak Jake ze in zijn zak.

De keukenkastjes waren leeg, helemaal leeg, uitgeruimd. De koelkast was ook leeg en de stekker was uit het stopcontact gehaald.

Hij liep de slaapkamer in, vond een acht centimeter dikke stapel pornobladen en een stuk of vijftig wapentijdschriften onder het bed. Onder het matras lag niets. In de kast hingen nog een paar overhemden, onderin stonden enkele paren schoenen en in de la lagen een paar T-shirts en polo's. Hij betastte alle kledingstukken maar vond niets. Vervolgens deed hij een tapdans op de vloerplanken om te zien of er ergens een geheime bergplaats was.

Het viel hem op dat hij geen koffer had gezien; nergens in huis was hij een koffer of reistas tegengekomen.

De woonkamer was heel sober ingericht. Jake keek er een minuutje rond, haalde de kussens van de bank om te zien of er iets onder lag, stampte op de vloer, bonkte op de muren en hield het toen voor gezien. In de gang was een plafondluik dat naar de vliering moest leiden. Hij pakte een stoel, duwde tegen het luik, zette meer kracht, maar toen er stofvlokken naar beneden kwamen dwarrelen, liet hij het erbij.

In de kelder begon hij de druk van de verstreken tijd te voelen. Een klamme ruimte. Goedkoop gereedschap, een verroeste tang, een dopsleutelset van vijf dollar en een kapotte ijzerzaag lagen op een dressoir die als werkbank werd gebruikt. In de hoek stond een patroonlader en op de plank erboven stonden dozen met hulzen en kruit. Allemaal niets bijzonders. Jake wilde de keldertrap weer op lopen toen hij op de betonnen vloer een boogvormige streep zag staan: de ene kant van de werkbank was van de muur af getrokken. Hij luisterde even, de spanning nam toe – hij was al veel te lang binnen – pakte de zijkant van de werkbank vast en trok hem van de muur.

Achter de werkbank was niets. Toen keek hij omhoog. Langs het plafond, tussen de vloerbinten, liep een vierkante aluminiumafvoerpijp, en er was een ruimte tussen de pijp en de vloer van de begane grond. Als je op de werkbank ging staan...

Jake klom op de werkbank, stak zijn hand omhoog en tastte de bovenkant van de afvoerpijp af. Toen zijn hand aan de uiterste linkerkant iets raakte, trok hij hem snel terug. Hij kon het niet zien. Behoedzaam bracht hij zijn hand weer naar dezelfde plek. Het voelde aan als oude lappen. Hij pakte ze vast. Ze waren zwaar. Hij haalde ze tevoorschijn.

Een bundel lappen. Jake wist zonder te kijken al wat erin zat: een wapen. Voorzichtig wikkelde hij de stof eraf en zag een Colt .45. Een van Jakes favoriete handwapens...

Oké. De man had boven vier wapenkluizen, ooit gevuld met tientallen wapens maar nu leeg, en hij had een .45 in zijn kelder verstopt. Waar sloeg dat op? Jake dacht even na over de mogelijkheden, legde het wapen terug, sprong van de werkbank en schoof die weer tegen de muur.

Hij moest hierover nadenken, maar eerst moest hij hier weg. De inbreker/instructeur had gezegd dat je nooit langer dan vier of vijf minuten in een huis moest blijven, want daarna, zelfs als er niemand kwam, ging je fouten maken, afdrukken achterlaten en gaf je mensen de kans je auto te zien.

Jake haastte zich naar boven en keek door de ramen naar buiten. Niemand te zien. Hij sloop naar buiten, trok de deur achter zich in het slot en legde de sleutel in de wasdroger. Hij haalde de sleutel er weer uit, veegde hem af aan de mouw van zijn overhemd en liet hem weer in het bakje glijden.

Hij liep terug naar zijn auto en voelde zich heel schijnheilig. Nee, ik ben niet binnen geweest, ik heb alleen op de deur geklopt...

Toen hij aan het stuur zat, slaakte hij een diepe zucht. Verdomme, hij was sinds Afghanistan niet meer zo gespannen geweest. Maar toen hij achteruit de oprit af reed, kwam er een glimlach op zijn gezicht. Hij voelde de roes weer, die bekende roes...

Schmidt was ervandoor. Misschien zou hij ooit terugkomen, maar voorlopig niet. Al zijn dagelijkse benodigdheden had hij meegenomen en de weinige kleren die hij had achtergelaten, waren oud en versleten. Koffers weg, wapens weg. Had hij zijn wapens verkocht? Misschien kon het vuurwapenteam van de FBI dat nagaan. Vierenzestig vuurwapens moesten minstens twintigduizend dollar waard zijn.

Als hij al zijn wapens had verkocht, had hij wel heel definitief afscheid genomen. Zo niet, als hij ze ergens had opgeslagen, zouden ze misschien een aanwijzing kunnen opleveren over waar hij nu was...

Jake zat tien minuten in de auto, was al een stuk ten noorden van Scottsville, richting Charlottesville, op weg naar huis, toen Novatny belde.

Novatny was buiten adem, alsof hij rende, en riep: 'Waar ben je, Jake? Waar ben je?'

5

'We komen eraan!' riep Novatny.

'Hè? Ik kan je niet verstaan.'

'Sorry, ik ben net een paar trappen op gerend...' Novatny haalde een paar keer diep adem. 'Er is een helikopter onderweg om ons naar Virginia te brengen. Ben jij nog steeds in Richmond?'

'Ik rij iets ten zuiden van Charlottesville.'

'Dan ben je een verdomd stuk dichterbij dan wij,' zei Novatny.

'Wat is er aan de hand?'

'De sheriffdienst van Buckingham County heeft een lijk gevonden, in een natuurpark, helemaal verbrand,' zei Novatny. 'Bij het lijk lag een verschroeid legitimatiebewijs. Er staat op dat het van Lincoln Bowe is.'

'O, jezus.'

Aan de andere kant van de lijn klonk verward geschreeuw en toen zei Novatny: 'De helikopter komt eraan. Over vijf, hooguit tien minuten stijgen we op. Er is daar een stadje... even kijken... op mijn kaart heet het Sliders, maar meer dan een paar huizen is het niet. Luister, neem de Highway 20 in zuidelijke richting...'

'Wacht even, ik ga de snelweg af.' Jake stopte op de vluchtstrook, haalde een blocnote uit zijn koffertje en schreef Novatny's aanwijzingen op. '... sla links af en neem de 636. Als je die een kilometer of vijf volgt, zie je daar het kantoor van het Appomattox-Buckingham-natuurpark. Ze hebben ons gezegd dat dat de beste plek is om met een helikopter te landen.'

'Heb je Danzig al gesproken?'

'Nee, ik kon hem niet aan de lijn krijgen. Als jij dat wel kunt...'

'Ik zal hem bellen. Ik zie je in het park.'

Jake zette de versnelling in de achteruit, maakte een halve draai, trapte het gaspedaal in en de Mercedes ging ervandoor als een opgejaagd konijn. Hij was ongeveer zestig kilometer van het natuurpark verwijderd. Hij moest vaart minderen toen hij door Scottsville reed, deed dat zo min mogelijk, keek in zijn spiegels en dacht: geen politie, alsjeblieft, geen politie...

Hij vloog de brug over, bleef Highway 20 volgen, kwam weer langs Schmidts huis, haalde een truck met boomstammen in en voerde de snelheid op tot honderddertig. Het landschap schoot aan hem voorbij en de weg zat vol bochten, kortom, het perfecte parcours voor een potje racen in een snelle Duitse auto, als je er geen probleem mee had om af en toe een huisvrouw, die haar post uit de brievenbus langs de weg kwam halen, de stuipen op het lijf te jagen.

Jake dacht er wel aan, maakte zich er zelfs zorgen over, maar hij minderde geen vaart. In plaats daarvan ontlastte hij zich van zijn schuldgevoel door Gina's nummer op zijn mobiele telefoon in te toetsen. Ze kwam aan de lijn en Jake zei: 'Ik moet Danzig spreken, nu meteen.'

'Hij is met de president in gesprek,' zei ze.

'Ga hem halen.'

'Echt?'

'Ja,' riep Jake. 'Ga naar binnen en ga hem halen!'

'Oké... wacht even.'

Danzig kwam aan de lijn en hij vroeg bezorgd: 'Wat is er?'

'De FBI heeft in het zuiden van Virginia een verbrand lijk gevonden. De kans bestaat dat het Lincoln Bowe is.'

'Is het een reële kans?'

'Er is een verschroeid legitimatiebewijs gevonden en dat is van hem. De FBI is onderweg. Ik ben er zestig kilometer vandaan en rij er zo snel mogelijk naartoe. Misschien is het nodig dat iemand de sheriffdienst terugfluit, als het niet al te laat is. En u moet de persdienst inlichten, ze aan het werk zetten.'

'Verschroeid?'

'Ik weet nog niet wat dat betekent. Maar blijkbaar is het lijk ernstig verbrand.'

'Waarom ben jij daar maar zestig kilometer vandaan?'

'Dat vertel ik u nog wel,' zei Jake. 'Het kan zijn dat het geen toeval is.'

'Oké, oké, ga jij je gang maar, dan regel ik de zaken aan deze kant,' zei Danzig. 'En bel me als je iets belangrijks tegenkomt. Wat het ook is, ook als je denkt dat ik het al weet. Bel me.'

Jake bleef honderddertig rijden, scheurde door Dillwyn, maakte een bocht naar rechts, daarna nog een, kwam bij Sprouses Corner op Highway 60, schoot met honderdtien per uur langs het stadhuis van Buckingham – shit, dacht Jake, daar zijn nu tóch geen politiemensen – sloeg links af de 24 op en volgde die een kilometer of tien. De helikopter was al over hem heen gevlogen en toen hij de kruising met de 636 passeerde en het kantoor van het natuurpark voor zich zag, landde de zwarte helikopter net op het parkeerterrein.

Bij de oprit van het parkeerterrein stonden drie auto's van de sheriff-dienst van Buckingham, met knipperende lichtbalk. Toen Jake vaart minderde, deden Novatny en Parker net het rare 'ren voorovergebogen weg van een helikopter-loopje dat iedereen altijd deed. Ze werden gevolgd door een wat oudere man in burger, die een attachékoffertje tegen zijn borst klemde. Een hulpsheriff stapte uit een van de patrouillewagens en kwam in looppas naar Jake toe, die de Mercedes op de oprit van het parkeerterrein had gezet.

'Meneer, u mag hier niet parkeren.'

'Ik hoor bij hen,' zei Jake, en hij wees naar de helikopter.

Novatny en Parker wisselden een paar woorden met een politieman in uniform en Novatny wenkte Jake naar zich toe. Toen Jake bij hen was aangekomen, knikte Novatny naar de oudere man en zei: 'Jake, dit is Clancy, van ons forensisch team, en dit is sheriff Bill Winsome. Zijn mensen zijn nu op de plaats delict bezig.' Daarna vroeg Novatny: 'Wat heb je in 's hemelsnaam uitgespookt? Jij praat met wat mensen en een dag later zitten we met een verbrand lijk.'

'Hé, ik heb alleen maar hier en daar geïnformeerd.'

'Iemand is er in elk geval door in paniek geraakt,' zei Parker. 'We willen graag weten wie je allemaal gesproken hebt.'

Alle vier bleven ze Jake even aankijken, en toen wendde Novatny zich tot Winsome. 'Wat wilde je zeggen...?'

'Iemand wilde het lijk verbranden,' zei Winsome, 'met takken en benzine. Je kunt de benzine nog ruiken.' Hij was een wat oudere man met een bol, roze gezicht, oren waar plukken wit haar uit staken, en de droevige, vochtige ogen van een spaniël. 'Maar het hout was nog nat van alle regen die is gevallen en heeft niet willen branden. Ze hadden het rondom het lijk neergelegd, zoals bij een lijkverbranding.'

'En het hoofd?' vroeg Parker.

'Nog steeds geen hoofd,' zei de sheriff.

'Wat is er met het hoofd?' vroeg Jake.

'Het hoofd ontbreekt,' zei Winsome. 'Het is moeilijk te zeggen wat er precies gebeurd is, want... nou, als je wel eens een verbrand lijk hebt gezien... dat smelt min of meer. Dit lijk is er vrij erg aan toe. De handen zijn verdwenen, een groot deel van de voeten... maar er zou een schedel moeten overblijven, of restanten die op de aanwezigheid van een hoofd duiden, maar er is niks. Geen hoofd. We hebben nog niet in de as gezocht, natuurlijk, maar ik denk niet dat we er een schedel in zullen vinden.'

'Wie heeft het lijk ontdekt?' vroeg Jake.

'Iemand die hier woont, ene Glenn Anderson. Hij zag gisteravond een vuur, op een plek waar het niet hoorde te zijn...'

'Is hij dan niet gaan kijken?' onderbrak Parker hem.

'Nee, want het gebeurt wel vaker. Er komen hier vrij veel kampeerders en wandelaars. Anderson was in zijn werkplaats bezig, de olie van zijn kettingzaag aan het bijvullen, toen hij wat hoorde, naar buiten keek en een huizenhoog vuur zag. Hij ging ervan uit dat een of andere kampeerder spiritus op zijn kampvuur had gegoten en meer resultaat had gekregen dan hij had bedoeld. Maar hij was vanochtend met een buurman aan het praten, toen ze een verdachte stank roken, en toen zijn ze gaan kijken.'

'Geroosterd varken,' zei Novatny.

'Waar is de plaats delict?' vroeg Jake.

'Ongeveer anderhalve kilometer verderop,' zei de sheriff. 'Er loopt een weggetje naartoe, door het bos, maar het is vrij smal en met hoge bomen aan weerskanten. Daarom leek het me beter om de helikopter hier te laten landen.'

'Wie weten hiervan?' vroeg Parker.

'Niemand, afgezien van mijn mensen hier,' zei de sheriff. 'En niemand zal ervan horen totdat ík het zeg, anders schop ik ze net zolang voor hun kont tot ze het lekker vinden.'

Jake reed voorop met Novatny, Parker en de sheriff, en twee patrouillewagens reden achter hem aan. Clancy liftte mee met een van de patrouillewagens. De sheriff, op de achterbank, zei: 'Misschien laaide het vuur veel hoger op dan ze hadden verwacht, zijn ze in paniek geraakt en ervandoor gegaan. Ze denken dat als je een hele jerrycan benzine leeggiet op een hoop takken, je een kampvuurtje krijgt. Een explosie lijkt me waarschijnlijker. Als je niet oppast, steek je jezelf in de fik.'

De weg was smal en slingerde zich door het bos, langs een open plek zo groot als een paar voetbalvelden, een heuveltje over en ten slotte een heel flauwe helling af naar een onverharde weg.

Zes patrouillewagens met knipperende lichten, een paar ongemerkte dienstwagens en een busje stonden op het parkeerterrein langs de weg. Aan de overkant, ongeveer achthonderd meter van de weg, schatte Jake, stond een boerderij. Misschien hadden een paar stadsmensen gedacht dat niemand het vuur zou zien, dat ze ver genoeg van alles en iedereen verwijderd waren. Dat zou kunnen... Maar waarom hadden ze het lijk niet gewoon begraven?

Twee hulpsheriffs in uniform en twee mannen in burger zaten op de motorkap van de auto's, maar toen Jake stopte, gingen ze rechtop staan en keken naar de nieuwkomers. Jake stapte uit, met zijn wandelstok, gevolgd door Novatny, Parker en Winsome. Clancy stapte uit de patrouillewagen en kwam bij hen staan. De geur van geroosterd varkensvlees was niet sterk meer, maar hing nog wel in de lucht. Ze snoven en draaiden het hoofd naar het bos, waar de geur vandaan leek te komen.

Winsome stelde hen voor als FBI-agenten en een van de mannen in burger, een rechercheur van de BCI in Appomattox, die Kline heette, zei: 'Gaan jullie mee?'

Het lijk lag een meter of vijftig het bos in, aan het eind van een pad, op een open plek die werd ontsierd door proppen wc-papier, een paar flesjes en blikjes, en een gescheurde vuilniszak. De geur van geroosterd varkensvlees was hier sterker en had zich vermengd met die van petroleum. Hoewel Jake mensen had gezien die door napalm waren verbrand, herkende hij het lijk niet meteen toen ze op de open plek aankwamen. Het zag er meer uit als een vergane boomstronk waar een jong boompje uit was gegroeid.

'Jezus,' zei Novatny. Ze kwamen allemaal aarzelend naar voren. Hoe dichterbij ze kwamen, hoe meer het lijk op een boomstronk leek, tot op twee meter afstand, toen ze onder de geblakerde huid bloederig vlees herkenden. Het zag er nog steeds niet uit als een mens, totdat Jake een stapje opzij deed en de schoenen zag. Ook die waren grotendeels verbrand, maar nog wel als schoenen herkenbaar. Het slachtoffer was met staaldraad aan het boompje vastgebonden, in een knielende houding, met de armen en benen achterwaarts om de stam heen geslagen. Geen hoofd.

'Het is prikkeldraad, geen staaldraad,' zei Novatny. 'Misschien kunnen we uitvinden waar het vandaan komt? Waar ze het verkopen?'

'Ze kunnen het 's nachts uit een afrastering geknipt hebben,' zei de sheriff. 'Dat zou ik doen... tenminste, als ik dít gedaan zou hebben.'

'Was hij nog in leven toen ze het deden?' vroeg Jake. 'Hebben ze hem gemarteld?'

'Dat moet de autopsie uitwijzen,' zei de sheriff. 'Maar niemand heeft iets gehoord. Geen gegil of geschreeuw, helemaal geen rumoer. Maar waarom zouden ze hem vastbinden als hij niet dood was? Ze hadden hem toch gewoon op de grond kunnen leggen en een berg takken over hem heen kunnen leggen?'

'Heeft iemand een auto gezien?'

'Nee. Toen het vuur gedoofd was, is Anderson zijn werkplaats weer ingegaan, maar hij heeft geen auto zien wegrijden. Toch moeten ze met een auto zijn gekomen. Van bandensporen hoeven we niet veel te verwachten; het is allemaal gravel en turf op het parkeerterrein.'

'Zijn er al foto's gemaakt?' vroeg Clancy aan de sheriff.

'Ja, zowel foto's als video-opnamen. We hebben op jou gewacht voordat we met de rest verder gingen.'

Clancy liep een keer om het lijk heen, deed een stap ernaartoe, hurkte neer op een kaal stuk grond, haalde een kleine stalen pen uit zijn koffertje en ging in de restanten van de schoen aan de ene voet porren. De schoen viel uit elkaar en er werd een stuk roodverbrande huid zichtbaar. Clancy haalde een ander instrument uit zijn koffertje, een stalen buisje van ruim twintig centimeter lengte, dat een beetje op een injectiespuit leek. Hij duwde het buisje in elkaar alsof hij een riotgun doorlaadde, zette de punt op de huid en drukte op de knop. Ze schrokken allemaal op toen het instrument een droog klikkend geluid maakte, waarna Clancy het terugtrok en overeind kwam.

'Hoe lang heb je nodig?' vroeg Novatny.

'Het is een goed monster,' zei Clancy. 'Tien minuten, denk ik.' Hij deed het instrument in zijn koffertje en zei: 'Ik ga even in de auto zitten om de test te doen.'

'Tien minuten?' zei de sheriff verbaasd. 'Hoe betrouwbaar is het?'

'Negentig procent, met een goed monster,' zei Clancy. 'Ik heb een digitale DNA-database in mijn laptop.'

'Waarom hebben wij die niet?' vroeg de sheriff. 'Het zou verdomd handig zijn als we DNA-tests op de plaats delict konden doen.'

Clancy haalde zijn schouders op. 'Je kunt er een bestellen als je wilt... kost je wel zeventigduizend dollar, en ongeveer tweeduizend per test, inclusief afschrijving van de apparatuur. Een gewone test, met twee dagen wachten, kost – hoeveel? – honderdvijftig dollar?'

'Geen hoofd,' zei Jake toen Clancy weggelopen was. 'Geen bloed? Sporen van een worsteling? Van iets anders?'

'Dit is alles wat we hebben, afgezien van het legitimatiebewijs,' zei Winsome. 'Dat hebben we al veilig opgeborgen. We kunnen een paar bodemproeven doen, maar ik denk niet dat die iets zullen opleveren. En de autopsie zal hoogstwaarschijnlijk uitwijzen dat hij nog in leven was.'

Jake keek Novatny aan. 'Jezus, ik hoop dat hij het niet is,' zei Novatny.

'Hij is het wel, Chuck,' zei Parker. 'Dat weet je net zo goed als ik. De pers wordt helemaal gek. Dit gaat nog erger worden dan een moord in Hollywood. Erger dan alles wat we tot nu toe hebben meegemaakt.'

Ze bleven allemaal enige tijd met norse blik naar het lijk kijken, totdat Novatny zei: 'Nou, we hoeven ons in elk geval niet te vervelen.'

'Meestal ruik je de brandstof achteraf niet,' merkte Jake op.

'Hoe bedoel je?' De sheriff keek hem aan.

'Nou, de brandstof verbrandt en wat je na afloop ruikt, is het verbrande materiaal. Wat we hier ruiken, is brandstof die geen vlam heeft gevat, of die met opzet is uitgegoten op plekken waar hij geen vlam kón vatten.'
'Waarom zouden ze dat doen?'
Jake haalde zijn schouders op. 'Dat weet ik niet. Ik zeg alleen dat je brandstof achteraf meestal niet ruikt. Gel, napalm, ruik je in elk geval niet. Niet de dag daarna.'
'Nou...' De sheriff keek Jake even aan, draaide zich toen om naar de man van de BCI en zei: 'Ik denk dat we daar een aantekening van moeten maken.'
'Toen de Klan groot was,' vervolgde Jake, 'ongeveer een eeuw geleden, lynchten ze zwarten van wie ze dachten dat ze een blanke vrouw hadden verkracht, of vermoord, of beledigd.' Hij knikte naar het lijk. 'Soms gebruikten ze prikkeldraad om ze aan een boom of lantaarnpaal vast te binden, en dan staken ze hen in brand. Ze werden ook wel gecastreerd. Maar ik heb nog nooit gehoord dat ze het hoofd meenamen.'
'Is dat zo?' vroeg de sheriff.
'Ja,' zei Jake. 'Het prikkeldraad was een soort... handelsmerk. En het is ook iets wat zeker de aandacht van de televisiemensen zal trekken.'
'Hm,' zei de sheriff.
'Dus is het mogelijk,' zei Jake, 'dat ze petroleum over hem heen hebben gegoten en dat het vuur hoger oplaaide dan ze hadden verwacht. Maar waarom hebben ze hem niet begraven? In de tijd dat ze die hele brandstapel hebben gemaakt, hadden ze met twee man ook een kuil van een halve meter kunnen graven, als ze een beetje hadden doorgewerkt. Als ze dat hadden gedaan, zou het misschien jaren geduurd hebben voordat hij was ontdekt. Was het vuur echt bedoeld om hem helemaal te verbranden? Of was het bedoeld om de aandacht te trekken? Op mij komt deze hele aanpak over alsof die bedoeld is om de pers gek te krijgen.'
De sheriff bleef Jake enige tijd aankijken, nam hem van top tot teen op en vroeg: 'Wat doe jij eigenlijk voor werk?'
'Weet je,' zei Novatny, 'als dat zo is, Jake, zijn er minstens vijftig mensen die onze rapporten en het forensisch rapport onder ogen zullen krijgen. Dit gaat zeker uitlekken naar de pers.'
'Dat denk ik dus ook,' zei Jake.

De stank van het lijk werd ondraaglijk en veel meer dan ernaar kijken konden ze niet. Ze liepen terug door het bos en waren halverwege toen Clancy hen tegemoetkwam.
Clancy knikte. 'Hij is het.'

De avond viel en de muggen kwamen tevoorschijn. Jake liep over het parkeerterrein, trapte in de gravel zodat er wolkjes stof opwaaiden en hield zijn mobiele telefoon tegen zijn oor. Novatny deed hetzelfde aan de andere kant van het parkeerterrein.

'Jezus christus,' zei Danzig tegen Jake. 'Wacht even, Jake. Jezus christus...' Jake hoorde hem zeggen, waarschijnlijk in een andere telefoon: 'Hij is het. Ja, negentig procent zeker. Ze hebben een DNA-test gedaan. Nee, nee, hij is het.' Hij was met de president in gesprek.

Danzig kwam weer aan de lijn. 'Kun jij verder nog iets doen?'

'Eh... misschien wel.'

'Wil ik weten wat?'

'Nee, dat is niet nodig... nog niet. En ik bel mobiel, dus er kunnen mensen meeluisteren.'

'Oké. Bepaal jij maar wanneer je het nodig vindt om het me te vertellen. Heeft de FBI al iemand aangewezen om het aan Madison Bowe te vertellen?'

'Voor zover ik weet niet.'

'Zeg tegen die Novatny dat ik eerst zijn baas bel. Ik wil dat iemand van enig gewicht het doet. Ik wil niet dat een of andere verdomde hulpsheriff haar belt en zegt dat haar man overleden is. Zeg tegen Novatny dat hij eerst overlegt met de directie van de FBI. Ik ga ze nú bellen.'

'Ja, meneer.'

Novatny, Parker en de sheriff stonden te wachten totdat Jake klaar was met bellen. Toen hij naar hen toe kwam lopen, vroeg Novatny: 'En nu?'

'De zaak is van jullie,' zei Jake. 'Helemaal. Je moet contact met je bazen opnemen over wie mevrouw Bowe gaat inlichten. Danzig belt nu met je baas. Misschien stuurt hij hem zelf wel naar haar toe.'

'Dat zal hij leuk vinden,' zei Parker. 'Hij is toch al zo'n warmhartig mens.'

'Wij nemen de leiding van het onderzoek over,' zei Novatny tegen Parker. 'Dit wordt de taakgroep aller taakgroepen. We moeten onmiddellijk een compleet forensisch team laten aanrukken. En mensen om de politie van Virginia instructies te geven. En nog veel meer.'

De sheriff hief zijn handen. 'Dan trek ik me terug. Bel me maar als jullie iets nodig hebben.'

'Zo te horen vind je het niet erg,' zei Parker. 'Vind je het niet vervelend als er een stel FBI-agenten in jouw jurisdictie gaan rondstampen?'

Er kwam een uiterst dun glimlachje om de mond van de sheriff. 'Ik draag de zorg voor een gebied van 1549 vierkante kilometer, waarvan 1548 vierkante kilometer niks te maken hebben met onthoofde Amerikaanse senators die in brand zijn gestoken, dus als jullie voor de senator zorgen, zorg ik voor de rest. Maar als we jullie arme stakkers ergens mee kunnen helpen, zullen we dat zeker doen.'

Toen ze weer in de auto op weg naar de helikopter waren, zei Jake tegen Novatny: 'Over die tip, die knaap met al die wapens...'

'Schmidt,' zei Novatny. 'Daar heb ik aan gedacht, maar ik wilde er liever niks over zeggen waar de politie bij stond. Wat ben je te weten gekomen?'

'Ik ben naar het huis gegaan. Niemand thuis. Ik heb door de ramen naar binnen gekeken. Er zijn vier wapenkluizen in een van de slaapkamers, maar alle vier de deuren stonden open en ze zagen er leeg uit. Zo te zien is hij een tijdje niet thuis geweest. Er zit een briefje van de burgerwacht op de voordeur, met het verzoek of hij zich wil melden. Dat heeft hij blijkbaar niet gedaan.'

'Oké.' Novatny knikte. 'Ben je naar binnen gegaan?'

'Natuurlijk niet. Maar ik dacht dat het misschien zin zou kunnen hebben als jouw mensen er een kijkje zouden nemen.'

'Dat zullen we doen,' zei Novatny.

'Nu meteen, bedoel ik. Want ik ga straks gouverneur Goodman bellen om hem te vertellen dat we Bowes lijk hebben gevonden. Het zal niet lang duren voordat hij het zelf ontdekt, en ik wil hem nog even te vriend houden. Dat zou nuttig kunnen zijn als we de burgerwacht moeten benaderen. Dus ik stel voor dat je een paar van je mannen naar dat huis stuurt voordat de burgerwacht er gaat rondkijken.'

Novatny knikte weer. 'We hebben twee agenten uit Richmond in een Holiday Inn in Charlottesville zitten, om zich van daaruit met de zaak bezig te houden,' zei hij toen Jake bij de helikopter stopte. 'Geef me Schmidts adres en tien minuten voorsprong.'

Toen Jake weer op de snelweg reed, belde hij Goines en zei dat Goines de gouverneur moest opzoeken en hem moest laten terugbellen.

'Ik weet niet of ik hem wel zo snel kan vinden,' zei Goines.

'Je doet je best maar,' zei Jake. 'Het is heel dringend en ik moet hem zo snel mogelijk spreken.'

Binnen tien minuten, toen Jake Buckingham binnen reed, waarbij hij zich deze keer aan de maximumsnelheid hield, belde Goodman terug. 'Meneer Winter, met Arlo Goodman.' Hij was minder joviaal dan de vorige keer, formeler, alsof hij problemen verwachtte.

'We hebben het lijk van Lincoln Bowe gevonden,' zei Jake.

Het bleef lang stil aan de andere kant en Jake hoorde een hoop geruis op de lijn. Toen vroeg Goodman: 'Hier, in Virginia?'

'Ja, bij Appomattox, tussen Buckingham en Appomattox.'

'O, nee.' Hij klonk oprecht verrast.

'Ik nam aan dat u het wilde weten.'

'Ja, bedankt.' Er kwam wat meer warmte in zijn stem. Goodman kon die in- en uitschakelen wanneer hij maar wilde, zelfs over de telefoon. 'Wie weten hier nog meer van?'

'Een paar politiemensen, de FBI en de president. We gaan straks mevrouw Bowe inlichten. De FBI neemt de plaats delict over; er is een forensisch team onderweg. Uw mensen van de BCI zijn al ter plekke.'

'Ze hebben me niet gebeld,' zei Goodman.

'De sheriff heeft dat afgeraden, omdat hij wist dat de FBI onderweg was,' zei Jake. 'Iedereen loopt op eieren.'

'Ze hadden me moeten bellen,' zei Goodman. Zijn stem was kalm, maar er klonk toch boosheid in door. Iemand van de BCI was in de problemen.

'Weet u hier iets van, gouverneur?' vroeg Jake.

Een stilte – van de schrik? – en toen zei hij: 'Waar heb je het over?'

'Ik heb het over een stel in paniek geraakte burgerwachten die op zoek zijn naar een vuurwapenfanaat die Carl V. Schmidt heet. Ik heb het over een opsporing die vanuit uw kantoor gedirigeerd is. Uw burgerwachten hebben zelfs een boodschap op Schmidts voordeur geplakt. De FBI is op dit moment op weg naar Schmidts huis. Als u iets weet... ik bedoel, in het onderzoek komt het toch wel aan het licht.'

'Hoe heette die man?'

'Carl V. Schmidt.'

'Nooit van gehoord. En de burgerwacht is naar hem op zoek?'

Jake sloeg geen acht op de leugen; voor politici was dat dagelijkse kost. 'Ja.'

'Ik zal er meteen met John Patricia over praten,' zei Goodman. 'Ben je op dat nummer bereikbaar?'

'Ja.'

'Ik bel je straks terug.'

Jake was Buckingham uit, stopte bij Sprouses Corner en keek naar links. Hij kon Highway 20 door Charlottesville en dan naar het noorden nemen. Dan kon hij in tweeënhalf à drie uur thuis zijn. Of hij kon op Highway 60 rechtdoor naar Richmond rijden. Als hij naar het noorden afsloeg, kon hij bij het huis van Schmidt langsgaan en kijken of de FBI al iets had gevonden. Alhoewel, Danzig verlangde van hem dat hij de politieke kant van de zaak voor zijn rekening nam en niet de forensische, waar hij trouwens niets vanaf wist.

Hij dacht er nog even over na, stak toen de kruising over en bleef op Highway 60 rijden richting Richmond.

Terug naar Goodman.

6

Howard Barber arriveerde laat, schold op het verkeer en op de agenten die zijn legitimatiebewijs wilden zien, die moeilijk konden geloven dat hij zowel een republikein als een vriend van de familie kon zijn en die hem ervan verdachten dat hij een of andere spion van de pers was.

Maar Barber zette hen snel op hun plaats. Hij had de stem van een hoge legerofficier, de stem van een directeur, de stem van iemand die aan het hoofd stond van een van de meest flitsende hightechondernemingen van het land. Hij werd doorgewuifd toen hij de 'stem' had opgezet, en verwezen naar een parkeerplek bij een bloembed met azalea's. Voordat hij uitstapte, haalde hij zijn mobiele telefoon tevoorschijn en belde naar kantoor. 'Hou al mijn telefoontjes af, verbind niks door. Ik ben bij het huis van de familie Bowe en het kan even duren.'

'Uw bespreking met Price en Walton om zes uur in het Hay Adams,' vroeg zijn secretaresse, 'gaat die nog door?'

'Ja, ik zal er zijn. En bel kolonel Lake en vertel hem wat er aan de hand is, dat ik hier niet onderuit kan. Dat ik hem morgenochtend vroeg zal bellen.' Hij hing op en slaakte een zucht. Wat had hij hier een hekel aan. Hij stapte uit, liep het pad op, zei een paar mensen op de veranda gedag, kreeg een kneepje in zijn bovenarm van een van hen en begaf zich ten slotte in de mensenmassa die zich in de woonkamer van Madison Bowes huis had verzameld. Madison was in gesprek met een oude vriend van Lincolns golfclub, maar ze liep bij hem weg, kwam naar Barber toe en omhelsde hem. 'Fijn dat je er bent, Howard.'

'Jezus, Maddy...'

'We moeten praten.' Alle mensen in de kamer keken naar hen, naar de vrouw van de vermoorde senator, in omhelzing met een opvallend grote, knappe zwarte man gekleed in een pak dat eruitzag alsof het minstens vijfhonderd dollar had gekost. Je kon het 'hm' van afgunst bijna horen. 'Kom mee,' zei Madison. 'God, nee, niet naar de keuken. Daar is het nog drukker dan hier. Ergens anders naartoe.'

Hij liep achter haar aan de gang in, langs de trap, naar de bibliotheek. De deur was dicht en toen ze die opendeed en haar hoofd naar binnen stak, zag ze dat er niemand was. 'Hier.'

Ze gingen naar binnen en Madison deed de deur achter hen dicht. 'Linc... Was het Goodman?'

'Daar ga ik van uit,' zei Barber.

'Hebben ze hem gemarteld? Ik denk niet dat hij veel pijn kon verdragen...'

'Maddy, dat weet ik echt niet,' zei Barber. 'Mijn contacten zitten voornamelijk op het Pentagon, niet bij de FBI. Ik heb met een paar stafmensen op de Hill gepraat, maar die konden me ook niet veel meer vertellen. Ik ga ervan uit dat... Wat heeft de FBI jóú verteld?'

'Die weten niks,' zei ze. 'Die Winter, de man over wie ik je verteld heb, is daar blijkbaar geweest. Ik heb hem thuis gebeld, maar hij neemt niet op. Ik heb een paar berichten ingesproken.'

'Je zei dat hij voor Danzig werkte.'

'Ja, dat klopt. Ik neem aan dat hij er met de FBI naartoe is gegaan. Hij zei dat hij een paar bureaucraten van de FBI flink onder druk zou zetten om ze aan het werk te krijgen. Ik heb hem naar Goodman verwezen.'

'Ik betwijfel of Goodman er zelf bij betrokken is,' zei Barber. 'Misschien mensen van de burgerwacht, of Darrell Goodman, maar Arlo Goodman is daar te slim voor. Eigenlijk weet ik niet wat ik moet denken.' Hij haalde zijn schouders op en wendde zijn blik af.

En Madison dacht: hij verzwijgt iets voor me. Maar ze zei: 'Ik zal met Winter praten, als ik hem kan vinden. Ik blijf hem om het kwartier bellen, totdat ik hem te pakken heb. Hij is net zo iemand als jij, hij is in Afghanistan geweest.'

'Ik heb van hem gehoord,' zei Barber. 'Hij heeft een boek over het Pentagon geschreven.'

Ze knikte. 'Dat heeft Johnnie Black me verteld. *Winters gids voor ingewijden.*'

'Ik denk dat ik beter met hem kan gaan praten,' zei Barber. 'Er kan een moment komen dat we misschien... invloed op het onderzoek willen uitoefenen. Ik denk dat ik dat beter kan doen dan jij.'

'Oké. Als ik hem te pakken krijg, zal ik tegen hem zeggen dat hij je moet bellen.'

'Dat lijkt me verstandig,' zei Barber. 'En ik denk dat het een goed idee is als je het hem vertelt van Linc en mij. Je weet wel, alles. Dat behoort hij te weten...'

'O, Howard...' Ze keek geschokt.

'Luister nou, het komt tóch uit. Hij kan het beter meteen horen.'

Barber draaide zich om en staarde naar het raam, waarvan de jaloezieën dicht waren, alsof hij erdoorheen kon kijken. 'God sta me bij.' Hij wreef met zijn hand over zijn gezicht, draaide zich weer naar haar toe en vroeg: 'Hoe gaat het nou?'

'Ik ben verdrietig, doodmoe en heel boos.'

'En je bent heel, heel rijk.'

'Howard...' Ze zette haar handen in haar zij.

Hij schudde zijn hoofd en stak zijn hand op in een soort vredesgebaar. 'Hoor eens, Maddy, Linc heeft een keer tegen me gezegd dat van alle vrouwen die hij ooit had gekend, jij de enige was die nooit in zijn geld geïnteresseerd is geweest. Daarom wilde hij jou juist.'

Ze barstte in snikken uit, draaide haar hoofd om en veegde met de rug van haar hand de tranen van haar wangen. 'God, ik hoop zo dat hij niet meer in leven was. Dat hij al dood was toen ze hem in brand hebben gestoken.'

'Ik weet het zeker dat hij toen al dood was,' zei Barber. 'Dat moet je geloven, Maddy.' En na een korte pauze voegde hij eraan toe: 'Praat met Winter.'

Jake reed op de snelweg en passeerde net het stadhuis van Amelia toen Goodman terugbelde. 'Waar ben je?' vroeg hij.

'Bij Amelia, op weg naar Richmond.'

'Ik heb Bill Danzig net gesproken,' zei Goodman. 'Nu zou ik graag met jou willen praten.'

'Bent u op kantoor?'

'Nee, in het gouverneurshuis. Toen je naar het kantoor ging, van welke kant kwam je toen, die van het oude stadhuis? Met die bakstenen stoepen?'

'Ja.'

'Het gouverneurshuis is ongeveer tachtig meter verderop. Een geel huis met witte zuilen. De poort is tegenover de achteringang van het Patrick Henry-gebouw. Meteen rechts ervan zie je een wachthuisje. Ik zal je op de bezoekerslijst zetten.'

Jake had een stuk sneller een parkeerplek dan die ochtend. Het was al bijna donker en hij kon niet goed zien of er nog geld in de parkeermeter moest, dus stopte hij er voor de zekerheid een paar kwartdollars in voordat hij over de verlaten stoep naar de poort liep. Het gouverneurshuis had twee verdiepingen, een voorpui van geel geverfde baksteen en een ingang met twee witte zuilen aan weerszijden. Het huis was kleiner dan hij had verwacht en het boogvormige parkeerterrein voor de deur werd versierd door een bescheiden fontein in de vorm van lotusbloemen.

In het wachthuisje was een bewaker in uniform in gesprek met een man die helemaal in het zwart gekleed was: een zwarte regenjas, zwart overhemd, zwarte broek en zwarte Converse All Stars-gympies. Op zijn hoofd had hij een slap, beige tennishoedje. De man was slank en had een gezicht

dat te mager was voor zijn leeftijd, die ongeveer die van Jake moest zijn. Met zijn grote, puntige neus en zwarte kleding had hij wat weg van een kraai. Hij zag Jake aankomen, nam hem even goed op, draaide zich toen om en bekeek iets op een beeldscherm achter in het wachthuisje.
'Jake Winter,' zei de bewaker. Het klonk niet als een vraag.
'Ja.'
'Ik zal u de weg wijzen,' zei hij, waarna hij het slot van de stalen poort liet openspringen en Jake voorging, over het parkeerterrein, de treden op en de dubbele deuren door.
Eenmaal binnen leek het huis ineens groter. In de hal hing een kroonluchter met armen in een motief van Griekse bijlbundels, een lange gang leidde naar een aantal grote openbare vertrekken en een portret van koningin Elizabeth I keek op hen neer. De bewaker wees naar links en zei: 'Deze kant op.'
Een salon. Goines stond bij de ingang, tegen de deurpost geleund. Drie andere mannen, die Jake geen van drieën herkende, zaten op de twee brede leren banken in het zitgedeelte, met hun geopende attachékoffertjes naast zich op de vloer. Op de grote salontafel lagen blocnotes en stonden twee koffiekopjes, twee bierflesjes en een zilveren schaal in de vorm van een espenblad, met pinda's en M&M's. Een van de mannen had zijn voeten op de salontafel gelegd en zijn buurman had zijn schoenen uitgetrokken, zodat zijn donkerbruine sokken zichtbaar waren. De geur van sigarenrook hing in de lucht en vanaf een groot schilderij aan de muur keek George Washington toe.
De atmosfeer van vriendjespolitiek hing bijna tastbaar in de lucht; dit waren de grote jongens, daar bestond geen twijfel over. En de baas van het gezelschap was Arlo Goodman, die in een grote leren fauteuil aan het hoofd van de salontafel tussen de twee banken zat.
'Jake,' zei Goodman. Hij stond op en gebaarde naar een kleinere leren fauteuil aan de andere kant van de salontafel. Toen Jake zat, wees Goodman met zijn slechte hand en zei: 'Ralph ken je, en dit zijn John Patricia, Handy Rice en Troy Robertson. Heren, meneer Winter zat vroeger bij de Special Forces. Hij is gewond geraakt in Afghanistan.'
'Je ziet er meer uit als een bureaucraat,' zei Robertson.
Jake haalde zijn schouders op. 'Ik zit aan een bureau en ik ben uit vorm, maar het kost me...' Hij deed alsof hij Robertsons lichaamsbouw aandachtig opnam. '... niet meer dan zeven of acht seconden om je nek te breken.'
De anderen moesten lachen en Goodman keek hem met een glimlach aan. 'Breek Goines' nek maar,' zei Robertson. 'Hij is de grootste lastpak in het gezelschap.'
'Wil je een biertje?' vroeg Rice.

Jake nam een slok bier en ze kwamen ter zake.

'Jake,' begon Goodman, 'ik zweer bij God, ik zweer op de lijken van mijn omgekomen vrienden in Syrië, ik zweer op alles wat je wilt... maar ik heb niks te maken gehad met de dood van Lincoln Bowe. En de burgerwacht ook niet.'

Jake knikte en wachtte af.

Goodman boog zich voorover, nam een handje pinda's uit de schaal en schudde ze in zijn hand alsof het dobbelstenen waren. 'En dan komen we nu bij het deel waarin ik lijk op de waanzinnige voor wie Madison Bowe me heeft uitgemaakt. Ik geloof dat het hier gaat om een zorgvuldig geplande samenzwering die mij in een kwaad daglicht moet stellen. Ik geloof dat Lincoln Bowe er zelf bij betrokken is geweest, en Madison Bowe waarschijnlijk ook. Haar aanval op mij was gewoon te goed. Die leek ingestudeerd. Vind je dat waanzinnig?'

Jake trok zijn wenkbrauwen een stukje op en zei: 'Nee, dat vind ik niet waanzinnig. Maar of het waarschijnlijk is, is een heel ander verhaal.'

'Goed,' zei Goodman. 'Dat is het enige wat we van je vragen, die houding. Danzig zegt dat jij de beste bent als het gaat om het opdiepen van informatie over verwarrende politieke situaties. Daar hebben we behoefte aan, aan informatie. Want we willen heel, heel graag weten wat er echt gebeurd is. Dat begrijp je toch?'

Jake knikte. 'Ja, want dat wil ík ook.'

'Ik stel voor dat je twee theorieën de kans geeft. De ene mag je invullen zoals je wilt. Dat ik het heb gedaan, dat ik in de keuken senator Bowes hoofd heb afgezaagd en hem daarna in brand heb gestoken. Oké?'

Jake knikte. 'De FBI zal dat zeker doen.'

'Maar ik zou graag willen dat je nóg een theorie de kans geeft,' zei Goodman. 'De theorie dat er sprake is van een samenzwering tegen mij. Dat is je vertrekpunt. Als je van die mogelijkheid uitgaat en het op die manier bekijkt, kun jij misschien iets zien wat ons ontgaat. Want ik zal je dit zeggen, we raken door dit gebeuren steeds dieper in de problemen. Bijvoorbeeld door die Carl V. Schmidt. Of door het feit dat Bowe hier in Virginia is vermoord. Maar wij hebben er niks mee te maken gehad. Er is een val voor ons gezet, dat weet ik zeker. En dit kan heel ernstige consequenties hebben.'

Jake blies over de hals van zijn bierflesje totdat hij een zachte, lage fluittoon hoorde. 'Maar waarom zou men dat doen? Gouverneur, ik wil u niet beledigen, maar u zit in het laatste jaar van uw ambtstermijn. U kunt die niet meer verlengen. U gaat u binnenkort terugtrekken uit de politiek, in elk geval voor een tijdje. Dus waarom zouden ze al die moeite doen? Er is iemand overleden, maar gaat men in een of andere merkwaardige samenzwering een voormalig senator vermoorden om u uit uw ambt te laten zetten? Ik bedoel, al vinden ze Lincoln Bowes hoofd in uw slaapkamer, dan bent u waarschijnlijk al als gouverneur teruggetreden voordat het ooit tot een rechtszaak komt. Of is er iets anders gaande? Iets wat mij ontgaat?'

Goines draaide zich om en richtte zijn wijsvinger op Jake. 'Dat moet het zijn! En dat is waar we niet achter kunnen komen.'

'Misschien is het gewoon wraak,' zei Robertson tegen Goodman. 'Op je aanvaring met Bowe. Ik bedoel, je hebt hem toen echt diep gekwetst.'

'Dus iemand vermoordt Bowe om wraak te nemen op mij voor wat ik Bowe heb aangedaan?' Goodman schudde zijn hoofd. 'Zou je daar niet liever nog eens over nadenken, Troy?'

'Het zou me niks verbazen als dat lijk in het bos Lincoln Bowe helemaal niet is,' zei John Patricia.

'Ze hebben een DNA-test gedaan,' zei Jake.

'Voor een DNA-test heb je twee goede monsters nodig,' zei Patricia. 'Waar hebben ze het eerste monster vandaan gehaald? Wie heeft de DNA-test gedaan en wat is zijn politieke achtergrond? Hebben ze contra-expertises gedaan?'

'Nee, vergeet dat maar,' zei Rice tegen Patricia. 'Het is Bowe. Het zou te gek zijn als het Bowe niet is. Als we dat soort vragen gaan stellen, lijkt het erop dat wíj gek zijn.'

'Oké, maar het hoofd ontbreekt,' zei Patricia. 'Waarom ontbreekt het hoofd? Ik zal je vertellen waarom... nu kunnen ze geen gebitsvergelijking doen.'

'Daar had ik nog niet aan gedacht,' zei Jake. 'Daar kún je gelijk in hebben.'

Goodman stak zijn hand op om een eind aan het meningsverschil te maken. 'Ik geloof zelf dat het Bowe is. Als ze klaar zijn met de autopsie, zullen we het zeker weten. Ik heb gehoord dat ze haarmonsters van zijn kussens en uit zijn auto en zo hebben genomen. Of misschien wel van zijn moeder. Ze zullen het met zekerheid kunnen zeggen.'

Jake nam het woord. 'Ik moet u nu een moeilijke vraag stellen, gouverneur. Wie is die Schmidt en waarom zet u heel Virginia op zijn kop om hem op te sporen?'

Even werd er in de kamer naar elkaar gekeken en toen zei Robertson: 'We hebben heel Virginia niet op zijn kop gezet.'

'Er zat een brief op zijn deur...'

'Kun jij bewijzen...' begon Robertson.

'We hebben naar hem gezocht,' zei Goodman nadat hij Robertson met een opgestoken vinger tot zwijgen had gebracht. 'Hij hing vaak rond bij een paar mensen van de burgerwacht in Charlottesville. Maar hij is nooit benaderd, getraind, of als lid geaccepteerd. Onze mensen daar vonden hem een beetje vreemd, hadden hun twijfels over hem. En toen...'

Goodman haalde zijn schouders op en keek John Patricia aan.

'Hij heeft diverse keren tegen onze mensen gezegd dat er iets aan Lincoln Bowe gedaan moest worden,' zei Patricia.

'O, jezus,' zei Jake.

'Precies,' zei Patricia. 'Waar het om gaat, is dat hij niet iemand van ons is. Maar toen we ervan hoorden, wisten we dat wij er de schuld van zouden krijgen. Daarom zijn we naar hem op zoek.'

'Waarom hebben jullie er tegen niemand iets over gezegd?' vroeg Jake. 'Tegen mij, bijvoorbeeld, vanochtend.'

'Omdat het tot dat moment alleen een politieke kwestie was,' zei Goodman. Jake knikte: ze zwommen allemaal in dezelfde zee, die van de politiek, en het tij veranderde nooit, ook niet als er een moord was gepleegd. 'Niemand wist waar Bowe was. Voor hetzelfde geld was hij op skivakantie in Aspen. Er waren geen bewijzen van een ontvoering, of bewijzen van wat ook. Maar we waren bezorgd, en daarom hebben we naar hem gezocht. En nu dit. We hebben het gevoel dat we gemanipuleerd zijn. Dat iemand erg zijn best heeft gedaan om ons in een val te laten lopen.'

Jake knikte en dacht aan het pistool in Schmidts huis. Dat wekte inderdaad de indruk van bedrog. Waarom zou hij al zijn wapenkasten leeggehaald hebben en één wapen hebben verstopt, op een plek waar iedere tweederangs inbreker het zo kon vinden?

'Keer de Bowes binnenstebuiten,' zei Goodman op bijna dwingende toon. 'Zowel Lincoln als Madison. En hun vriendenkring. Kijk of je iets kunt ontdekken. Of je tot een of andere hypothese kunt komen. Of je iets verdachts tegenkomt. Vind uit wat er gebeurd is. Wat is er gebeurd?'

Ze zaten elkaar allemaal even aan te kijken en ten slotte zei Jake: 'Ik heb alle informatie nodig die jullie over Schmidt hebben.'

'Ik zal ervoor zorgen dat je die krijgt,' zei Goodman. 'En de FBI ook. Ze hebben er al om gevraagd. Ze zijn nu in Schmidts huis.'

'Wanneer kan ik die informatie krijgen?'

'Geef ons een e-mailadres en we sturen het vanavond of morgenochtend naar je toe. Dus... je doet mee?'

'Ik zal er met Danzig over praten,' zei Jake.

'Doe dat, en bel ons dan terug. Ralph is je contactpersoon.' Hij wees naar zijn assistent. 'Hij is vierentwintig uur per dag beschikbaar. Als je iets nodig hebt, wat dan ook, bel hem. Hulp bij het onderzoek, juridisch advies...'

'Spierkracht,' zei John Patricia met een grijns.

'We hebben geen behoefte aan spierkracht,' zei Jake.

'O, nee?' zei Patricia. 'Ze hebben Bowes hoofd afgezaagd en zijn lijk in brand gestoken. Vergeet dat niet.'

Goines zei: 'Ik vraag me af of die Schmidt dezelfde lengte en lichaamsbouw als Bowe heeft.'

'Dat is bespottelijk,' zei Robertson.

'Hé, niemand komt met ideeën,' zei Goines. Hij nam een handje M&M's uit het schaaltje en stopte ze in zijn mond. 'Zoals de dingen er nu voor staan, is niets te vergezocht.'

'Er is één ding dat me dwarszit,' zei Jake. 'Wie is degene die u zijn ongewenste hulp schenkt?'

'Dat zit ons allemaal dwars,' zei Goodman. 'Als een of andere idioot denkt dat hij mij hiermee een plezier doet, heeft hij het goed mis, want deze moord stinkt een uur in de wind en kan de toekomst van ons allemaal voor eeuwig verprutsen.'

Ze praatten nog een paar minuten door en toen stond Jake op. 'Ik moet ervandoor,' zei hij. 'Ik moet vanavond nog terug zijn. Ik heb diverse lijntjes uitgeworpen, alle kanten op, en wacht nu tot de mensen me gaan bellen.'

Tijdens de terugrit dacht Jake aan het gezelschap dat hij in het gouverneurshuis had ontmoet: allemaal mannen, allemaal oorlogsveteranen, en ze hadden allemaal in de frontlinie geopereerd. Normaliter voelde hij zich wel thuis in een dergelijk gezelschap.

Maar er klopte iets niet met Goodmans groep. Ze zaten elkaar in de haren, zoals veteranen dat altijd deden, maar met Goodman erbij gedroegen ze zich alsof ze nog in het leger zaten, als ondergeschikte officieren die zich aan hem conformeerden. Sterker nog, ze gedroegen zich gehoorzaam en gedienstig. Niet de omgang die je gewoonlijk in politieke kringen zag – misschien afgezien van die van de president met zijn staf – maar met een zekere onderdanigheid die werd bedekt door de kameraadschappelijke 'veteranen onder elkaar'-jovialiteit.

Maar ze hadden ook een sfeer van oprechte verwarring geademd. Ze wisten echt niet wat er aan de hand was, geloofde Jake. De dood van Bowe had hen heel erg aan het schrikken gemaakt.

Darrell en Arlo Goodman spraken elkaar in de keuken op de begane grond. 'We hebben de beveiligingstapes bekeken. Hij heeft met je stagiaire gepraat, die blonde griet.'

'Cathy...'

'Ja, ze heeft hem aangesproken in de gang, toen hij uit de lift was ge-stapt. Hij leek verbaasd, dus ik denk niet dat hij haar kent. Ze heeft hem een papiertje gegeven. We houden zijn mobiele telefoon in de gaten en hij heeft een gesprek gevoerd in Scottsville, vlak bij Schmidts huis. Nadat hij hier is weggegaan, is hij er rechtstreeks naartoe gereden.'

'Dus die tip moet van haar afkomstig zijn.'

Darrell knikte. 'Tenzij hij in de lift met iemand heeft gesproken, maar dat is niet gebeurd. Zíj heeft hem ingeseind.'

'Ik heb wel eens gedacht...' Goodman schudde zijn hoofd. 'Ik vraag me af wat voor informatie ze nog meer heeft verkocht.'

'Moeilijk te zeggen,' zei Darrell. 'Wat heb je verder nog?'

'Alleen politiek spul. Niks wat problemen kan opleveren.'

'Ze heeft toch geen toegang tot je computer?'

'Nee, tenzij ze het wachtwoord heeft gekraakt,' zei Arlo. 'Trouwens, ze heeft geen sleutel van het kantoor, en er is altijd iemand in de buurt, ook als ik er niet ben. Ze zou niet veel tijd krijgen om in mijn computer rond te neuzen.'

'Als ze weet wat ze doet, heeft ze niet veel tijd nodig,' zei Darrell. 'Ik kan een programmaatje voor je installeren dat de aanslagen op je toetsen-bord registreert.'

'Wil je dat gaan bijhouden?'

'Ja, dat lijkt me beter,' zei Darrell. 'Ik zal een computermannetje bellen en het vanavond laten doen. Maar zelfs als ze clean is, is het beter dat je haar loost.'

'Ik kan haar niet ontslaan,' zei Goodman. 'Ze werkt hard en ze is best goed. Bovendien heeft haar ouweheer veel geld aan mijn campagne bij-gedragen.'

'Ik regel wel wat,' zei Darrell. 'Een straatroofje of zo.'

Goodman keek hem streng aan. 'Maar niet met dodelijke afloop.'

'Nee, nee, alleen wat schrammen en blauwe plekken.'

Jake belde Danzig vanuit de auto en praatte hem bij over de bespreking. 'Goodman wil dat ik erin duik. Hij zei dat hij met u zou praten.'

'Ja, dat heeft hij al gedaan. Toen ik jou opdroeg om Bowe te gaan zoe-ken, had ik niet gedacht dat je hem zo snel zou vinden. Of op die manier. We zijn ons allemaal doodgeschrokken.'

'Ik hoop niet dat ik een executie in gang heb gezet. Ik heb tenslotte het gerucht verspreid dat we naar hem op zoek waren.'

'In die richting denken we niet,' zei Danzig. 'In één ding heeft Goodman in elk geval gelijk: we weten niet wat er gaande is. En dat willen we wel weten. Zo gauw mogelijk. Als het iets is wat we Goodman kunnen aanwrijven en wat de nationale politiek niet schaadt, doen we dat en zijn wij er klaar mee. Dan mag Goodman het verder afhandelen. Maar als er meer aan de hand is, moeten we dat ook weten.'

'Ik heb al diverse lijntjes uitgeworpen.'

'Ga daarmee door. De situatie is compleet uit de hand gelopen. Het wordt kamerbreed uitgemeten op CNN, net als toen met die orkaan, Katrina, of Katinka, of weet ik veel, en met 11 september.'

Jake was moe toen hij thuiskwam, en hij had trek, maar hij kon zich niet losmaken van het idee dat de geur van Lincoln Bowes verbrande lijk nog in zijn kleren en zijn haar zat. Hij nam een douche, trok een T-shirt en spijkerbroek aan, liep op blote voeten de keuken in en maakte een kom cornflakes klaar. Het was twee minuten voor elf. Hij liep met de kom naar de woonkamer, zette de televisie aan, was precies op tijd voor het nieuws, zette tegelijkertijd zijn laptop aan en logde in op internet.

Het nieuws ging allemaal over Lincoln Bowe. Er waren beelden van Madison Bowe op de veranda van haar huis, in gezelschap van een groep senatoren die voor de camera plechtig beloofden dat de overheid de moordenaars van haar man op zou pakken. Er waren beelden vanuit een helikopter, van Bowes lijk dat op een brancard, in een zwarte lijkenzak, het bos uit werd gedragen, en politiemensen die op de plaats delict aan het werk waren.

Madison Bowe zei dat ze geen idee had waarom haar man was vermoord, of het moest zijn doorlopende vete met de burgerwacht van Virginia zijn. 'Hij zag de burgerwacht als een wederopstanding van de Ku-Klux-Klan,' verklaarde ze voor de camera. 'Een groep zogenaamde vrijwilligers die er in werkelijkheid op uit waren om burgers te intimideren. Dat vond hij vreselijk en daar verzette hij zich tegen...'

Ze zag er geweldig uit in het zwart, dacht Jake.

Met één oog op de televisie bekeek hij zijn e-mail. Hij had er een stuk of tien, allemaal onbelangrijk. Hij had zijn mobiele telefoon niet meer gecontroleerd sinds Novatny hem had gebeld om hem naar de plaats delict te laten komen, deed dat nu en zag het bericht van Madison Bowe. 'Bel me, alstublieft. Voor middernacht, het maakt niet uit hoe laat.'

Hij had ook meer dan tien gesprekken die opgehangen waren. Hij fronste zijn wenkbrauwen; meer dan tien was te veel. Hij zocht in 'gemiste oproepen' en zag steeds hetzelfde mobiele nummer. Hij belde het maar kreeg te horen dat het toestel uit stond.

Hij overwoog Madison te bellen. Danzig en hij bevonden zich aan de

rand van politiek drijfzand en alles wat ze deden, moest eerst worden bezien in het licht van een mogelijk strafrechtelijk vervolg. Aan de andere
kant, hij wérkte samen met de FBI...

Ze nam meteen op. 'Hallo?'
'Jake Winter. Ik moest u terugbellen?'
'U woont niet zo ver bij me vandaan, hè? Kan ik langskomen om met u
te praten?'
'Mevrouw Bowe, de situatie is wat gecompliceerder geworden,' zei Jake.
'Dat weet ik,' zei ze. 'Ik heb Novatny gesproken. Maar ik wil met u pra-
ten. Deze zaak ligt meer op uw terrein dan op dat van Novatny.'
'Die twee terreinen overlappen elkaar nu min of meer,' zei Jake.
'Hoor eens, kan ik langskomen om te praten of niet?' vroeg ze.

Terwijl Jake op haar wachtte, zapte hij langs de andere nieuwszenders.
Echt nieuws hadden ze nauwelijks: de luchtopnamen van de plaats delict, de auto's van de FBI op de smalle weg door het bos, Madison Bowe
die in *Washington Insider* haar beschuldigingen uitsprak, opgenomen
interviews met de mensen die Lincoln Bowe het laatst in leven hadden
gezien, en dat allemaal eindeloos herhaald en afgewisseld met interviews
met vooraanstaande politici en een paar conservatieve filmsterren.
Madison Bowe arriveerde een kwartier later. Jake had de poort aan de
achterkant opengelaten en ze zette haar auto voor de garage. Hij deed
de achterdeur voor haar open en ze liep langzaam door zijn huis, gaf
hem een compliment voor zijn nette keuken, legde haar hand even op
het tafeltje in de gang die naar zijn slaapkamer leidde, bleef even staan
om een aquarel aan de muur te bewonderen en wierp in de woonkamer
een afkeurende blik op de nieuwslezeres van Fox.
'Ze heeft nauwelijks kleren aan,' zei ze.
'Als de kijkcijfers van CNN omhoog blijven gaan, hééft ze straks helemaal geen kleren meer aan,' zei Jake. 'Ik verheug me op die dag.'
Madison ging in de gemakkelijke stoel bij de open haard zitten. 'Wat een
dag...'
'Dat kan ik me voorstellen.'
'Een regelrechte nachtmerrie. Een huis vol mensen die ik niet mag. De
pers, de FBI...'
'Het is het enige item in het nieuws,' zei Jake.
'Ja.' Ze huiverde. 'Ergens, waar dat ook is, lacht Lincoln zich rot. Hij
zou het vreselijk hebben gevonden om te sterven als oude man met allerlei infuusslangen in armen en benen. Hij zou veel liever op een spectaculaire manier zijn gegaan. Hij heeft eens tegen me gezegd dat als hij vijf-

entachtig zou worden, hij de snelste Porsche zou kopen die er bestond en zich met driehonderdvijftig kilometer per uur te pletter zou rijden tegen een of andere brugpijler. Het enige wat hij niet kon verkroppen, was dat Goodman dan langer zou leven dan hij. Hij zou het een vreselijk idee hebben gevonden dat het hem niet was gelukt om Goodman klein te krijgen.'

'U bent niet... eh...'

'Zo van streek als ik zou moeten zijn? Dood is dood. Eerlijk gezegd had ik het verwacht. Ik wist dat hij er niet zomaar vandoor was gegaan.' Ze zuchtte, zakte een stukje onderuit en had een vermoeide blik in haar ogen, met niet-gecamoufleerde kraaienpootjes ernaast. 'Denkt u dat die Schmidt mijn man heeft vermoord?'

Jake bleef even zwijgen, nam haar op en zei toen: 'Dat weet ik niet. Ik probeer de vraag niet te ontwijken, maar ik weet het gewoon niet.'

'Is de burgerwacht erbij betrokken?'

Jake dacht aan de vijf mannen in Goodmans salon. 'Ook dat weet ik niet. Op dit moment ben ik geneigd te denken dat dat niet zo is.'

Nu was het haar beurt om hem op te nemen. Ten slotte zei ze: 'Dat zijn ze wel. Op de een of andere manier zijn ze erbij betrokken.'

'Dat weet ik niet,' zei Jake. 'Ik weet wel dat ze daar op het ogenblik rondrennen als een kip zonder kop. En dat Goodman al zijn topmensen heeft gemobiliseerd om uit te zoeken wat er gebeurd is.'

'Hebt u hem gesproken?'

'Ja, vanavond, in het gouverneurshuis. Ze maken zich ernstig zorgen. Ze geloven dat er tegen hen wordt samengespannen. Ze geloven dat uw man er deel van uitmaakte, en u misschien ook.'

Ze schudde haar hoofd en vroeg toen: 'Kun je hier veilig over straat lopen?'

'Jazeker.'

'Laten we dan een blokje om gaan. Ik bedoel...' Ze begon te blozen. 'Als uw been...'

'Mijn been houdt het wel,' zei Jake. 'Ik pak even mijn stok.'

Ze liepen de treden bij de achterdeur af, langs haar auto en het steegje uit, totdat ze op straat waren. 'Er is vandaag iets gebeurd,' zei Madison. 'Denk ik. Alles ging ineens zo snel dat het nogal vaag is.'

'Wat is er gebeurd?'

'Even nadenken...'

Ze waren aan het eind van het steegje links afgeslagen. Het huis op de hoek had een ouderwetse veranda met een schommel, waarop een echtpaar zat. Jakes stok tikte op de stoep en de man riep: 'Ben jij dat, Jake?'

'Ja, we gaan een straatje om. Hoe gaat het?'

'Rustig, tenminste, als ze in jouw straat niet met sloopwerk bezig zijn. Je kunt die verdomde drilboren in de hele buurt horen.'

'Over een week zou het klaar moeten zijn,' zei Jake. 'Dan is mijn huis ineens veel meer geld waard.'

'Maar het mijne niet,' zei de man.

'Dat is jouw zorg, Harley,' zei Jake. De vrouw moest lachen en Jake en Madison liepen door.

Toen ze buiten gehoorsafstand van het echtpaar waren, zei Madison: 'Ik vertel dit alleen aan u, niet aan de FBI. De FBI doet wel alsof ze informatie vertrouwelijk behandelt, maar er kunnen lekken zijn en het ligt allemaal nogal gevoelig... Ik vertel het aan u omdat u wel voor de politiek werkt, maar ook in een positie bent waarin u er misschien voor kunt zorgen dat Linc recht wordt gedaan.'

'Oké.'

Ze liepen weer een stukje door en toen zei ze: 'Lincoln is... was niet voor de volle honderd procent op vrouwen georiënteerd. Seksueel, bedoel ik.'

'O, jezus,' zei Jake, en hij bleef plotseling staan.

'Zo buitengewoon is dat niet, zelfs niet onder senators,' zei Madison.

'Dit kan een heel ander licht op de moord werpen,' zei Jake. 'Die kan nu een puur persoonlijk motief hebben. Sterker nog, als hij seksueel actief was, is er meer dan een fiftyfifty kans dat...'

Ze stonden tegenover elkaar toen Madison haar hand omhoog bracht en op zijn borst legde. 'Homoseksueel betekent niet per definitie gewelddadig.'

'Natuurlijk niet,' zei Jake. 'Maar als een geheim seksleven, van welke soort ook, wordt gevolgd door een verdwijning, is er bijna altijd een verband tussen die zaken. Dat is gewoon zo.'

'O, bent u nu ineens de grote crimimoloog?'

'Nee, maar ik lees wel de kranten.'

'Als het zo is, zal het zeker uitkomen. Maar ik geloof niet dat het zo is. Ik ken enkele van zijn vrienden en dat zijn allemaal aardige mensen. Het zijn ook heel bescheiden en heel beschaafde mensen. Die plegen heus geen moord vanwege een of ander meningsverschil.'

'Dat kunt u niet zeker weten,' bracht Jake ertegenin. 'Er hoeft maar één gek tussen te zitten.'

'Het ís niet zo,' zei Madison. Ze klonk heel zeker van zichzelf.

'Oké...' Ze draaiden zich om en liepen door. Toen vroeg Jake: 'Maar als hij homo was, waarom...' Hij wuifde met zijn hand alsof hij haar wilde aanmoedigen.

'Waarom is hij dan met een vrouw getrouwd? Omdat hij een politieke carrière wilde. Zijn hele familie heeft altijd in de politiek gezeten, op de een of andere manier, en in de staat Virginia word je niet tot senator gekozen als je een conservatieve republikeinse homo bent.'

'Dat wilde ik niet vragen. Waarom bent ú met hem getrouwd?'

Hij zag dat ze haar gezicht iets afwendde en haar hand naar haar wang bracht. Na een tijdje zei ze: 'Ik was me niet geheel bewust van zijn... voorkeur... toen we trouwden. Bovendien had ik schoon genoeg van het gezeur. Van mannen. Ik had een langdurige relatie gehad, die uiteindelijk niet bleek te werken, daarna heb ik wat rondgefladderd, en ten slotte... Ik was het zat om achtervolgd te worden door mannen die meer geïnteresseerd waren in mijn kontje dan in mij. En toen ontmoette ik Lincoln. Hij was intelligent, zag er goed uit, was een sterke persoonlijkheid, was rijk en wist wat hij wilde. Mijn moeder merkte het op, dat hij misschien homo was, zei er iets over voordat we trouwden, maar wat betreft zijn prestaties in bed had ik niks te klagen. Dat ging prima.'

'En toen...'

'Nadat we getrouwd waren, verdween de seks gewoon uit ons leven,' vervolgde ze. 'Daarna werd ik me pas bewust dat hij andere interesses had. Er was altijd wel een assistent of politieke bondgenoot die hij iets te aardig vond en met wie hij te veel omging. Misschien ben ik daarom minder van streek dan ik zou moeten zijn. Linc was meer een soort aardige oom voor me. We waren al jaren geen minnaars meer. Zo'n soort relatie was het niet.'

'En wat gaan we hier nu mee doen?' vroeg Jake.

'Nou, als het toch bekend moet worden, zou ik graag willen dat dat op een enigszins beschaafde manier gebeurt. Dat het niet uitlekt. Geen vage geruchten die vervolgens op allerlei krampachtige manieren worden ontkend. Misschien... ik weet het niet. Het is niet iets wat je zomaar openbaar maakt. Ik had gehoopt dat u me hiermee kon helpen.'

'Jezus.'

'Jaren geleden werd bekend dat de Franse president al heel lang een maîtresse had. Iedereen wist het, ook zijn vrouw. Toen hij overleed, hebben ze haar uitgenodigd voor de begrafenis, en het publiek vond dat eigenlijk wel... gepast. Ik dacht dat zoiets misschien ook voor Linc zou kunnen werken.'

'Nee. Want Linc is op een gruwelijke manier vermoord en vervolgens in brand gestoken. Als dit uitkomt... o, jezus.'

'Linc had een minnaar, ongeveer een jaar, een paar jaar geleden. Daarna hebben ze een eind aan hun relatie gemaakt en zijn ze goede vrienden geworden, bijna als een soort broers. Hij heet Howard Barber. Een boom van een kerel, ook een ex-militair; hij heeft in Irak gevochten.

Hij is een bedrijf begonnen dat elektronica aan het leger verkoopt en doet heel goede zaken. Vanmiddag, nadat ik het nieuws over Linc had gehoord, is hij langs geweest. Hij zei dat het hoe dan ook zal uitkomen. Dat het pertinent uitgesloten is dat we dit stil kunnen houden. Hij hoopt ook dat er een manier bestaat om het... u weet wel.'
'Op een beschaafde manier te doen.'
'Ja.'
'Dit is niet zo'n beschaafd land als het op dit soort zaken aankomt,' zei Jake. Maar hij corrigeerde zichzelf. 'Of misschien is het land wel beschaafd, maar de pers niet.'

Ze liepen weer een eindje door en toen vroeg ze: 'Kunt u iets doen?'
'Daar moet ik over nadenken. En ik moet met Barber praten.'
'Natuurlijk.'
'En u vertrouwt hem?'
Ze aarzelde even en zei toen: 'Ja.'
Jake had de aarzeling gehoord. 'U vertrouwt hem niet. Ik hoor het aan uw stem.'
'Ik vertrouw hem... of ik héb hem vertrouwd.' Ze wachtte even en vervolgde: 'Toen hij vanmiddag bij me was, zag ik hem naar me kijken. Hij was me aan het polsen. Hij bleef maar doorgaan over de burgerwacht en zat me op te nemen, om te zien hoe ik reageerde.'
'Ik begrijp niet helemaal wat u bedoelt.'
'Ik had het gevoel – alleen het gevoel – dat hij meer wist dan ik, dat hij misschien weet wat er gebeurd is. Hij zat me te polsen om te zien hoeveel ik wist. Om te zien of ik wist in welke richting het onderzoek zou plaatsvinden. En op de een of andere manier probeerde hij me ook boos te krijgen. Boos op de burgerwacht, bedoel ik.'
'Dat is niet goed,' zei Jake.
'Misschien heb ik hem verkeerd begrepen. Hij moet erg van streek zijn; zoals ik al zei waren Linc en hij heel goede vrienden. Als bekend wordt dat Linc homo was, zullen de mensen zeker naar Howard kijken. Grote man, ziet er goed uit, altijd vrijgezel geweest... gaat om met alle belangrijke kolonels van het Pentagon, heeft pokeravondjes met hen, gaat met hen op zee vissen. U weet wel, met de mensen die zijn producten kopen. Die zullen het waarschijnlijk niet erg op homo's hebben.'
'Dat denk ik ook niet,' zei Jake.
Ze liepen weer door, sloegen twee hoeken om, kwamen uiteindelijk weer in Jakes straat terecht maar liepen door, nog een blokje. Het was een mooie avond voor een wandeling, zacht, koel en stil.
'Praat met hem, met Howard. Niet als politieman, maar als iemand die

weet wat de FBI weet... en die dit ook weet. Misschien levert het iets op waar u iets mee kunt.'

'Goed, ik zal met hem praten. Maar als het belangrijke informatie oplevert, zal ik die aan de FBI moeten doorgeven.'

'Natuurlijk... als er redenen zijn om aan te nemen dat Howard iets met de moord op Linc te maken heeft. Maar dat kan niet. Howard zou zoiets nooit doen. Linc en hij waren als broers voor elkaar. Hij zou de laatste zijn die Linc kwaad zou willen doen.'

'Dat maakt me juist argwanend. Als iemand tegen miss Marple zegt dat die en die het onmogelijk gedaan kan hebben...'

'Zou u weten wie de dader was. Maar ik ben miss Marple niet en Howard heeft Linc niet vermoord.'

Ze liepen twintig meter zonder iets te zeggen. Jake kon haar ruiken: een bloemengeur, met iets kruidigs erin. Chanel, misschien? Had ze parfum opgedaan voordat ze naar hem toe ging? Hij dwong die gedachte naar de achtergrond en vroeg: 'Wanneer hebt u Lincoln voor het laatst gezien?'

'Twee weken voordat hij verdween,' zei ze. 'Soms zag ik hem een paar dagen achtereen en soms een paar weken niet. Afgezien van de ranch en het huis hier in de stad hebben we een flat in Manhattan en een huis in Santa Fe. Hij was altijd overal en nergens. Hij miste het dat hij niet meer in de Senaat zat. Hij miste het heel erg. Daarom had hij de pest aan Goodman en aan deze regering, omdat hij het gevoel had dat zij zijn politieke carrière om zeep hadden geholpen. Toch maakte hij de paar weken voordat hij verdween een wat opgewektere indruk. Ik weet niet of hij met iets bezig was, maar het leek wel alsof hij een nieuwe weg was ingeslagen.'

'O.'

Zonder iets te zeggen liepen ze een tijdje door, een hoek om, daarna nog een, en ten slotte kwamen ze weer bij Jakes huis terecht. Ze liepen door het steegje naar de achtertuin en toen ze bij haar auto kwamen, zei ze: 'Ik moet naar huis. Mag ik u nog één ding vragen? Of twee dingen? Persoonlijke dingen, als u het niet erg vindt. Ik heb het met Johnnie Black over u gehad...'

'Vergeet niet dat hij van de tegenpartij is. Een boosaardige republikein.'

'Net als ik,' zei ze. Jake zag haar iets opgeheven gezicht in het licht dat door de achterramen naar buiten viel. 'Hij zei dat u in Afghanistan bent geweest. Dat u daar zwaargewond bent geraakt. Klopt dat?'

'Ja, ik heb een paar jaar bij de Special Forces gezeten,' zei Jake. 'En de tweede vraag?'

'Johnnie zei dat u met Nikki Lange getrouwd bent geweest.'
'Ja.'
'De Koningin van het Kwaad.'
'Ik probeer er zo min mogelijk aan te denken. Kent u haar?'
'Ik heb haar gekend. We hebben een jaar samen in het bestuur van het Smithsonian gezeten. Ik heb haar ooit eens een opmerking over seks en geweld horen maken.' Ze klonk geamuseerd, keek naar hem op in het duister. 'Ze zei dat haar man voor de seks zorgde en zij voor het geweld.' Jake gooide zijn hoofd achterover en barstte in lachen uit. 'Dat heb ik ook gehoord. In grote lijnen klopt het wel. Als ik erop terugkijk had ik de voorkeur aan een Afghaanse gevangenis gegeven.'
'Hoe hebt u dat kunnen doen? Met haar trouwen?'
'Nou, ze is een aantrekkelijke vrouw,' zei Jake.
'Grote tieten, klein kontje...'
'Kom kom, niet zo onaardig,' zei Jake. 'Trouwens, onze situaties waren min of meer hetzelfde, want net zoals Lincoln en u konden we het in bed heel aardig met elkaar vinden. Ik besefte alleen niet dat zij de koningin was en ik haar horige.'
'Haar wat?'
'Horige,' zei Jake. 'Haar onderdaan.'
'Tjonge, u hebt een grote woordenschat.'
'U zou mijn vervoegingen eens moeten horen.'
'Een andere keer misschien,' zei ze. 'Rijdt u paard? Johnnie zei iets over een ranch.'
'Van mijn derde tot mijn veertiende jaar heb ik elke dag op een paard gezeten. Totdat mijn grootvader overleed en de ranch werd verkocht. Ik heb daar nog steeds vrienden waar ik naartoe kan gaan als ik zin heb om paard te rijden.'
'U kunt ook een keer bij mij op de ranch langskomen,' zei ze. 'Onze paarden kunnen wel wat lichaamsbeweging gebruiken.'
'Daar hebben de onze geen gebrek aan. Die moeten werken voor de kost.'
Ze lachte, kort, zacht, stapte in de auto en keek hem door het open raampje aan. 'Hou contact. Praat met Howard. Help me.'
'Mevrouw Bowe, ik werk voor Bill Danzig. Ik zal u helpen als ik dat kan, maar mijn loyaliteit ligt bij Bill. En bij de president.'
Ze knikte. 'Help me dan voor zover u dat kunt.'

Voorzichtig reed ze achteruit de oprit af. Jake draaide de poort achter haar op slot, ging naar binnen, liet zich in de woonkamer in een stoel vallen en dronk in de daaropvolgende uren een paar biertjes.

85

Jake dronk nooit veel, en niet vaak, zodat hij zich algauw een beetje aangeschoten voelde.

Hij dacht: ik kan er nu een eind aan maken.

Eén anoniem telefoontje naar CNN of Fox, of een van de grotere kranten, en één woord – homo – was voldoende om de waarheid binnen een paar uur boven water te krijgen. En als het gerucht eenmaal verspreid was, zou het onderzoek in een heel andere richting worden gestuurd. De politiek zou buiten schot blijven, want de pers zou op zoek gaan naar een vroegere minnaar, of een homohater, of iemand die iets anders onder het tapijt probeerde te schuiven...

Maar Madison wilde een 'beschaafde' oplossing, als het mogelijk was. Hij besefte dat haar verzoek hem in conflict bracht.

Hij was Danzig een zekere loyaliteit verschuldigd, en ook de president. Maar die zouden lak hebben aan een beschaafde oplossing. Als ze ontdekten dat Lincoln Bowe homoseksueel was geweest, zouden ze het gerucht onmiddellijk naar buiten brengen om op die manier een zo groot mogelijk spektakel te creëren. Het onderzoek naar de moord op Lincoln Bowe zou in een vacuüm terechtkomen – een homokwestie, een seksmoord – en zowel Goodman als de president zou niets meer te vrezen hebben.

Dan maakte het niet langer uit of Goodman en zijn vrienden zich schuldig hadden gemaakt aan moord, want niemand zou nog naar de dader zoeken.

Jake dacht aan Madison.

Toen ze hun wandeling door het duister maakten, had hij een zekere intimiteit tussen hen gevoeld. Ze hadden elkaar niet alleen de waarheid verteld, maar hij had ook haar arm tegen de zijne gevoeld en had haar geur geroken. Hij zou willen dat hij haar een afscheidskus had kunnen geven, dat hij zo'n soort relatie met haar had.

Sinds zijn grootouders bijna twintig jaar geleden waren overleden, was hij altijd alleen geweest. Ook toen hij getrouwd was. Hij had een soortgelijke eenzaamheid in Madison Bowe bespeurd.

Hij zat klem, werd verscheurd door twee gedachten. Hij hoefde de nieuwe informatie niet onmiddellijk bekend te maken, niet op een beschaafde en ook niet op een onbeschaafde manier. Hij zou die een tijdje voor zichzelf houden, met Barber gaan praten en kijken hoe het onderzoek van de FBI verliep.

En hij zou nog wat meer aan Madison denken.

7

Het telefoontje kwam binnen toen Jake net twee minuten in bed lag. Een mannenstem: 'Meneer Winter? Ik heb gehoord dat u wilt weten wat er met senator Bowe gebeurd is.'

'Ja, dat klopt. Met wie spreek ik?' Hij keek op de display, herkende het nummer van degene die de dag ervoor had gebeld en steeds had opgehangen, maar zag geen naam.

'Dat kan ik u echt niet zeggen. U zult dat vast wel begrijpen.' Jake begreep het... een klokkenluider, iemand die een goede daad wilde verrichten door anderen een mes in de rug te steken. De stem was zacht en beheerst. Een of andere bureaucraat, of misschien een politicus, iemand met enige autoriteit. 'Het spijt me dat ik zo laat bel. Ik heb u al een paar keer eerder gebeld, maar ik kreeg steeds geen antwoord. Als u wilt weten wat er met senator Bowe is gebeurd, ga dan met Barbara Packer praten. Ze zit in de staf van het Republikeins Nationaal Comité. Vraag haar wat zij en Tony Patterson tijdens hun ontmoeting drie weken geleden in het Watergate hebben besproken.'

'Wat hebben ze daar besproken?'

'Ze hebben het gehad over onconventionele middelen om de regering te destabiliseren. Met onconventioneel bedoel ik crimineel.'

'Geef me één voorbeeld,' zei Jake. 'Eén handvat.'

De man lachte zachtjes. 'Om de beerput te openen, bedoelt u? Goed dan. Zeg tegen haar: "We weten wat er in Wisconsin is gebeurd." Kijk hoe ze reageert.'

'U moet me...'

'Wat ik moet, is dit gesprek beëindigen. Doe geen moeite het te traceren. Of ga uw gang, als u het per se wilt. Ik bel met een prepaid mobiele telefoon. Een naamloze.'

En weg was de man.

Jake dacht eraan om Novatny te bellen, om te vragen of het gesprek alsnog getraceerd kon worden. Misschien had de FBI wel een of andere doortrapte manier om dat te doen... een beveiligingscamera boven de kassa in de winkel waar hij het toestel had gekocht, of een andere gluiperige manier. En toen dacht hij: nee, een andere keer misschien. Hij kon beter eerst Barbara Packer opzoeken en kijken wat ze te zeggen had. Want wat dat ook was, het zou een politiek karakter hebben, en het was meestal een goed idee om politieke zaken uit de buurt van de FBI te houden.

Morgenochtend zou hij erachteraan gaan...

Hij ging weer naar bed, dacht nog even aan zijn wandeling met Madison en viel in slaap.

Vierenhalf uur later gingen zijn ogen open en was hij wakker. Een voordeel van een korte nacht – Jake had zijn hele leven korte nachten gehad – was dat hij al een halve dag werk klaar kon hebben voordat iedereen zelfs maar was begonnen. Om halfzes was hij op zijn kantoor, en met de vriendelijke klanken van *Sunrise Classical* op NPR op de achtergrond zocht hij in de federale databases naar Barbara Packer, staflid van het Republikeins Nationaal Comité, Tony Patterson, die – zo bleek – werkte voor ALERT!, een conservatief politiek actiecomité, en Howard Barber, de vroegere minnaar van Lincoln Bowe.

Packer en Patterson hadden hun hele leven politieke 'klusjes' gedaan, alles, vanaf de plaatselijke groenvoorziening tot aan het bedenken van campagnestrategieën. Het waren allebei achterkamertypes, ze traden nooit op de voorgrond.

Barber was een interessanter verhaal. Hij had in Irak gevochten, was pelotonleider bij de Rangers geweest en was thuisgekomen met een Purperen Hart en een Bronzen Ster. Hij was slechts lichtgewond geweest, had twee weken lang een lichte dienst gedraaid en was toen weer gewoon aan het werk gegaan. De Bronzen Ster leek verdiend; die had hij gekregen voor de aanval op een dissidentenvesting na een hinderlaag.

Eenmaal in de Verenigde Staten had hij van een investeringsprogramma van American Express het startgeld gekregen om zijn bedrijf te beginnen en had hij software ontworpen die digitale radio-ontvangers combineerde met cartografische programma's. De ontvangers, die bedoeld waren voor gewone infanteriesoldaten, werden om de pols gedragen, als een groot model horloge, en konden realtime luchtbeelden van de gevechtslinies tonen, op peloton- en squadronformaat, plus grafische voorstellingen om de manoeuvres van compagnies, pelotons en squadrons te coördineren. Alles bedoeld om te voorkomen dat het, net als met computerspelletjes, bedacht Jake, zou uitdraaien op een echt en bloederig GAME OVER.

Om een uur of zeven had hij alle niet-vertrouwelijke informatie verzameld. Als hij meer info wilde, kon hij naar Novatny stappen, maar hij deed dat liever niet totdat hij wist in welke richting de zaken zich zouden ontwikkelen. Toen hij tevreden was met het resultaat van zijn research begon hij aan de kranten, de tijdschriften en zijn e-mail. *The Times* had een tweekoloms bericht over Bowe in de rechteronderhoek, maar *The Washington Post* had het over de volle breedte boven aan de voorpagina staan. Geen van beide artikelen had iets te melden wat Jake nog niet wist, afgezien van de mededeling dat de autopsie de afgelopen avond verricht zou zijn.

Om acht uur belde hij Novatny. 'Wat heeft de autopsie opgeleverd?'

'Dat is vertrouwelijke informatie,' zei de FBI-man, die zo te horen op een worteltje zat te kauwen.

'Ik ben een vertrouwelijk mens,' zei Jake.

'Ik zeg alleen dat...'

'Oké, oké...'

'Ten eerste: het sporenonderzoek zal nog wel even duren. Maar hij wás dood toen ze hem in brand staken, hoewel pas kort. Hij was recht in zijn hart geschoten. Van het hoofd weten we natuurlijk nog niks.'

'Hebben ze de kogel teruggevonden?'

'Ja,' zei Novatny. 'Misvormd maar bruikbaar. Een .45 met holle punt en koperen basis. Nu wil het toeval dat we gisteravond in het huis van Carl Schmidt een .45-pistool hebben gevonden. Hij had het in de kelder verstopt. En dat pistool was geladen met .45-patronen met holle punt en koperen basis, met Schmidts vingerafdrukken erop. Ik durf de maagdelijkheid van mijn moeder eronder te verwedden dat ze met elkaar overeenkomen.'

'Wauw.'

'Dat dacht ik ook,' zei Novatny.

'Wanneer weet je het zeker?' vroeg Jake.

'Het kan even duren, maar vandaag nog. We willen geen vergissingen maken.'

'Het verbaast me dat de kogel niet helemaal door hem heen is gegaan.'

'Nou, weet je, .45's zijn niet bepaald snelheidsduivels. Met een holle punt krijg je een projectiel dat ballistisch bezien op een plat schijfje lijkt, en deze kogel heeft een ruggenwervel geraakt nadat hij door het hart is gegaan en is daar blijven steken. Door de verbranding is het moeilijk te zeggen, maar tijdens de autopsie zijn er onverwachte vezels in de wondgang aangetroffen, dus het kan zijn dat de kogel eerst ergens doorheen is gegaan voordat hij bij Bowe binnendrong.

'Onverwachte vezels? Zoals?'

'Daarvóór zullen we het sporenonderzoek moeten afwachten,' zei Novatny. 'Maar ze waren niet afkomstig van een overhemd, geen textielvezels. Ze zijn ermee bezig.'

'Bel me zodra je het weet,' zei Jake.

'Waarschijnlijk hoor ik vandaag al wat. Maar het kan wel een paar dagen duren voordat ze helemaal klaar zijn.'

Toen ze hun gesprek hadden beëindigd, leunde Jake achterover in zijn bureaustoel, deed zijn ogen dicht en dacht erover na. Als Schmidt de dader was, was hij niet alleen oerdom, maar had hij ook Arlo Goodman in de politieke vuilcontainer gedumpt. De pers hield zich tegenwoordig niet zozeer bezig met feiten, wat uit de mode was, als met speculatie. Als er eenmaal was begonnen met speculaties over Schmidts betrokkenheid bij de burgerwacht, de vete tussen Goodman en Bowe, en de spectaculaire manier waarop Bowe om het leven was gebracht...

Jake dacht weer: moest hij de pers bellen? Eén anoniem telefoontje over Bowes levensstijl was genoeg om een abrupt einde aan het onderzoek te maken. De pers was altijd buitengewoon hypocriet geweest wanneer het om seks ging, want aan de ene kant predikte ze algehele verdraagzaamheid, met uitzondering van seks met kinderen, en aan de andere kant hoefden politici of andere beroemdheden ook maar een spoortje van seksueel afwijkend gedrag te vertonen en ze werden meedogenloos aan de schandpaal genageld.

Hij aarzelde nog steeds.

Wilde hij echt dat er een eind aan het onderzoek werd gemaakt? Wat zijn taak betreft zou dat zeker een gewenst resultaat zijn, ook al leidde het tot een foute conclusie. En hij voelde de druk van zijn loyaliteit aan Danzig. Hij móést het aan Danzig vertellen.

En dat zou hij ook doen, maar nu nog niet. Misschien nadat hij Barber had gesproken en nog een paar andere dingen had nagegaan...

Twee telefoontjes, het eerste naar Danzig, om hem bij te praten over alles behalve het homogebeuren. Het tweede naar Ralph Goines, de assistent van Arlo Goodman.

Jake vertelde wie hij was en zei: 'Er is iets waar ik onmiddellijk informatie over nodig heb, of zo snel als je die bij elkaar kunt krijgen. Ik wil weten wanneer jullie voor het eerst belangstelling voor Schmidt kregen en wat jullie toen hebben gedaan. Is hij geobserveerd of is er iemand met hem gaan praten? Kan Schmidt geweten hebben dat jullie naar hem op zoek waren?'

Jake had verwacht dat Goines zou zeggen dat hij hem zou terugbellen. Maar Goines zei: 'Wacht even. Ik leg je even neer. Het kan een minuutje of twee duren.'

Jake wachtte, hoorde muziek op de achtergrond. Country & western, zo te horen. Toen kwam Goines weer aan de lijn. 'We hebben het voor het eerst over hem gehad op 1 april. Hij was er toen nog. We hebben iemand naar hem toe gestuurd, Andy Duncan, om met hem over Bowes ver-dwijning te praten. Duncan ging naar hem toe als burgerwacht, maar in het dagelijks leven is hij analist van auto-ongelukken bij de verkeers-politie, dus iemand die weet wat hij doet. Toen hij terugkwam, vertelde hij ons dat Schmidt de indruk wekte dat hij niet op de hoogte was van Bowes verdwijning. Maar vergeet niet dat de geruchten toen nog niet zo sterk waren, dat het meer was alsof men zich afvroeg waar de senator naartoe was gegaan.'

'Oké, dus iemand heeft hem specifiek naar Bowe gevraagd nadat Bowe was verdwenen.'

'Ja. Hij werkte daar in een café, als barkeeper. Een paar mensen van de burgerwacht hebben hem de dag daarna gesproken, en waarschijnlijk de dag daarna ook, hoewel dat niet is vastgelegd. Dat was een dag of tien geleden. Daarna, toen de stukken in de kranten groter en duidelijker werden, en meer van onze mensen twijfels over Schmidt kregen, hebben we opnieuw iemand naar hem toe gestuurd, maar toen was hij weg.'

'Dat zou dus een week geleden zijn.'

'Pin me er niet op vast, maar zo ongeveer wel. We kunnen een exact tijd-schema voor je maken en dat naar je e-mailen.'

'Hm. Nee, dat is niet nodig. Hoor eens, ik kan je de precieze informatie niet geven, want die is vertrouwelijk, maar in de komende paar uur – en iedereen zal het weten – gaat de jacht op Carl Schmidt pas echt geopend worden.'

'Ze hebben iets gevonden.'

'Ja. Geef het door aan je baas. Zoals de pers tegenwoordig werkt, zal die zich hoogstwaarschijnlijk bovenop hem storten.'

Jake leunde weer achterover in zijn stoel en deed zijn ogen dicht. Schmidt. Hij moest meer over die knaap te weten zien te komen. Want Schmidt was wel als een loser overgekomen, maar dat wilde nog niet zeggen dat hij dom was.

Als hij gewaarschuwd was en wist dat Bowes verdwijning werd onder-zocht en de mensen nieuwsgierig waren naar zijn mogelijke aandeel daarin, zou hij het pistool dan ook thuis hebben verstopt? Als hij het zo graag had willen houden, had hij het toch in een dubbele plastic zak kunnen verpakken en ergens in het bos kunnen begraven? Dan had hij het binnen een paar minuten weer kunnen opgraven en niemand zou het ooit hebben gevonden, in geen honderd jaar...

En dan die kras in de vorm van een halve cirkel op de keldervloer. Jake had zichzelf nog wel zo slim gevonden toen hij had ontdekt dat hij de werkbank kon wegdraaien van de muur en erop kon gaan staan. Maar nu hij erover nadacht, had Schmidt net zo goed een pijl op het plafond kunnen schilderen om de bergplaats aan te wijzen. Kon hij echt zo dom zijn?

Jake zocht in zijn koffertje en vond het briefje van Cathy Ann Dorn, Goodmans stagiaire die haar baas had verraden. Als hij haar te pakken kon krijgen voordat ze naar haar werk was, kon ze hem misschien enig inzicht verschaffen over hoe Goodmans mensen op het laatste nieuws hadden gereageerd. Hij draaide het nummer dat op het briefje stond en een jonge vrouw antwoordde: 'Delta Delta Delta. Waarmee kan ik u van dienst zijn?'

'Hè?'

'Met TriDelts. Wat kan ik voor u doen?'

Jake was verbaasd. Een studentenhuis? 'Eh... ik ben op zoek naar ene Cathy Ann Dorn. Is ze daar?'

Het bleef even onheilspellend stil aan de andere kant, en toen: 'Bent u een vriend van haar?' Ze was zachter gaan praten.

'Ik zou haar terugbellen over een baan,' zei Jake.

'O, lieve hemel. Ik weet niet goed hoe ik het moet zeggen.'

Slechte vibraties, opeens, dik als stroop. 'Is ze er niet?'

'Wacht, ik geef u door aan iemand anders.'

'Kunt u...' Maar ze was al weg en werd vijftien seconden later vervangen door een stem die scherper klonk. 'Bent u op zoek naar Cathy Ann?'

'Ja.'

'Mag ik vragen wie u bent?'

'Chuck Webster. Ik bel haar terug over haar sollicitatie, over die stageplaats in het Witte Huis. Is er iets mis?'

De vrouw aarzelde en zei toen: 'Cathy Ann is gisteravond overvallen. Ze ligt in het ziekenhuis.'

'O, jezus. Is het ernstig?'

'Ja, nogal,' zei de vrouw. Ze klonk grimmig. 'Ze hebben haar flink in elkaar geslagen. Gelukkig is ze niet aangerand.'

'O, jezus,' zei Jake weer. 'Kunt u me het nummer van haar ouders geven? Of hoe ze heten? Ik moet echt met iemand praten. Dit is afschuwelijk.'

Hij meende het, en de vrouw aan de andere kant van de lijn hoorde dat blijkbaar. 'Natuurlijk. Wacht even.'

'Of kunt u me zeggen in welk ziekenhuis ze ligt? Ik kan u verzekeren dat het om een officiële zaak gaat...'

Hij kreeg David Dorn aan de lijn, die in de ziekenhuiskamer van zijn dochter was. 'Ik had haar onlangs gesproken over een stageplek en ik ben erg geschrokken,' zei Jake. 'Hoe ernstig is ze eraan toe?'

'Ze overleeft het wel, maar ze hebben haar flink afgetuigd. Ze hebben haar hier zware pijnstillers gegeven en ze slaapt nu. Ik zal zeggen dat ze u moet bellen als ze wakker is.'
'Doet u dat, als u wilt. Zeg tegen haar dat ze me belt. Over die stageplek in het Witte Huis. Dan weet ze het wel. Weet de politie al wie het gedaan heeft?'
'Nee, ze hebben geen idee. Ze hebben haar tas, haar laptop en haar iPod gestolen. Ze was een gemakkelijk doelwit, neem ik aan, een jonge vrouw die 's avonds laat met een attachékoffertje op straat loopt. Ik heb haar zo vaak gewaarschuwd...' Zijn stem brak en Jake hoorde een snik. 'Maar ik zal je dit zeggen, als ik die schoften ooit in handen krijg...'
Jake beëindigde het gesprek en dacht: Goodman?
Een militaire organisatie ging meestal niet zachtzinnig met verraders om. Waren ze erachter gekomen dat ze met hem had gepraat? Hij dacht aan de beveiligingscamera's in Goodmans kantoorgebouw...

Hij kon er niet veel aan doen, nu niet.
Jake nam de hoorn weer van de haak en belde Thomas Merkin op het kantoor van het Republikeins Nationaal Comité. 'Tom, met Jake Winter.'
'Hallo, Jake. Ik heb gehoord dat je met de Lincoln Bowe-zaak bezig bent.'
'Ja, dat was ik,' zei Jake. 'Ik wilde even bij je langskomen om met een van je stafleden te praten. Barbara Packer.'
'Barbara? Waarover?'
'Over senator Bowe,' zei Jake. 'Over wat ze heeft gehoord, áls ze iets heeft gehoord. Ze was met hem bevriend, denk ik.'
'Goed. Wacht even, wil je? Ik zal kijken of ze er is.' Jake hoorde een klik en een halve minuut later weer een klik. 'Ze is er wel, maar ze zegt dat ze niks van senator Bowe weet.'
'Ik wil alleen maar even met haar praten,' zei Jake.
'Een momentje.' Hij was weer weg, langer deze keer, en toen hij terug was vroeg hij: 'Moet ze een advocaat erbij halen?'
'Ik ben geen openbare aanklager, Tom, zelfs geen rechercheur.' Maar zijn stem had een scherp randje toen hij het zei. 'Ik wil alleen maar een paar onduidelijkheden opruimen. Als zij er een advocaat bij wil hebben, vind ik dat best, maar ik ben nog niet eens een dossier over deze zaak begonnen.'
'Goed dan.' Merkin klonk bezorgd. 'Over een uur?'
'Oké. Tot straks.'
Daarna belde hij Howard Barber op kantoor. Een secretaresse zei dat

Barber er die ochtend niet was, maar dat hij na de lunch terug zou zijn. Jake liet een boodschap achter.

Op naar het RNC.
Jake nam een taxi naar het Tidal Basin, wilde kijken hoe de kersenbloesem erbij stond en het laatste stukje lopen. De kersenbloesem stond er prachtig bij, in een roze tint zo licht dat die wel wit leek. Sterker nog, dacht Jake terwijl hij aan zijn kin krabde, hij wás wit. Was dat niemand ooit opgevallen?
Het bloesemseizoen was begonnen en er liep al een massa Japanse toeristen met camera's rond, dus liep hij door en ging even naar een café. Hij ging op het terras zitten, bestelde een kop koffie en een broodje en keek naar de vrouwen van Washington, die in hun nieuwe voorjaarsensembles voorbij kwamen lopen.
Toen hij weer doorliep, floot hij een stukje Mozart en tikte met zijn wandelstok de maat mee op de stoep. Het ijs begon te breken en de radertjes grepen in elkaar. Over een paar dagen zou hij klaar zijn met Bowe, dacht hij. Misschien kon hij dan eens met Danzig praten, over het partijcongres en hoe ze het moesten aanpakken...

Het RNC had een paar nare ervaringen achter de rug, waarvan de meest recente een leraar die beweerde dat hij een gordel van explosieven om had en dreigde zichzelf op te blazen op de veranda van het comitékantoor, uit protest tegen het republikeinse onderwijsbeleid. Een protest, vond Jake, dat volledig gerechtvaardigd was.
Toen was gebleken dat het de leraar zelf aan goed onderwijs ontbrak. Want hij had geen gordel van explosieven maar van detonators om. Hij had de detonators, die er heel hightech uitzagen, aangezien voor explosieven, toen hij ze uit het depot stal, en in plaats van zichzelf op te blazen, was hij een paar stukken vlees en vet rondom zijn middel kwijtgeraakt en blind geworden aan één oog.
Onmiddellijk daarna had het RNC de beveiliging aanzienlijk verscherpt, zodat het kantoor nu net zo zwaar beveiligd was als het Witte Huis. Als voorbijganger zag je daar niets van. Door de glazen deuren zag je een hal vol hout en pluche, waar een vrouw onbeschermd aan een houten bureau zat, allemaal heel vriendelijk en open. De muur achter haar, echter, was bijna een meter dik en bestand tegen explosies, en tussen die muur en de betonnen binnenmuur was een röntgenscanner zoals je die op vliegvelden ziet.
Jake liep door de beveiliging, de bewaker trok zijn wenkbrauw op toen hij Jakes stok zag, haalde hem door de scanner, gaf hem terug en bracht

Jake via een deur in de binnenmuur naar de echte receptie, waar een minder kwetsbare receptioniste zat. Ze herkende hem, hoewel Jake haar nog nooit gezien had en was blijkbaar een van die goedlachse, praatgrage vrouwen die op kantoren altijd in de frontlinie worden geplaatst. En ze had natuurlijk zijn dossier gelicht.

'Meneer Winter, leuk u te zien, meneer. Tom en Barb en Jay verwachten u.'

Tom Merkin, Barbara Packer en Jay Westinghouse zaten in een vergaderkamer achter in het gebouw. Jake klopte op de deur en ging naar binnen. Aan hun gezicht te zien had hij mogelijk een verhitte discussie onderbroken. Merkin, die Jake al diverse keren had ontmoet, stelde Packer en Westinghouse aan hem voor. 'Jay is onze advocaat. We dachten: wat kan het ons schelen; hij kan er net zo goed bij komen zitten.'

Ja, ja, wat kan het ons schelen. 'Ik vind het prima,' zei Jake.

Merkin was een magere man met zachte gelaatstrekken, iemand die niet veel at maar ook nooit aan sport deed. Westinghouse was meer gepolijst, een beetje te zwaar, iemand die wel een martini lustte.

Packer zag er wat opgejaagd uit. Ze was achter in de veertig, had een donkere huid en een efficiënt kapsel. Ze was gekleed in een efficiënt broekpak dat heel dicht in de buurt van een mannenpak kwam maar het net niet was, met een kobaltblauwe met gouden sjaal als das. Ze namen plaats aan de rozenhouten vergadertafel, waarna Jake zijn handen vouwde, Packer glimlachend aankeek en vroeg: 'Hebt u enig idee waarom senator Bowe vermoord is? Kan er sprake zijn geweest van een of andere politieke of persoonlijke kwestie die in gewelddadigheid is ontaard?'

De twee mannen keken haar aan en Packer zei: 'Nee, natuurlijk niet.' Ze had een grimmig mondje, een rechte lijn met uiteinden die omlaag wezen. Tegelijkertijd maakte ze een oprecht verbaasde indruk.

Westinghouse vroeg: 'Is dit... Wat is de status van dit gesprek?'

Jake haalde zijn schouders op. 'Ik vraag mevrouw Packer naar senator Bowe. Als ze geen idee heeft waarom hij vermoord is, zijn we snel klaar. Als ze het wel weet, kan ze het beter zeggen, of er anders rekening mee houden dat ze haar kinderen een paar jaar niet zal zien.'

'Dat soort taal wil ik niet horen,' zei Westinghouse.

'U kunt het van mij aanhoren,' zei Jake, half tegen Packer en half tegen Westinghouse, 'of van de FBI, als die haar straks uit haar huis afvoert. Wij worden in deze zaak ernstig om de tuin geleid en daar nemen we geen genoegen mee. De enige mensen die hiervan profiteren zijn jullie. Goodman wordt straks onder vuur genomen door de pers en daarna zijn wij aan de beurt, met rechter Crater-verhalen, zwarte helikopters en samenzweringstheorieën. Als we ons daardoorheen hebben geknokt, zullen er zeker koppen rollen. Dus als er een of ander politiek spelletje gaande is...'

'Jake, dat is gekkenpraat,' zei Merkin, en hij duwde zijn stoel achteruit. 'Dat weet je zelf ook.'

'Nee, dat weet ik níét,' zei Jake. 'Wat ik vermoed, is dat iemand op een lager niveau, een medewerker – mevrouw Packer bijvoorbeeld – weet dat er iets gaande is en denkt ons te slim af te zijn. Ik geloof niet echt dat júllie ervan weten, want jullie zíjn slim.' Hij knikte naar Merkin terwijl hij het zei, om hem te vleien. 'Maar iemand, op een of ander niveau, weet ervan. En als dat iemand is die denkt dat hij, of zij, ons te slim af kan zijn... tja...' Hij haalde zijn schouders weer op.

Merkin keek Packer aan. 'Je weet er niks van?'

'Nee, echt niet.' Ze keek Merkin, noch Jake aan toen ze het zei, en Jake voelde de bekende tinteling. Ze wist iets.

'Wat hebt u drie weken geleden in het Watergate met Tony Patterson besproken?' vroeg Jake.

Haar gezicht werd krijtwit. Ze bleef hem even aanstaren alsof hij in een vampier was veranderd, schudde toen haar hoofd en schoof haar stoel naar achteren. 'O, nee,' zei ze tegen Westinghouse, 'ik zeg geen woord meer tegen deze man.'

'Wat is er verdomme aan de hand?' vroeg Merkin.

Jake had de situatie op de spits gedreven en kon nu weer een stapje terug doen. Dat moest hij wel, want afgezien van deze ene cryptische vraag had hij niets.

'De Wisconsin-zaak kan u de kop kosten, want we hebben het nu over moord,' zei Jake. 'We bevinden ons op een punt dat dat nog niet nodig is. Meer dan een bureaucratisch dansje is het op dit moment niet. Maar, Tom, ik stel voor dat jij en Jay met mevrouw Packer aan tafel gaan zitten en eens goed met elkaar praten. Want ze handelt namens jou en jij hebt al meer dan genoeg problemen. De zaak-Bowe gaat een regelrechte nachtmerrie worden. Er gaan grote problemen komen en als jij er ook maar iets vanaf weet, hoe weinig ook, dan hebben we het nog altijd over drie tot vijf jaar in Marion, Illinois, dat soort problemen.'

'Mevrouw Packer handelt niet namens ons. Als ze iets heeft gedaan, is dat haar eigen verantwoordelijkheid. Het RNC heeft niets te maken gehad met... nergens mee.'

Jake glimlachte. 'Had ik dat maar op tape, dan kon ik het aan Bill Danzig laten horen. Hij zou het je zeker op televisie opnieuw laten zeggen.'

Merkin glimlachte niet terug. 'We zullen erover praten en dan neem ik contact met je op. Zo snel mogelijk.'

'Doe dat.'

Op weg naar de deur gaf hij Merkin zijn privénummer.
'Als je iets hoort, bel me dan, het maakt niet uit hoe laat. Ik bedoel, al is het drie uur 's nachts.' Hij nam afscheid en knikte zonder te glimlachen naar Packer. Ze zaten elkaar al bloeddorstig aan te kijken toen hij de deur achter zich dichtdeed.
Hij ging weer door de beveiliging, liep het gebouw uit en toen hij onderaan de trap was, vermoedde hij dat ze Packers voetzolen al met brandijzers aan het bewerken waren.
Misschien zou er iets uit komen, en misschien ook niet.
Maar zoals Packer had gereageerd, meende hij dat hij een goede kans had.

8

Jake had verwacht dat hij pas na de lunch iets van Howard Barber zou horen, maar Barber belde hem toen hij op weg naar huis was.

'Kunt u me zeggen waarover u me precies wilt spreken?' vroeg Barber.

'Niet over een mobiele telefoon,' zei Jake. 'Maar het komt er in principe op neer dat ik gisteravond een vriendin van u heb gesproken en dat ze toen zei dat ik contact met u moest opnemen. Over haar echtgenoot.'

'Aha.' Een stilte. 'Ik ben nu in Arlington. Waar woont u?'

'In Burleith, iets ten noorden van Georgetown.'

'Zal ik naar u toe komen? Om één uur, schikt dat?'

Jake had Barber liever op diens kantoor gesproken, om een beetje rond te kijken en zich een indruk te vormen, maar hij kon het aanbod moeilijk afslaan. 'Dat lijkt me een prima plan.'

Jake had nog maar één ei, dus hij maakte een broodje ei klaar en liep met zijn nummer zes ijzer de piepkleine achtertuin in om zijn golfswing te oefenen en zijn heup los te maken. Om zich voor te bereiden op de komende zomer. Hij deed vijftig swings, waarbij hij zijn best moest doen om tijdens de achterzwaai niet de macht over zijn slechte been te verliezen, en hij transpireerde toen hij klaar was. Hij had de golfclub net opgeborgen toen Barber arriveerde.

Howard Barber was een grote, zwarte man, gekleed in een staalgrijs pak en een zwarte polo, met een zonnebril met blauwe, reflecterende glazen en een oordopje van een mobiele telefoon bengelend naast zijn oor. Jake zag hem door het zand van de opgebroken stoep de voortuin in komen en ging opendoen. Barber had net aangebeld toen Jake de voordeur opendeed.

'Meneer Barber?' zei Jake. 'Kom binnen. Ik had u moeten waarschuwen voor de werkzaamheden en u via de achterdeur moeten binnenlaten...'

Hij nam Barber mee naar zijn werkkamer en wees naar de leesfauteuil in de hoek. Barber liet zich langzaam in de fauteuil zakken, keek om zich heen, sloeg zijn ene been over het andere en leunde achterover. 'Leuk huis,' zei hij. 'Die nieuwe stoep zou een gunstig effect op de verkoopwaarde moeten hebben.'

'Dat houden mijn buren me ook voor,' zei Jake.

Ze praatten een paar minuten over de prijzen van onroerend goed en toen zei Barber: 'Vanochtend, nadat ik u had teruggebeld, heb ik Maddy gesproken. Ze heeft me uitgelegd wat u doet. Ik begrijp niet goed hoe ik u zou kunnen helpen.'

'Ze zei dat u Lincoln Bowes beste vriend was. Het kan zijn dat Bowe is ontvoerd en vermoord...'

'Hoe bedoelt u, "het kan zijn"?' vroeg Barber verbaasd, en hij boog zich naar voren. 'De man is dood. Onthoofd. In brand gestoken. Ik bedoel, jezus christus, wat wilt u nog meer?'

'Het is allemaal nog niet even duidelijk,' zei Jake. 'De FBI is op zoek naar een verdachte, maar, om eerlijk te zijn, er zijn een paar problemen.'

Barber fronste zijn wenkbrauwen. 'Wat voor problemen?'

Jake haalde zijn schouders op. 'Tegenstrijdigheden. Zoals het feit dat de verdachte een enorme collectie wapens had, dat hij een van die wapens in zijn huis heeft achtergelaten, op een plek waar het gemakkelijk gevonden kon worden, en dat er een goede kans bestaat dat het wapen hem in verband met Lincoln Bowe brengt. Zoals het feit dat hij van de aardbodem is verdwenen. Niemand heeft hem gezien en niemand kan hem vinden. Er zijn stemmen die zeggen dat de verdachte in een val is gelopen en zelf dood is.'

'O,' zei Barber, en na een korte stilte: 'Ik zou daar redenen voor kunnen bedenken. Als ik mijn best deed. Ik bedoel, de man was duidelijk niet een van de slimsten.'

'Nee, maar ik probeer hem geen alibi te verschaffen,' zei Jake. 'Ik signaleer alleen tegenstrijdigheden.'

'Oké.' Barber stak zijn handen op en liet ze met een klap op zijn bovenbenen vallen. 'Het enige wat ik u kan vertellen, is dat Linc en ik elkaar gesproken hebben op de dag voordat hij verdwenen is. We zouden de week daarna gaan golfen, maar toen het zover was, was hij al vier dagen spoorloos. Ik merkte pas dat hij verdwenen was toen ik erover in de krant las. Toen heb ik Maddy op de ranch gebeld, en zij heeft me verteld wat er aan de hand was.'

'Was hij...' Jake aarzelde. 'Hoor eens, ik weet niet precies hoe ik het moet vragen, maar kan het zijn dat hij misschien vrienden had waar u niets vanaf wist, met wie hij misschien een seksuele relatie had? Ik wil weten of we het in de relatiesfeer moeten zoeken.'

'Een homomoord.' Barber schudde zijn hoofd en leunde achterover. 'Ja.'

Barber zuchtte en zei: 'Shit.' Hij keek naar het plafond en vervolgde: 'Dat kan ik niet met zekerheid zeggen. Linc was niet... eh... monogaam.

Maar ik geloof niet dat hij... ik denk dat als hij verstrikt was geweest in een of andere stormachtige, seksuele relatie, hij het me verteld zou hebben. Hij had de afgelopen paar jaar niet veel belangstelling meer voor seks. Ook homo's worden ouder, weet u?'
'Daar heb ik nooit over nagedacht,' zei Jake.
'Nou, het is zo. Hoe dan ook, ik kan een paar mensen bellen en ernaar informeren.'
Jake glimlachte. 'Dat zou ik liever zelf doen.'
Barber schudde zijn hoofd. 'Linc bewoog zich in politieke kringen. In homoseksuele politieke kringen. Enkele van die mensen zijn er al voor uitgekomen, maar anderen kunnen zich dat absoluut niet veroorloven. Als je stafwerk doet voor een of andere bijbelfanaat in Alabama en je komt ervoor uit, sta je op straat.'
'Ik zou er geen ruchtbaarheid aan geven.'
'Misschien niet,' zei Barber. 'Alleen... wat zou u doen als het onvermijdelijk was? Als het van doorslaggevend belang voor uw onderzoek was? Ik ken u niet goed genoeg om u op dat punt te vertrouwen.'
'Oké. Maar u bent bereid ernaar te informeren?'
'Ja, dat zal ik doen, en als ik iets hoor, neem ik contact met u op.'
'Daar zal ik het dan mee moeten doen,' zei Jake. 'Maar als het in de relatiesfeer ligt...'
'Dan bel ik de FBI. Ik ben niet van plan de dader van de moord op Linc vrij te laten rondlopen.'
Jake vroeg: 'Wie heeft het volgens ú gedaan?'
'De burgerwacht,' zei Barber zonder enige aarzeling. 'Op de een of andere manier. Linc had veel invloed, zowel door zijn familie als door zijn politieke contacten, en hij kon het niet laten om Goodman onder vuur te nemen. Hij kon zichzelf gewoon niet beheersen. Hij was in Goodmans militaire verleden gedoken en heeft er een paar opmerkingen over gemaakt die hij beter niet had kunnen maken.'
Jake onderbrak hem. 'Bestaan er twijfels over Goodmans militaire verleden?'
Barber schudde zijn hoofd. 'Nee, dat was juist het punt. Linc dacht van wel, en hij kon het niet laten er opmerkingen over te maken. Hij geloofde dat er iets mis was met Goodmans Zilveren Ster en Purperen Hart. Maar ze waren met twintig man toen Goodman werd geraakt en een aantal van hen heeft het met eigen ogen gezien. Ze waren in een hinderlaag gereden en werden door de Irakezen met handgranaten bestookt. Goodman was uitgestapt, probeerde de colonne de andere kant op te dirigeren en – WHAM! – werd door een kogel in zijn hand geraakt. Een paar van zijn kameraden zijn letterlijk door zijn bloed be-

spat. Maar Goodman bleef overeind en bleef zijn werk doen totdat iedereen in veiligheid was.'

'Dus daar bestaan geen twijfels over?'

'Nee. Sterker nog, de mannen van zijn eenheid zeggen dat hij een heel goede officier was. Hij zorgde goed voor zijn mensen. Maar je weet hoe het gaat als een politicus een onderscheiding en een oorlogsverwonding heeft... er zijn altijd mensen die bereid zijn hem onderuit te halen. Linc deed dat, door foute verhalen over hem te vertellen, en dat bleef hij doen. Goodman bewees dat ze niet waar waren, maar Linc ging er gewoon mee door.'

'Dus er was echt kwaad bloed tussen die twee.'

'Ze haatten elkaar als de pest,' zei Barber. 'Goodman had er tijdens een smerige campagne voor gezorgd dat Linc zijn zetel in de Senaat kwijtraakte. En Linc maakte Goodman zwart bij elke gelegenheid die zich voordeed, en met zijn familiecontacten en connecties in de oude politieke kringen van Virginia heeft hij Goodman aardig wat problemen bezorgd. Sociale problemen. Goodman kreeg geen uitnodigingen meer voor de bijeenkomsten van de "oude jongens", hij speelde geen golf meer met de "oude rijken", dat soort dingen.'

'Status.'

'Precies, status. Goodman vindt zichzelf vreselijk belangrijk, en zo wil hij ook behandeld worden.'

'Toen senator Bowe opeens spoorloos was, hebt u toen aan een ontvoering gedacht?' vroeg Jake. 'Of dacht u dat er iets anders aan de hand was?'

'Eerst dacht ik dat er misschien iets anders aan de hand was,' zei Barber. 'Maar toen er twee, drie dagen verstreken waren... dat zou Linc nooit doen. Na een week dacht ik dat hij hoogstwaarschijnlijk dood zou zijn.'

Daar had je het: Barber had gedacht dat Bowe dood was, net zoals Madison had vermoed... maar zoals Barber het stelde, was het een puur rationele gedachte geweest. Niet iets om over te liegen.

'Dus, zeg eens, kan ik nu naar mijn baas gaan en hem vertellen dat het om een onvervalste ontvoering gaat?' vroeg Jake.

'Voor mij heeft het daar alle schijn van,' zei Barber.

Jake sloeg zijn handen ineen, wreef zijn handpalmen tegen elkaar en dacht na. Toen vroeg hij: 'Hoe denkt u over de burgerwacht? Hebt u een speciale reden om in hun richting te wijzen? Of is het iets persoonlijks?'

'Ik denk twee dingen. Ten eerste, als wij – de Bowes en ik – het over de burgerwacht hadden, hadden we het niet over de man op de hoek van de straat die een oude dame hielp oversteken. We hadden het niet over padvinders. Toen Goodman nog procureur was, had hij een groepje gevormd om inlichtingenwerk te doen. Een man of vijf, zes. John Patricia was een van hen...'

'Ik heb hem ontmoet.'

'Patricia komt van de inlichtingendienst van de luchtmacht. Hij was degene die militaire verhoormethodes meebracht naar Norfolk. Vervolgens sloot Darrell Goodman zich aan. Hij is Arlo's broer, een gevaarlijke gek die bereid is iemand met een draadtang te martelen totdat hij informatie prijsgeeft. Er gaan in Norfolk verhalen over Goodmans jongens die een paar mensen heel stevig onder handen hebben genomen. Natuurlijk, ze hebben ook de prostitutie, de straatcriminaliteit en de drugshandel aangepakt. Iedereen was maar al te graag bereid een oogje toe te knijpen, behalve de drugsdealers en de straatrovers, uiteraard.'

'Oké...'

'Waar het om gaat, is dat Arlo deze zelfde mensen heeft ingeschakeld voor zijn campagne voor het gouverneurschap. Smerige trucs, spionage, het verspreiden van verkeerde informatie... noem maar op. Met andere woorden: hij heeft er een soort inlichtingenoperatie van gemaakt.'

'Ik kwam voor het gouverneurshuis een man tegen die eruitzag alsof hij bij de Special Forces heeft gezeten,' zei Jake. 'Hij had een regenjas aan, zo'n slap tennishoedje op, en zwarte gympies. Zo te zien had hij een of ander huidprobleem, alsof hij vroeger ernstige acne had gehad... maar later dacht ik: misschien zijn het wel brandwonden die iets met een militair verleden te maken hebben.'

'Dat is dus Darrell Goodman,' zei Barber, die met zijn vingers knipte en daarna zijn wijsvinger op Jake richtte. 'Altijd die regenjas. Hem zou u eens moeten natrekken, zijn militaire verleden. Ik bedoel, er is niemand in het Pentagon die echt wil weten wat die gasten in Syrië hebben uitgespookt. Ze mogen misschien denken dat het noodzakelijk was, maar verder willen ze er niets van weten.'

'Een kwaaie, dus.' Jake maakte een aantekening.

'Een heel kwaaie.'

'U zei daarstraks dat u twee dingen over de burgerwacht dacht. Wat is het tweede?'

Barber knikte. 'Goed dan. Zoals u weet, van wat Maddy u heeft verteld, ben ik een zwarte homo. De burgerwacht is een fascistische groepering met haar eigen kleine charismatische führer aan het hoofd. Wat dénkt u dat ik van die lui denk? Ik wil hen het liefst zo snel mogelijk het land uit hebben.'

'Ze schijnen geen problemen met zwarten te hebben,' zei Jake. 'Of met homo's. Voor zover ik weet niet.'

'Geef hun maar even de tijd,' zei Barber. 'Het heeft nu nog geen zin voor hen om zich tegen zwarten, homo's en Joden te richten. Maar over een tijdje zullen ze dat zeker doen. Op dit moment richten ze zich tegen immigranten. Ze gaan daarbij niet tot het uiterste, niet zolang Goodman een gooi naar het presidentschap wil doen. Maar weet u, de dingen die hij zegt, over dat hij nog nooit een gebod heeft gelezen dat hem niet beviel. Nou, "naai je medemens niet" moet er ook tussen staan.'

'U hebt een pessimistische kijk op het leven, meneer Barber.'

Barber glimlachte en hield zijn handen op. 'Hé, ik ben zwart en ik ben homo. Pessimisme houdt me in leven.'

'Dan nog één vraag,' zei Jake. 'Ik weet niet of u weet waar ik het over heb, daarom stel ik u de vraag rechtstreeks, zonder uitleg, want als u het niet weet, wil ik niet dat u ernaar gaat raden.'

Barber bleef hem enige tijd aankijken en zei toen: 'Oké.'

'Weet u of uw vriend Lincoln Bowe betrokken was bij een poging om...' Jake liet een stilte vallen, hopend dat hij de indruk zou wekken dat hij naar de juiste woorden zocht, hoewel hij van plan was om Barber letterlijk te vragen wat de onbekende man hem over de telefoon had gezegd. '...dat hij... eh, hoe zeg je dat... onderzoek deed naar onconventionele middelen om de huidige regering te destabiliseren? Zeggen die woorden u iets?'

Barbers pupillen verwijdden zich. 'Nee. Wat moet dat in 's hemelsnaam betekenen?'

Jake dacht: hij weet het. 'Goed dan. Ik kan u echt niet zeggen wat het betekent...'

Ze praatten nog een paar minuten door en toen Barber opstond, beloofde hij dat hij Jake zou bellen als hij iets te weten kwam over Bowes liefdesrelaties. Bij de deur vroeg Barber: 'Wanneer wordt bekendgemaakt dat Bowe homo was?'

Jake haalde zijn schouders op. 'Ik heb er nog met niemand over gepraat. Ik ben bang dat het nadelig is voor het onderzoek. Wilt u dat ik u bel voordat ik het doe?'

'Graag. En als het mogelijk is, kunt u ons dan een beetje ontzien?'

'Ik zal mijn best doen. Maar daarna heb ik er geen invloed meer op.'

Jake liet Barber uit via de achterdeur en vervolgens maakte hij een uur lang aantekeningen van het gesprek en de vragen die het had opgeroepen. Het was hem opgevallen dat Barbers taalgebruik moeiteloos heen en weer was gesprongen tussen een soort straattaal en algemeen beschaafd Engels. Tussen 'naai je medemens niet' en 'fascistische groepering met haar eigen kleine charismatische führer'.

En hij had gelogen over Bowe en de poging tot destabilisering. Bowe was ergens mee bezig geweest. Jake moest nu uit zien te vinden wat dat was en op welke manier Goodman er iets mee te maken had. Als dat zo was. Hij belde nog een keer naar het ziekenhuis om naar Cathy Ann Dorn te informeren. Hij werd doorverbonden met de verpleegsterspost en kreeg te horen dat ze wakker was geweest, wat kwark had gegeten en weer was gaan slapen.

Jake belde Novatny.
'Bowe was in leven toen het dodelijke schot is gelost, maar hij stond stijf van de pijnstillers, genoeg om hem compleet knock-out te houden. Misschien hebben ze hem verdoofd zodat hij geen problemen zou opleveren. Daarna hebben ze hem in zijn hart geschoten. De vezels in de wondgang zijn afkomstig van papier. De theorie is dat ze door een dik pak papier hebben geschoten om het lawaai van het schot te maskeren.'
'Vreemd.'
'Weet je wat vreemd is?' zei Novatny. 'Iemand die knock-out is doodschieten. Dat is koelbloedige, ijskoude moord. Kouder dan dat zie je ze niet.'

Jake ging online en logde in in de database van de FBI. Als consultant had hij slechts beperkte toegang tot de bestanden, maar hij vond een dossier over Darrell Goodman. Dat was redelijk informatief, maar niet meer dan dat, want Jake kon zien dat er hele stukken uit zijn militaire verleden waren geknipt. Wat inhield, wist hij vrijwel zeker, dat Darrell eliminaties had gedaan. Arlo Goodman had een huurmoordenaar in dienst.
Jake dacht daarover na toen hij werd gebeld door Thomas Merkin, zijn contact bij het Republikeins Nationaal Comité.
'Jake, we moeten praten. Waar ben je?'
'Thuis. Gaat het over Packer?'
'Over Packer en Tony Patterson.' Merkin klonk bezorgd.
'Oké. Ik kan naar jou toe gaan of jij kunt hiernaartoe komen...'
'Nee, nee,' zei Merkin. 'Wat dacht je van de National Gallery? De afdeling negentiende-eeuwse Franse schilderkunst? Ik kan ernaartoe lopen. Over een uur?'
'Dat zou moeten lukken. Zo niet, dan kort daarna.' En hij dacht: hij wil me niet op kantoor spreken, wil niet met me gezien worden.

Barber belde Madison Bowe op haar mobiele nummer en kreeg haar aan de lijn terwijl ze van de begrafenisonderneming op weg naar huis was. 'Ik heb Winter gesproken,' zei Barber. 'Hij zegt dat hij nog tegen niemand iets over Lincs homorelaties heeft gezegd.'

'O. Ik had me al schrap gezet.'

'Hij is bang dat het onderzoek erdoor wordt benadeeld.'

'Ah, jezus,' zei ze. 'Ik voel me als een... ik voel me verdorven. Ik kan niet overweg met dit soort dingen.'

'Dat weet ik, dat weet ik. Misschien moet je je een tijdje afzijdig houden, uit de buurt van Winter blijven. Die man heeft veel te veel ideeën. Ik durfde hem niet eens aan te kijken. Ik was bang dat mijn blik me zou verraden.'

'Zo is hij...' zei Madison.

'Maar er klopt iets niet, dat kan ik je wel vertellen,' zei Barber. 'Hij had Danzig allang op de hoogte moeten brengen. Ik vraag me af... misschien probeert Winter te doen wat het beste is voor jou.'

'Hij vindt me leuk,' zei Madison.

'Dat heb ik gemerkt. En jij hem ook.'

'Hm.' Ze besefte dat het waar was. Snel vervolgde ze: 'Die andere zaak...'

'Niet over de telefoon,' zei Barber. 'Weet je wat? Ik kom wel bij je langs als we allebei tijd hebben. Dan kunnen we erover praten.'

De National Gallery ziet eruit als een naoorlogs postkantoor. Jake trof Merkin op de begane grond, waar hij met een stuurse blik naar Cézannes *Huis aan de Marne* stond te kijken.

'In Cézannes tijd was de Marne de Marne nog niet,' zei Jake terwijl hij het schilderij bekeek.

'Het lijkt wel een kreekje,' zei Merkin. 'Niet een rivier waarlangs een miljoen soldaten zijn gesneuveld, of hoeveel het er ook waren.'

'Ik wist niet dat jij een kunstliefhebber was, Tom.'

'Ach, ik kom hier altijd tot rust,' zei Merkin. 'En ik kom nooit iemand van het werk tegen.'

'Het zou beter zijn als dat wel zo was,' zei Jake. 'Voor de republiek, bedoel ik.'

Merkin knikte. 'Kom, we gaan een stukje lopen.'

Ze wandelden door de lange gang naar de Amerikaanse vleugel, waar Whistlers *White Girl* op hen neerkeek, en praatten op gedempt volume.

'Voor zover ik weet heeft niemand iets onwettigs gedaan,' zei Merkin.

'Waar hebben we het dan over?'

'Patterson heeft een paar keer met Packer samengewerkt, in North Carolina aan de Jessup-campagne en in New Mexico aan die van Jerry Radzwill. Ze kwamen elkaar regelmatig tegen. Patterson werkt nu voor ALERT! Hij werkte als adviseur mee aan de campagne van Lincoln Bowe. Er was hem een mooie baan beloofd als Bowe zou winnen, maar Bowe won niet, dus kwam hij bij ALERT! terecht.'

'Dus hij is een Bowe-aanhanger.'

'Dat was hij. Hoe dan ook, op een dag belde hij Packer en zei dat hij een hypothetische vraag voor haar had. De vraag was: als iemand, hypothetisch, beschikte over een pakket informatie die vicepresident Landers de kop zou kosten, wanneer dat pakket dan het best afgeleverd kon worden.'

'Waaruit bestaat dat pakket?'

'Dat weten we niet. Packer ook niet. Maar nu komt het, dít is wat Patterson erover zei. Hij zei dat iemand beschikte over informatie die zo specifiek, zo strafbaar en zo onweerlegbaar is, dat wanneer iemand op een respectabel niveau die in handen krijgt, hij die onmiddellijk moet overdragen aan de FBI omdat hij anders zelf strafrechtelijk vervolgd kan worden. Maar zolang dat niet gebeurt, blijft het een product van de verbeelding, dat daar ergens rondzwerft.'

'Met als onderliggende vraag: wanneer willen de Republikeinen het pakket bezorgd hebben zodat het de grootste schade kan aanrichten?'

'Daar komt het op neer,' zei Merkin.

'En wat was het antwoord?'

Merkin liet zijn schouders hangen en schudde zijn hoofd. 'Jake, je weet hoe er over dit soort hypothetische zaken gepraat wordt. Mensen in de politiek doen dat voortdurend. Bezorg het op 1 oktober en er is tijd genoeg om het tot een enorm schandaal te laten uitgroeien en niet meer genoeg tijd om daarvan te herstellen. Aan de andere kant kan het dan misschien worden stilgehouden tot het te kort voor de verkiezingen is. Dus misschien 15 september. Of misschien... jezus, noem maar een datum.'

'Maar in elk geval ergens in het najaar.'

'Ja, dat vermoed ik.'

'En waarom vertel je dit nu aan mij?'

'Omdat het nu ergens rondzwerft, omdat iemand het weet van Patterson en Packer en omdat we niet gepakt willen worden voor obstructie van de rechtsgang,' zei Merkin. 'We melden dit aan jou omdat jij door de president bent aangewezen om het onderzoek naar Bowes moord te doen. Ik ga straks een rapport van ons gesprek maken, zet de datum erboven, laat het door een notaris verzegelen en stop het in de safe. Als ik het nooit nodig heb, is dat geweldig. Maar als ik voor de senaatscommissie moet verschijnen, of voor een onderzoeksjury...'

'Oké,' zei Jake. 'Die informatie, wat die ook is, heeft Patterson die van senator Bowe?'

'Dat weet ik niet. Dat zul je aan Patterson moeten vragen.' Hij had zijn jasje over zijn schouder geslagen, stak zijn hand in een van de zijzakken en haalde er een blaadje papier uit dat hij uit een bureauagenda had gescheurd. 'Toevallig heb ik zijn adres en telefoonnummer bij me.'

Jake stak het blaadje papier in zijn zak. 'Ik zal deze informatie hoogstwaarschijnlijk aan de FBI moeten doorgeven.'

'We zullen al het mogelijke doen om onze medewerking te verlenen. Packer begrijpt dat. Met Patterson hebben we niks te maken, dus hij is ons probleem niet. En vergeet niet dat de zaak als hypothetisch aan Packer is voorgelegd. Het was allemaal heel vaag, dus wat had ze in feite moeten rapporteren? Als we er iets aan hadden gedaan, had dat uitgelegd kunnen worden als een onafhankelijke, achterbakse aanval op de vicepresident.'

Ze liepen door de zaal en bleven bij het reusachtige schilderij *The White Girl* staan. Ze keek hen aan met een oprechtheid die verontrustend was, alsof ze persoonlijk geïnteresseerd was in hun politieke gekonkel. Na een tijdje zei Jake: 'Verdorie, Tom, ik had me nog wel voorgenomen om straks een paar uur van een ligbad te genieten.'

'Het is verkiezingsjaar, Jake.'

'Ja, dat weet ik. Maar ik zal je iets zeggen, Tommy. Ik zou dit nieuws niet laten uitlekken als ik jou was. Als het echt is, komt het zeker uit. Maar dit heeft alle schijn van een samenzwering, een samenzwering die tot moord heeft geleid en waar jullie nu bij betrokken zijn. Dan hebben we het niet meer over zes weken voorwaardelijk.'

'Dat besef ik.'

'Dus doe geen gekke dingen. En praat met je mensen. Zet hen flink onder druk. Want dit... dit gaat heel lastig worden.'

Danzig zou nog op kantoor zijn. Jake nam afscheid van Merkin en belde hem. Gina nam op.

'Gina, met Jake. Ik moet de baas spreken.'

'Hij is klaar voor vandaag. De president is terug en ze zitten te praten.'

'Haal hem daar weg zodra je de kans krijgt. Ik ben bij de Mall en kom nu die kant op. Regel een pasje voor de blauwe kamer voor me.'

'Kun je me een hint geven waar het over gaat?'

'Dat wil je niet weten, Gina. Vraag de baas er straks zelf maar naar. En ik zeg dit voor je eigen bestwil, voor het geval we op een dag met z'n allen voor een bijzonder gerechtshof moeten verschijnen.'

'O, o. Ik zal doorgeven dat je eraan komt.'

Jake hield een taxi aan. Vijf minuten later ging hij door de beveiliging van het Witte Huis en liep door naar de wachtkamer. Het was er druk maar niemand zei iets, men zat daar en keek voor zich uit, typte iets in op een laptop of bladerde een weken oud nummer van *The Economist* door.

Jake moest vijfentwintig minuten wachten voordat de begeleidster hem op de schouder tikte. 'Meneer Winter?'

Danzigs twee assistent-secretaresses waren al naar huis en hun bureau-lampen waren uit. Gina zat aan haar bureau en was in de weer met pen en papier. Toen Jake binnenkwam, drukte ze op een knop op haar bureaublad en zei: 'Ik hoop dat het niet al te slecht nieuws is.'

'Bill praat je wel bij,' zei Jake.

Het groene lampje ging aan en Gina zei: 'Ga maar naar binnen.'

Danzig stond bij zijn bureau met een stapeltje papieren in zijn hand. Hij keek op toen Jake binnenkwam en vroeg: 'Slecht nieuws?'

'Dat kan het zijn,' zei Jake. 'Misschien wel heel slecht nieuws.'

Danzig wees naar een stoel. 'Vertel op.'

Jake ging zitten en zei: 'Een medewerkster van het RNC is gebeld door een oud-collega, iemand die aan een aantal senaats- en gouverneurs-campagnes heeft meegewerkt, waaronder Bowes laatste campagne. Hij is een Bowe-aanhanger, werkt nu voor ALERT! en heet Tony Patterson. Hij suggereerde dat er plannen zijn om u – ons – met een groot schan-daal op te zadelen. Er schijnt uitermate belastende informatie te bestaan die de vicepresident vrijwel zeker de kop zal kosten. De vraag die hij het RNC stelde, ging over de timing, wanneer hij de bom moest laten vallen.'

'Waarom zou hij dat aan het RNC vragen?' vroeg Danzig. 'Waarom heeft hij dat niet aan Bowe gevraagd, toen hij nog leefde? Bowe zou het ant-woord geweten hebben.'

'Dat weet ik niet. Ik weet alleen dat hij en die vrouw, die medewerkster van het RNC, oude campagnemaatjes zijn. Dus het gaat hier deels om een vriendendienst. En er werd zelfs gesuggereerd dat de informatie van Bowe afkomstig kon zijn, maar dat Bowe zichzelf ervan heeft willen dis-tantiëren.'

'Godverdomme,' zei Danzig. Ze bleven elkaar zwijgend aankijken en toen zei Danzig: 'Als dit waar is, zou het zo kunnen zijn dat Bowe is ver-moord om te voorkomen dat deze informatie naar buiten komt.'

'Ja.'

'Dat zou een ramp zijn.' Jake zei niets en Danzig draaide zijn bureau-stoel een halve slag rond; hij dacht na. Toen draaide hij zijn stoel weer terug en zei: 'Aan de andere kant, als we ons onderzoek op deze hypothetische informatie richten en later blijkt dat Bowe om een heel andere reden is vermoord, zitten we nog steeds in de problemen. Want als iemand te weten komt dat deze informatie bestaat, gaat dat zeker uitlekken.'

Jake knikte. 'Als de informatie bestaat. Als dit geen deel uitmaakt van een of ander sluw plan van Bowe, net als zijn verdwijning, om ons een oor aan te naaien.'

'Bowe heeft zich laten vermoorden om ons een oor aan te naaien?'

'Daar ben ik nog niet helemaal uit,' zei Jake.

Danzig glimlachte, quasimelancholisch, en zei: 'O, jezus.' Hij draaide zijn stoel weer in het rond en zei over de vicepresident: 'Landers is een vuile schoft en dat hebben we van meet af aan geweten. Maar hij heeft ons de stemmen van Wisconsin, Minnesota en Iowa opgeleverd en die hadden we nodig.'

Jake zei niets.

'Hij zal alles glashard ontkennen,' vervolgde Danzig. 'Die wil zijn rit uitzitten. Het heeft weinig zin om naar hem toe te stappen en te vragen: "Is er in uw verleden misschien iets gebeurd wat we zouden moeten weten?", want dat weten we allang, en we weten ook dat hij dat zal ontkennen. Ontkennen, ontkennen, ontkennen.'

'Wilt u dat ik Patterson uitwring?'

Danzig wreef met zijn hand over zijn gezicht en zag er ineens oud en vermoeid uit. 'Wacht daar nog even mee,' zei hij. 'Ik wil er een nachtje over slapen.'

'Oké.'

Danzig boog zich naar voren. 'Het probleem is het volgende: het kan zijn dat het RNC dit gerucht aan jou doorspeelt omdat ze weten dat het bij mij terecht zal komen. Ik vertel het door aan de president en we gaan om ons heen informeren. Zelfs als we het geheim weten te houden, bestaat de kans dat het RNC het doorsluist naar een of andere conservatieve krant of kabelzender. *The L.A. Times*, bijvoorbeeld. Zeggen ze dat wij ervan weten. Dan zitten we in de problemen, of het waar is of niet. En we kunnen niet eens ontkennen dat we aan het informeren zijn. Dan gaan ze de hele zomer onderzoek naar Landers doen, tot in de verkiezingscampagnes.'

Jake knikte. Dat zou er inderdaad gebeuren.

'Als we Landers moeten dumpen,' zei Danzig, zowel tegen zichzelf als tegen Jake, 'moeten we dat voor de zomer doen. We kunnen hem niet blijven steunen tot in de voorverkiezingen. Maar als die beschuldigingen onzin blijken te zijn, zal Landers ons er zeker mee om de oren slaan.'

'We hebben behoefte aan een paar feiten,' zei Jake.

'Net als met Bowe,' zei Danzig. 'Als we de feiten hebben, kunnen we actie ondernemen. Zonder feiten zijn we kwetsbaar, ongeacht wat we doen.'

'Maar als we er niks aan doen,' zei Jake, 'kunnen we zelf in de problemen raken, en flink ook. Wij persoonlijk, bedoel ik. Obstructie van de rechtsgang en dat soort dingen.'

Danzig knikte. 'Natuurlijk. Maar iedereen zal bereid zijn ons een dag of twee respijt te geven. Terwijl de ambtelijke molens hun maalwerk doen.'

Jake stond op. 'Ik blijf stand-by. U kunt me altijd bellen, het maakt niet uit hoe laat.'

'Hoe zit het met Schmidt?'

'Geen nieuws,' zei Jake. 'We kunnen hem niet vinden.'

'Maar we zijn wel naar hem op zoek?'

'Novatny kamt het platteland uit. Hij weet wat hij doet.'

Danzig pakte een potlood, tikte ermee op zijn bureaublad, stak het achter zijn oor en wreef met beide handen over zijn gezicht. Hij was moe. Ten slotte zei hij: 'Het zou mooi zijn als we Schmidt opspoorden en hem de moord konden aanwrijven. Of iemand van de burgerwacht. Daarna vinden we de informatie, lozen Landers, en niemand zal zelfs maar het vermoeden hebben dat er ooit een verband heeft bestaan.'

'Dat zal moeilijk worden,' zei Jake. 'De pers rent als een stel dolle honden in het rond en maakt alles openbaar wat ze tegenkomt. Ze willen iemand aan de schandpaal nagelen, zijn op zoek naar iemand die ze de schuld kunnen geven.'

'Als het niet anders kan, kunnen we altijd de CIA nog de schuld geven,' zei Danzig. Hij zweeg even en vervolgde toen: 'Alhoewel, ik geloof niet dat dat in deze situatie opgaat.'

'Nog niet, in elk geval,' zei Jake.

'Verdomme. Godverdomme!' Danzig bladerde in zijn bureauagenda. 'We hebben nog vier maanden tot de voorverkiezingen.' Hij zat even naar zijn agenda te kijken en zei toen: 'Hoor eens, ik zal met de president praten. We willen dat jij morgenochtend met Patterson gaat praten. Ga eerst maar slapen. Ik bel je morgenochtend vroeg, wat de beslissing ook wordt.'

9

Jake verliet het Witte Huis, liep de avondschemer in, tikte met zijn stok op de stoep en ging op zoek naar een taxi. Er was veel verkeer, maar taxi's zag hij niet. Hij moest drie straten doorlopen voordat hij er eindelijk een kon aanhouden. 'De Daily News, in Georgetown.'

De taxichauffeur gromde iets en zonder iets te zeggen staken ze de brug over en reden zes straten door. De chauffeur gromde weer iets, Jake gaf hem een paar bankbiljetten en stapte uit. De Daily News was een eetcafé met genoeg licht om bij te kunnen lezen, en een leestafel in Amsterdamse stijl bij de ingang. Hij pakte een beduimeld exemplaar van *New York*, bestelde de riviersnapper en een glas witte huiswijn en nam plaats in een stille box om van de nieuwste roddels en de vis te genieten.

Hij werd geplaagd door de gedachte dat hij Danzig had moeten vertellen dat Bowe homo was. Een kwestie van loyaliteit, want hij werd door Danzig betaald en had zich op die manier in grote lijnen akkoord verklaard met het beleidsprogramma van de president. Als hij het aan Danzig had verteld, zou dat de zaak in hun voordeel hebben kunnen keren. Toch... of Madison Bowe ervan had geweten of niet, ze zou het moeilijk krijgen. En ze zou het hém verwijten, en dat wilde hij niet. Wat hij wel wilde, bedacht hij, was Madison Bowe. Geweten versus lust. Hij moest lachen om zijn eigen stompzinnigheid...

Toen hij klaar was met het hoofdgerecht bestelde hij een tweede glas wijn, als tegenwicht voor de zoete smaak van de crème brûlée die hij als nagerecht bestelde. Daarna pakte hij zijn koffertje en zijn stok en liep naar buiten. Het was een mooie avond en hij had zin om naar huis te lopen, een kleine twee kilometer. Hij at twee keer per week in de Daily News en ging wel vaker naar huis lopen, dus hij wist dat zijn been de afstand goed aankon.

Het was al donker aan het worden terwijl hij over de hobbelige stoepen liep en nadacht over wat hij moest doen. Het kostte hem vijfentwintig minuten om thuis te komen.

De straat was nog steeds opgebroken, dus liep hij automatisch door naar de achterkant en ging het steegje in.

Hij hoorde autoportieren opengaan, besteedde er geen aandacht aan totdat hij zijn sleutel in het slot van de poort stak, omdat hij ze niet

111

weer had horen dichtgaan. Niet dat dat nou zo vreemd was... maar op dat moment zag hij de man op zich afkomen, te snel, veel te snel, recht op hem af, met iets wat hij boven zijn hoofd hield. En een andere man, net zo snel, op korte afstand achter de eerste. Ze waren allebei groot, met brede schouders, en snel, een blanke en een zwarte man, meende Jake te zien, en toen zaten ze ineens bovenop hem...

Iemand riep iets, Jake bracht zijn wandelstok omhoog en draaide zich weg van de naderende beweging. De slag, met wat de steel van een bijl kon zijn – misschien was het gewoon een stok, maar toch moest hij aan de steel van een bijl denken – schampte zijn stok en raakte zijn onderarm. Jake slaakte een kreet, hoorde zichzelf een kreet slaken, of eigenlijk was het meer een schreeuw. Toen haalde de andere man naar hem uit, ook met de steel van een bijl, of een stok, en Jake ving de klap op met de muis van zijn linkerhand. Op dat moment raakte de eerste man hem in zijn nek, en daarna op zijn hoofd. Het begon Jake te duizelen en hij zakte in elkaar, viel op de grond en rolde zich om, rolde weg om aan de slagen te ontkomen en probeerde weer overeind te komen om zich te verdedigen. De twee mannen schopten en sloegen hem, en de ene zei: 'Maak 'm dood, maak 'm dood, maak die klootzak dood', alsmaar weer, alsof hij een liedje zong, en Jake probeerde zijn gezicht naar hen toe gekeerd te houden, om de slagen te zien aankomen, totdat hij iemand hoorde schreeuwen: 'Hé, stelletje tuig!' Hij kreeg weer een klap en toen nog een, en toen hoorde hij een oorverdovende knal en zag hij een lichtflits, waarop de man die het dichtst bij hem stond even aarzelde. Jake raakte de knie van de man met het stalen handvat van zijn stok, hoorde iets kraken en zag de man wankelen. Een vrouw slaakte een harde schreeuw, gevolgd door een lichtflits en een knal – een geweer, dacht Jake – en op dat moment kreeg hij weer een klap op zijn hoofd en werd alles zwart...

Jake kwam bij kennis in een ambulance die met flinke snelheid richting stad reed. 'Wat is er gebeurd?' vroeg hij.

Hij wilde zich oprichten maar dat lukte niet. Een flegmatieke zwarte man keek op hem neer en zei: 'Blijft u liggen. U bent overvallen.'

'Overvallen?'

Twee minuten later kwam hij weer bij, in dezelfde ambulance, hij wilde zich oprichten, slaagde daar niet in en vroeg aan de flegmatieke zwarte man: 'Wat is er gebeurd?'

'U bent overvallen.'

'Overvallen?'

De arts vertelde hem later dat hij in een uur tijd, zowel in de ambulance als in de operatiekamer, vijfentwintig keer dezelfde vraag had gesteld. Jake kwam bij kennis op de intensive care, met zijn kleren nog aan maar zonder schoenen, keek de jonge Indiase arts aan en vroeg: 'Wat is er gebeurd?'

'U bent overvallen.'

'Overvallen? Waar? Bij mijn huis?'

Er kwam een glimlach op het gezicht van de arts. 'Ah, u bent echt wakker. Ja, als ik het goed heb begrepen, bent u bij uw huis overvallen. U hebt een hersenschudding, natuurlijk, maar die is niet al te zwaar, dat geloof ik niet, en een hele serie kneuzingen. Een flinke buil op uw hoofd, en een snee. Die zullen een tijdje pijn doen. Uw schedel is nog heel – we hebben een röntgenfoto gemaakt – maar we hebben wat haar moeten wegknippen om de hoofdwond te kunnen behandelen. Dus als de pijn over is, zal het een paar dagen flink jeuken. Er zitten vijf hechtingen in. O, in de wachtkamer zitten een paar van uw buren. Zal ik hen binnenlaten? Ze waren getuige van het gebeuren, geloof ik.'

'Ja, graag. Overvallen? Het is niet te geloven dat ik overvallen ben.'

Er kwam een vrouw binnen. 'Meneer Winter?'

'Ja.'

'Meneer Winter, hebt u een ziektekostenverzekering?'

'Jazeker.'

Ze leek achteruit te deinzen. 'Echt?'

'Ja, waarom zou ik er niet een hebben?'

'O, dat is mooi, heel mooi.' Ze wekte de indruk dat ze hem niet geloofde. 'Rami, de arts, zei dat u mooie schoenen aanhad en dat ik het moest checken. Hebt u het pasje toevallig bij u?'

Met het pasje tegen haar borst geklemd en zichtbaar verrast over het antwoord op haar vraag liep ze de kamer uit.

Even later kwamen Harley Cunningham, zijn buurman aan de overkant van het steegje, en zijn vrouw Maeve binnen. Cunningham verkocht thuisbars en pooltafels voor de kost. Hij bekeek Jake eens goed en zei: 'Jezus, ze hebben je flink te pakken gehad, Jake.'

'Wat is er gebeurd?'

'We hadden het achterraam open. Ik hoorde je het steegje in komen, keek naar buiten, zag die twee schoften uit een auto stappen en kon onmiddellijk zien dat ze het op jou gemunt hadden. Ze hadden allebei een stok in hun hand – misschien wel de dikke kant van poolcues – maar ik had mijn jachtgeweer, in de kast in de slaapkamer, dus ik schreeuwde, en Maeve schreeuwde, maar ze sloegen je helemaal verrot, en toen ben ik naar de slaapkamer gerend, heb mijn geweer gepakt en heb twee keer in de lucht geschoten. Toen zijn ze ervandoor gegaan.'

'Wie waren het?'

'Shit, al sla je me dood,' zei Cunningham.

Maeve gaf haar man een por met haar elleboog en zei: 'Niet vloeken; ze hebben die arme man halfdood geslagen.'

'Het zal hem heus niet meer pijn doen als ik "shit" zeg,' zei Cunningham.

'Ze hebben je niet in je gezicht geraakt,' zei Maeve tegen Jake, en ze klopte hem zachtjes op zijn arm. 'Dat is een geluk bij een ongeluk.'

'De dokter zei dat het een straatroof was,' zei Jake. Nu hij weer helemaal bij kennis was, kon hij de pijn voelen, in zijn rug, zijn armen en benen, zijn ene heup... 'Gewoon een paar straatrovers?'

Cunningham haalde zijn schouders op. 'Ze hebben je opgewacht, man. Die auto stond daar al een tijdje en ze zijn pas uitgestapt toen ze jou voorbij zagen komen. Heb je met andermans vrouw gerotzooid?'

'Jezus, Harley,' zei Maeve.

'Heb je de auto gezien?' vroeg Jake.

'Ja, een SUV. Ik denk... het zou een Toyota kunnen zijn. Een donkere kleur. Ik heb dat tegen de politie gezegd. Die zullen straks wel met je komen praten. Volgens mij was de ene man zwart en de andere blank. Peper en zout.'

'Harley, dat is discriminatie,' zei Maeve.

'Zo noemen ze dat toch, een zwarte en een blanke samen?' zei Cunningham.

'In 1955 misschien,' zei Maeve.

Cunningham zei tegen Jake: 'Ik vond het wel leuk om die .12 weer eens af te schieten. Een lichtstreep van een meter in de nacht, man. Ze schrokken zich het lazarus.'

'Zei je dat ze me hebben opgewacht?'

'Ja, zeker weten. Die auto stond daar al een tijdje, ik had hem al eerder zien staan. Ik wist niet dat er iemand in zat. Toen ik jou met je stok in het steegje hoorde, wilde ik iets naar je roepen over die drilboren bij jou in de straat, en toen zag ik hen achter je aan komen. En ik zal je nog iets anders vertellen... die SUV, dat was geen goedkope. Die zag er splinternieuw uit. Dus het was die gasten niet om vijftig dollar te doen.'

'Heb je dat tegen de politie gezegd?'

'Jazeker. Maar die schonken niet al te veel aandacht aan me. Ze hadden het te druk met dingen in hun laptop te typen.'

Na een tijdje vertrokken de Cunninghams – ze hadden Jakes koffertje en stok in het steegje gevonden en die meegenomen – en toen kwam de politie. Jake had hun weinig te vertellen, enerzijds omdat hij moeilijk kon geloven dat de dingen waar hij mee bezig was een reden konden zijn om in elkaar geslagen te worden, en anderzijds omdat praten met de politie weinig zou uitrichten als het om het pakken van de daders ging. Ze hadden niets om mee te werken, afgezien van de informatie dat de mannen in een donkere SUV, mogelijk een Toyota, hadden gereden.

'Tien procent van de auto's op straat voldoet aan die beschrijving,' zei de ene agent. 'Gelukkig hebt u uw koffertje en uw portefeuille nog.'

'Misschien hebben ze u uitgekozen omdat u moeilijk loopt, werden ze aangetrokken door die wandelstok,' zei de andere agent. 'Geloof me, er zitten lieden onder dat tuig die niets liever zien dan een goedgeklede invalide man.'

Ze vertrokken en Jake had sterk de indruk dat ze er een rapport van zouden maken en er verder niets aan zouden doen.

Hij kreeg een paar minuten daarna hoofdpijn. De arts kwam langs en zei dat ze hem die nacht in het ziekenhuis zouden houden. 'Ik zal u iets tegen de hoofdpijn geven. Als u morgen thuiskomt, kunt u een Tylenol nemen als het nodig is, maar geen aspirine of ibuprofen. De eerstkomende paar dagen geen middelen die een bloedverdunnende werking hebben...'

Toen Jake de volgende ochtend wakker werd, om vijf uur, geneerde hij zich. Hij geneerde zich omdat hij in elkaar was geslagen en omdat het hem niet was gelukt zichzelf beter te verdedigen. Hij hield wel van een goede vechtpartij. Maar wat de afgelopen avond was gebeurd, hield hij zichzelf voor, was geen vechtpartij geweest. Het was een overval geweest, een koelbloedige, geplande overval. Hij moest aan Cathy Ann Dorn denken. Geen toeval?

Maar waarom zou Goodman hem willen hinderen? Hij had met Goodman samengewerkt...

Toen moest hij opeens aan iets anders denken. Ze hadden geweten dat hij de achterdeur gebruikte vanwege de opgebroken stoep. Howard Barber had moeite gehad om via de voordeur binnen te komen, en als hij het zich goed herinnerde, had hij tegen Barber gezegd dat hij de achterdeur gebruikte.

Barber? Maar waarom?

In de vroege ochtend slaagde hij erin om met zijn gepijnigde hersens nóg een paar conclusies te trekken.

De mannen die hem hadden overvallen, waren groot, gespierd en in een goede conditie geweest. Een van de twee had een accent uit het heuvelland gehad, Kentucky, of het oosten van Tennessee, daar ergens. En ze waren goed in hun vak geweest. Ze hadden hem niet willen vermoorden, want dat hadden ze met een enkel pistoolschot kunnen doen, of zelfs met een paar goedgerichte klappen met de steel van een bijl of de achterkant van een poolcue op zijn achterhoofd.

In plaats daarvan hadden ze hem twee klappen boven op zijn hoofd gegeven, één in zijn nek en een stuk of tien op zijn rug, zijn benen en zijn ene heup. Ze hadden bereikt wat ze wilden, dat hij in het ziekenhuis terechtkwam. Als Harley er niet was geweest met zijn jachtgeweer, en als ze langer de tijd hadden gehad, hadden ze Jake voor een week, of een maand, of een jaar het ziekenhuis in kunnen slaan. Als ze meer tijd hadden gehad, hadden ze zijn botten kunnen breken...

Jake zou geen schijn van kans hebben gehad, en toch geneerde hij zich. Hij bedacht ook dat als hij de twee mannen nog eens zou tegenkomen, op een plek die hem de gelegenheid bood, hij hen zou vermoorden. Die gedachte bracht een glimlach op zijn gezicht, waarna hij weer wegzonk in een roes van pijnstillers, om pas een paar uur later wakker te worden.

Om acht uur 's ochtends kwam Jake weer boven water en wist hij even niet waar hij was. Een verpleegster kwam de kamer binnen en vroeg: 'Hoe voelen we ons?'

'We voelen ons wat zwakjes,' zei Jake. Hij voelde de blauwe plekken gloeien alsof het brandwonden waren. 'Kun je me mijn koffertje aangeven?'

'De dokter komt zo bij u.'

'Ja, dat weet ik, maar mijn vrouw is waarschijnlijk gek van bezorgdheid,' loog hij. 'Die weet niet waar ik ben. Ik wil haar alleen maar even bellen.'

Hij kreeg zijn telefoon. Toen hij het toestel aanzette, zag hij dat Gina vier berichten had ingesproken, alle vier vrijwel hetzelfde, het eerste om halfzeven 's ochtends. 'Jake, waar ben je? We bellen je maar kunnen je niet te pakken krijgen. Meld je...'

Hij belde haar. Gina nam op en Jake zei: 'Je zult niet geloven wat er gebeurd is, waar ik nu ben...'

Even later had hij Danzig aan de lijn, die op fluistertoon vroeg: 'Jezus christus, Jake, hoe erg ben je eraan toe?'

'Ach, het valt wel mee. Ik ben bont en blauw, heb een paar hechtingen in mijn hoofd en een barstende koppijn. Maar ze zeggen dat het allemaal goed komt.'

De arts kwam binnen. Hij had de laatste zin gehoord, trok aan zijn onderlip en schudde zijn hoofd. Jake zei tegen Danzig: 'De dokter komt net binnen. Ik bel u als ik thuis ben, oké? Ik ben nog steeds aan het werk.'
'Denk je, ik bedoel... dat de burgerwacht dit heeft gedaan? Of gewoon straatrovers? Of... ik bedoel, ik vind dit nogal toevallig.'
'Ja, daar heb ik ook over nagedacht. Geef me een uur of twee de tijd.'
'En wat doen we nu met die Patterson? We wilden dat je bij hem langsging. Misschien kunnen we Novatny...'
'Nee, nee, hou Novatny buiten dit deel van het onderzoek, anders staat het in een mum van tijd in de krant.' Jake keek op naar de arts. 'Hoor eens, ik kan nu niet praten. Ze staan op het punt om iets onaangenaams met me te doen.'
'Oké, oké. Nou, jezus, pas goed op jezelf, Jake. En bel me.' Danzig leek net een vader.
'Zal ik doen.'
Jake zette zijn telefoon uit en de arts zei: 'Niet zo onaangenaam. Ik ga met een lampje in uw ogen schijnen en u gaat in een flesje plassen en mij een beetje bloed geven. Is het echt waar dat u een ziektekostenverzekering hebt?'

Om tien uur stond Jake op straat, met een doffe pijn in zijn hoofd en een fellere, meer brandende pijn op de plek waar de hechtingen de huid van zijn schedel bij elkaar hielden. Het zonlicht deed pijn aan zijn ogen; hij had dringend een zonnebril nodig. En de rest van zijn lichaam deed nu echt pijn. Jake hield een taxi aan en liet zich afzetten bij het steegje. Cunningham kwam zijn achterbalkon op lopen en riep: 'Dat heb je snel gedaan.'
'Je hebt wat te goed van me, Harley,' riep Jake terug. 'En niet zo weinig ook.'
'Ach, onzin, man. Ik ben blij dat ik je kon helpen.'
'In elk geval een paar goeie flessen single malt.'
Cunningham stak zijn handen op. 'Nou, tja, als je erop staat...'

In huis keek Jake even rond of alles er nog was, liep toen de badkamer in en bekeek zichzelf in de spiegel. Ze hadden een stukje van zijn haar weggeschoren om de hechtingen te kunnen aanbrengen. Het zag er raar uit. Hij trok zijn kleren uit en keerde zijn rug naar de spiegel om de schade op te nemen. Er zat een hele reeks striemen, een centimeter of vier breed, op zijn schouderbladen, rug, achterwerk en benen, in een dieppaarse tint met rode vlekjes. Binnen een week zouden ze die akelige geel-met-zwarte tint hebben.

Als Cunningham er niet was geweest met zijn geweer en ze de tijd hadden gekregen om hem écht onder handen te nemen, zou hij heel wat ziektekosten bij zijn verzekering hebben moeten declareren... of het zou helemaal niet meer nodig zijn.

Ondanks de hoofdpijn en zijn beurse lijf zocht hij Pattersons privénummer op en belde het. Hij kreeg een bandje te horen waarop hem werd meegedeeld dat Patterson in Atlanta was en pas over vier dagen weer op kantoor zou zijn. Maar het vermeldde ook zijn e-mailadres en zei dat de e-mail elke dag gecontroleerd zou worden.

Stel je voor, in deze moderne tijden was wachten uit den boze. Jake ging online, zocht een lijst met alle hotels in Atlanta op, koos er een paar uit waarvan hij vermoedde dat een politiek consultant er zijn intrek zou nemen en ging ze bellen.

Al bij het derde hotel had hij beet: Patterson logeerde in de Four Seasons. Jake belde Gina, legde haar zijn probleem voor, werd doorverbonden met het reisbureau van het Witte Huis en boekte een vlucht met een jet die om één uur vanaf National zou vertrekken. Hij zou zich moeten haasten.

Hij nam een douche, schoor zich, kleedde zich aan, stopte wat kleding, een voorraadje pijnstillers en een kleine verbanddoos in een reistas en belde een taxi.

De taxichauffeur, die Charlie heette, was een bedachtzame man die zo dik was dat hij half door de bestuurdersstoel van zijn oude Chevy heen was gezakt. Charlies hoofd, met ongekamd haar dat eruitzag als pollen geel prairiegras, stak net boven de rugleuning uit. Hij maakte dagen van achttien uur en was Jakes favoriete taxichauffeur. Charlie was telefonisch bereikbaar via een krantenkiosk die dag en nacht open was, zodat hij altijd op de hoogte was van het nieuws en daar tijdens de rit zijn commentaar op gaf.

Er had een ramp plaatsgevonden waarover Jake nog niets had gehoord. 'Een grote schietpartij tussen de grenspolitie en een stel illegalen in de buurt van El Paso. Er waren ook Chinezen bij betrokken, die de grens over wilden, neem ik aan, toen iemand het vuur opende. Twee of drie man van de grenspolitie dood, plus een stel Chinezen. Over de andere illegalen werd niets gezegd. Wel dat de grenspolitie de rivier is overgestoken tijdens de achtervolging...'

'Hè, jezus.'

'Tja, wat moeten ze anders?' zei Charlie. 'We moeten ze toch op de een of andere manier buiten de deur houden.'

'Op illegaal de grens oversteken staat niet de doodstraf,' zei Jake. 'Wat is er nog meer gebeurd?'

'Slecht weer voornamelijk. Diverse tornado's in Oklahoma en Kansas. Er is een stadje van de kaart geveegd, maar er zijn geen mensen omgekomen. De tornado's zijn doorgetrokken naar Detroit. De minister-president van Canada heeft een bloedneus gehad tijdens een persconferentie en is voor controle naar een ziekenhuis overgebracht. Een van de juryleden in de Crippen-zaak is naar huis gestuurd omdat hij stiekem naar het nieuws over het proces had zitten kijken...'

Charlie besloot zijn verhaal met: 'Je ziet er trouwens vreselijk uit. Wat hebben ze met je hoofd uitgespookt?'

'Ik ben gisteravond overvallen. Ze hebben me bont en blauw geslagen.'

'Voel je je wel in orde?' vroeg Charlie. 'Kun je vliegen in die toestand?'

'Ze hebben me pillen gegeven. Ik overleef het wel.'

'O. Weet je, je ziet er uit als een soort monster van Frankenstein, met die hechtingen die uit je hoofd steken. Je kunt beter een pet opzetten.'

Jake liep de vertrekhal van National in en zag dat hij nog een kwartier de tijd had. Hij kocht een paar jachttijdschriften, een *Scientific American* en een honkbalpet om de wond op zijn hoofd te bedekken. Helaas was de keus in petten niet groot en was er maar één die paste: een roze pet met de tekst HELLO KITTY op de voorkant.

Hij kocht hem toch en ging aan boord van het vliegtuig. De hoofdpijn had zich de hele ochtend redelijk op de achtergrond gehouden, maar in het vliegtuig werd die erger. Zo erg dat Jake het eerste halfuur van de vlucht niet eens kon lezen. Hij zat bij het raam en hield het gordijntje dicht om het licht te weren. Hij probeerde zich te ontspannen en nam een pil waarvan de arts had gezegd dat die hem niet al te slaperig zou maken. Dat hielp wel iets.

Toen de hoofdpijn begon te zakken, zette Jake zijn laptop aan en las hij de informatie die hij over Patterson had verzameld. Die was van slechte kwaliteit en kwam meestal niet boven roddelniveau uit, maar Jake kon tussen de regels door lezen.

Patterson was een politieke sjoemelaar, de nummer twee of drie in het campagneteam, de man die de dingen deed waar niemand graag voor uitkwam. Hij was de regelaar en degene die foute informatie over de tegenpartij verspreidde. Hij had aan Bowes beide senaatscampagnes meegewerkt, de winnende én de verliezende, en aan een stuk of zes andere campagnes her en der in het land. Een foto uit het tijdschrift *Washingtonian* liet een man van ongeveer vijfenveertig zien, gekleed in een pak dat gekreukeld was maar er duur uitzag, met een glas in zijn hand en een glazige glimlach op zijn gezicht. Er stonden ruim tien mensen op de foto, van wie er drie poseerden, onder wie Patterson, en de rest als figurant fungeerde, de meesten met een glas in de hand, op een of ander liefdadigheidsbal.

Er moesten, dacht Jake, binnen een straal van vijftig kilometer vanaf de hoofdstad wel honderdduizend mensen als Patterson rondlopen.

Het voetvolk van de hoge heren, alleen herkenbaar aan hun scanbare identiteitspasjes.

Madison Bowe was uit de shuttle gestapt en de beveiliging op LaGuardia in New York gepasseerd toen ze haar telefoon aanzette en zag dat ze een bericht had: *bel Johnson Black*.

Ze belde hem en toen ze hem aan de lijn kreeg vroeg Black: 'Heb je het gehoord van Jake Winter?'

Madison bleef staan, keerde zich naar de muur, stopte haar vinger in haar andere oor – de privacy van de voetganger – en vroeg: 'Wat is er gebeurd?'

'Hij is gisteravond overvallen en mishandeld. Een van mijn mensen heeft het van een taxichauffeur gehoord, en ik heb een vriend in de stad gebeld. Hij moest de afgelopen nacht in het ziekenhuis blijven maar is er nu weer uit.'

'Goodman?'

'Dat weet ik niet. De politie zegt dat het een overval was. Maar Jake... hij lijkt me niet iemand die zich zomaar in elkaar laat slaan.'

'O, god, ik zal hem bellen,' zei ze.

Maar toen ze hem belde, kreeg ze zijn antwoordapparaat. 'Jake, bel me,' sprak ze in. 'Het is belangrijk. Hier zijn mijn nummers...'

Ze nam een taxi naar de flat en vroeg zich af: hoe ernstig is het, hoe ernstig is het? En meteen daarna dacht ze: waarom maak ik me zoveel zorgen om hem?

10

De Four Seasons was een log gebouw, lichtgrijs van tint, met een enorme hal met een marmeren vloer, witte pilaren, kristallen kroonluchters en iets wat er tegen alle verwachtingen in uitzag als een behoorlijke bar. Jake belde naar Pattersons kamer met de huistelefoon, ervan uitgaande dat Patterson er niet zou zijn en hij zou moeten wachten.

Maar na drie keer overgaan nam Patterson op, met een strakke, geërgerde stem, alsof hij net wakker werd: 'Patterson.'

'Meneer Patterson, u spreekt met Jake Winter. Ik werk voor Bill Danzig, de stafchef van de president. Ik moet met u praten. Nu meteen.'

Patterson reageerde verbaasd. 'Bill Danzig? Wie...'

'De stafchef van...'

'Ik weet wie Bill Danzig is. Maar wie bent u? En waar bent u?'

'Ik sta beneden in de hal. Ik werk voor meneer Danzig. Als u het Witte Huis wilt bellen om het te controleren, kunt u dat doen. Ik wil graag met u praten.'

'Oké. Komt u naar boven, of zal ik naar beneden komen?'

'Ik kom wel naar boven.'

Het 'niet storen'-lampje knipperde naast Pattersons deur toen Jake erop klopte, enige tijd wachtte en toen nog een keer klopte. Hij zette zijn pet recht en zag een oog achter het spionnetje verschijnen. De deur ging open, zo ver als de korte ketting het toeliet, en Patterson, nog in pyjama, keek door de kier naar buiten. 'Kunt u zich legitimeren?'

Jake hield hem zijn identiteitsbewijs van het Witte Huis voor. Patterson bekeek het en zei toen: 'Ik zal even die ketting...' De deur ging een stukje dicht, de ketting rammelde en toen ging de deur helemaal open. 'Weet u zeker dat u de juiste man hebt?' vroeg Patterson. 'Ik hoor bij de andere partij.'

'Ja, u bent de juiste man.'

'Hoe hebt u me gevonden?'

'Ik hoorde het bericht op uw antwoordapparaat en heb alle hotels in Atlanta gebeld waarvan ik vermoedde dat een politiek consultant er zou kunnen logeren.'

Patterson kon erom glimlachen. 'Oké, kom binnen. Ik ben de hele nacht op geweest, ging pas om zes uur vanochtend naar bed. Geld inzamelen.'

Hij geeuwde, masseerde zijn nek en ging Jake voor naar de kleine suite. 'Ik was al bang dat de CIA een zendertje onder een van mijn teennagels had aangebracht, of zoiets. Dat u me op die manier had gevonden.' Hij was groter en zwaarder dan hij er op de foto had uitgezien. Zijn donkerrode pyjama, maat XXL, was bedrukt met kleine zwart-witte pinguïns. Patterson liet zich op de bank ploffen, wees naar de fauteuil aan de andere kant van de salontafel en vroeg: 'Wat is er aan de hand? Wilt u misschien koffie?'

'Hebt u het nieuws over senator Bowe gehoord?'

'Natuurlijk. Daar valt niet aan te ontkomen. Maar wat heeft dat met mij te maken?' De defensieve toon van Pattersons stem was Jake niet ontgaan. Patterson vermoedde welke kant dit gesprek op zou gaan.

'Een tijdje geleden,' zei Jake, 'had u een ontmoeting met Barbara Packer in het Watergate, en toen hebt u haar gevraagd wat uit republikeins oogpunt het beste moment zou zijn om de vicepresident met een schandaal te confronteren. Dat schandaal, zou dat geleverd worden door senator Bowe?'

Patterson bleef hem even aankijken, leek hem in te schatten, en zei toen: 'Eén minuutje.' Hij stond op, liep de badkamer in en deed de deur achter zich dicht. Na een minuut werd het toilet doorgetrokken, en na nog een minuut kwam hij de badkamer weer uit, met zijn gezicht nog vochtig van het water waarmee hij zich had opgefrist. Hij liet zich moeizaam op de bank zakken en vroeg: 'Is de FBI onderweg naar boven?'

'Nog niet,' zei Jake, 'maar dat zou wel kunnen gebeuren.'

'U zei dat u voor Danzig werkte. Dus u bent een soort politieman?'

'Nee, geen politieman. Officieel ben ik researchconsultant. Maar ik moet u wel zeggen dat de FBI zich met zwaar geschut op deze zaak heeft geworpen. Als ik van mening ben dat u iets weet wat relevant is voor onderzoek naar Bowes dood zal ik u vroeg of laat moeten aangeven.'

Patterson bleef hem weer even aankijken en zei toen: 'Misschien moet ik mijn advocaat bellen en rechtstreeks met de FBI praten.'

'Dat kunt u doen,' zei Jake. 'Maar de FBI is op dit moment erg nerveus. Hoe groter de druk die op hun schouders rust, hoe waarschijnlijker het wordt dat ze iemand willen hebben die ze naar de gevangenis kunnen sturen. Ik bekijk alleen de politieke kant van de zaak, niet de strafrechtelijke.'

Na weer een stilte zei Patterson: 'De waarheid is dat de zaak alleen maar politieke kanten hééft.'

'Wat was Bowes rol in het geheel? Was hij degene die het schandaal aan u doorspeelde?'

Patterson leunde achterover. 'Ja, min of meer wel.'

'Wat betekent dat, min of meer?' vroeg Jake.

'Linc wist dat de informatie bestond. Ik weet niet wie die nu heeft, en ik heb ook niet alles gezien, maar er zijn papieren, e-mails, bankgegevens, en een video, en het schijnt allemaal te gaan over de verbreding van een snelweg in Wisconsin. Highway 65. Die loopt van de Twin Cities naar een van de voorsteden in het noorden. De staatsoverheid en federale overheid hebben driehonderdvijftig miljoen dollar voor de werkzaamheden betaald. Als de informatie juist is, is een deel van dat geld in de zak van de vicepresident en zijn vrienden verdwenen. Zeven of acht miljoen in elk geval. Waarschijnlijk meer.'

'Waar komen die papieren vandaan?' vroeg Jake.

'Van de hoofdaannemer. Het contract is gegaan naar een bedrijf dat ITEM heet, en iemand bij ITEM heeft blijkbaar alle papieren gekopieerd. Waarom, weet ik niet. Wie, weet ik ook niet. Het is zelfs zo dat het om een slimme vervalsing kan gaan, van zo'n internetgriezeltje dat de overheid wil treiteren. Maar als de informatie echt is en openbaar wordt gemaakt, is de vicepresident er geweest. En sleept hij de president misschien met zich mee. Hangt van de timing af.'

'De timing.'

'Ja, de timing,' zei Patterson. 'Ga zelf maar na. Als iemand nu de bom laat vallen, komt er een enorme ophef en is de vicepresident over een maand of zo zijn baan kwijt. Iedereen zal hem voor de rechter willen slepen, maar het zal een jaar of twee duren voordat het echt tot een proces komt. Wij – de republikeinen – schreeuwen natuurlijk moord en brand, maar de regering zal zeggen: "Hoor eens, wij wisten niet dat hij een onbetrouwbare schoft was, want dit is gebeurd voordat we hem hebben uitgekozen. Maar nu we het weten, zullen we er alles aan doen om hem in de gevangenis te krijgen." Jullie zakken dertig punten in de peilingen en kiezen een goeie vent uit om Landers' plaats in te nemen. Jullie houden een groot, gezellig partijcongres, komen tot de conclusie dat de vicepresident de moeite van de aandacht niet waard is, maken de dertig punten goed, en wij republikeinen zijn weer terug bij af.'

Jake sloeg zijn benen over elkaar. 'Oké...' Als iemand goed in zijn verhaal zat, liet je hem praten.

'Als we de bom in de eerste week van oktober laten barsten,' vervolgde Patterson, 'bereikt het schandaal vlak voor de verkiezingen zijn hoogtepunt. Het zou jullie twee à drie weken kosten om Landers te lozen. U weet hoe het gaat: hij ontkent alles, probeert zich eruit te draaien, zijn vrouw barst voor de camera in tranen uit en staat vierkant achter haar man. Maar als de informatie echt is, heeft ontkennen geen zin. Dus een week voor de verkiezingen wordt Landers gedumpt en jullie zakken dertig punten in de peilingen. Niemand wil Landers' plaats innemen, want het zit er dik in dat de democraten gaan verliezen. Dus zetten jullie een of andere loser op die post, wat alles nog erger maakt – een zwaktebod van jullie kant – en de president kan het schudden.'

'Allemaal vanwege de timing.'

'Ja. Als deze informatie echt is, zal die vroeg of laat naar buiten komen. Maar wannéér dat gebeurt, zal doorslaggevend zijn.'

Jake stond op, hinkte door de suite naar het raam en keek uit over Atlanta. Daarna draaide hij zich om en vroeg: 'Maar u weet niet waar de informatie is?'

'Nee, díé informatie heeft Linc met zich meegenomen. Ergens in Wisconsin, vermoed ik. Misschien in Wausau, waar ITEM zijn hoofdkantoor heeft. Maar ze hebben diverse andere kantoren in Wisconsin.'

'En niets hiervan heeft te maken met de laatste campagne van senator Bowe, of wel?'

Patterson wendde zijn blik af, zette zijn vingertoppen tegen elkaar, wreef ze even langs elkaar en zei toen: 'Nee, niet echt.'

'Niet echt?'

'Hij zou het prachtig hebben gevonden om de president onderuit te halen, en als bekend zou worden wie daarvoor verantwoordelijk was, na wat ze hem hadden aangedaan,' zei Patterson. 'Linc had een vals trekje. Een heel vals trekje... maar goed, hij was senator. Zonder vals trekje kun je geen senator worden.'

'Hm. Maar het had niets met Arlo Goodman te maken.'

Er kwam een meewarige glimlach om Pattersons mond. 'Arlo Goodman,' zei hij. 'Hoe lang heeft het u gekost om uit te vinden dat de informatie bestond? En om mij op te sporen? Nadat u was gaan zoeken?'

Jake haalde zijn schouders op. 'Een paar dagen.'

'Precies. Ik wed dat er inmiddels vijftig mensen zijn die er lucht van hebben gekregen. Het is zoiets als een groot paasei waar iedereen naar op zoek is. Ik durf met u om duizend Amerikaanse dollars te wedden dat Arlo Goodman en zijn jongens er ook van hebben gehoord. En dat dát de reden is dat ze Linc van kant hebben gemaakt.'

'Denkt u dat Goodman...?'

'Jazeker denk ik dat. Een stel van die Irak-veteranen met wie Goodman omgaat, dat tuig van de Special Forces, heeft Linc het bos in gesleept en gaten in zijn hoofd geboord totdat hij hun heeft verteld waar de informatie is.'

'Daar... zegt u nogal wat.'

Patterson maakte een hulpeloos gebaar met zijn handen. 'Ik kan het niet bewijzen. Ik heb geen greintje bewijs. Maar ik durf te wedden dat het zo gebeurd is. Als Landers nu wordt gedumpt, wie is er dan een betere kandidaat voor het vicepresidentschap dan Arlo Goodman? Hij is populair, ziet er goed uit, weet verdomd goed hoe je campagne moet voeren, is gouverneur van een staat die iets in de melk te brokkelen heeft, en hij kan niet als gouverneur worden herkozen. Dus hij is beschikbaar. En over vier jaar doet hij een gooi naar het presidentschap.'

'Als dat zijn plannen zijn,' zei Jake, 'zou Landers nú gedumpt moeten worden.'

'Nou en of. Goodman heeft nu, of in de komende maand, die informatie nodig. Als die pas in oktober boven water komt, is zijn kans verkeken. Dan verliezen de democraten, loopt Goodmans gouverneurschap het jaar daarna af en is er geen andere politieke functie voor hem beschikbaar. En is er dus ook geen basis meer om over vier jaar een gooi naar het presidentschap te doen.'

Daar dachten ze allebei enige tijd over na. 'Als u gelijk hebt, over Goodman en Bowe,' zei Jake, 'zou ik enigszins bezorgd zijn als ik u was.'

'Dat ben ik ook,' zei Patterson. 'Maar lang niet zo bezorgd als iemand anders zou moeten zijn. Ik wist alleen maar van het bestaan af, heb de informatie zelf nooit gehad. Linc was de enige die je in de juiste richting kon wijzen, die wist wie de informatie nu heeft.'

'Weet Madison Bowe ervan?'

Patterson krabde zich op zijn hoofd. 'Weet u, dat zou ik echt niet weten. Ze leefden... min of meer gescheiden van elkaar, hoewel ze veel om elkaar gaven. En Linc heeft haar altijd in bescherming genomen. Ik weet niet of hij haar erover verteld heeft. Want iemand die er vanaf wist, kon flink in de problemen raken.'

'Juist,' zei Jake, en na een korte stilte: 'Hebt u enig idee waar ik moet zoeken? Aan wie ik het kan vragen?'

'Ik zou Lincs vriendje opzoeken en het aan hem vragen. Iemand die zowel in de politiek zit als met hem in bed is gekropen. Maar het is heel goed mogelijk dat hij aan niemand iets heeft verteld.'

Barber, dacht Jake. En hij dacht: Patterson wist dat Lincoln Bowe homo was.

'Hoeveel mensen waren er op de hoogte van Lincoln Bowes seksleven?' vroeg Jake, en toen hij Patterson zag aarzelen, voegde hij eraan toe: 'Ik hoef geen aantal, ik wil alleen een indruk krijgen.'

'Dus u weet het?'

'Dat hij homo was? Ja, dat heeft Madison me verteld.'

Patterson knikte. 'Wie het wisten? Iedereen die hem een tijdje kende... goed kende. Als je vaak genoeg bij hem in de buurt was om te zien naar wie hij keek.'

'Dat kunnen heel veel mensen zijn.'

'Ja. Hij ging er wel zorgvuldig mee om, maar de mensen wisten het. Vijf-entwintig? Vijftig? Ik heb geen idee. Ik weet ook niet of zijn ouders het wisten...'

'Zou Goodman het geweten hebben?'

'Ah...' Patterson krabde zich weer uitgebreid op het hoofd en knipperde met zijn ogen vanwege het licht dat door het raam naar binnen viel. 'Moeilijk te zeggen. Het zou me niet verbazen als Goodman niet een paar spionnen in onze campagne had geïnfiltreerd, maar dat zou dan in de lagere functies zijn... een vrijwilliger, of iemand die onze computers onderhoudt. Dus als Goodman iets heeft gehoord, zijn het waarschijnlijk alleen geruchten. En als je Madison ziet, dan denk je toch: die man homo? Met zo'n lekker wijf in huis? Weinig kans!'

Ze praatten nog een minuut of twintig door, waarbij Jake nog wat informatie over de mogelijke val van Landers uit Patterson probeerde los te krijgen. Toen ze klaar waren, stond Jake op, stopte zijn blocnote in zijn koffertje en vroeg: 'Wat gaat u nu doen?'

'Mijn mond dichthouden, voorlopig,' zei Patterson. 'Totdat ik weet uit welke hoek het gevaar dreigt. Als ik nu met de FBI ga praten, zullen ze willen weten waarom ik het niet meteen heb gemeld. Dan komt het hele Landers-gedoe in de openbaarheid, krijgen jullie je zin, wordt Landers gedumpt en zitten wij met de gebakken peren. Als ik niet met ze praat, kan ik evengoed in de problemen komen, maar dan is er nog een kans dat ik me erlangs kan wringen. Op dit moment denk ik dat ik voor die kans ga. Maar dat kan veranderen.'

'Laat u het me weten?'

Patterson glimlachte onzeker. 'Misschien wel. Misschien kan ik dan wel wat hulp gebruiken. Ik heb jullie geholpen, voor zover ik dat kon, dus misschien kunnen jullie dan iets voor mij doen.'

'Bel me,' zei Jake. 'Er kan altijd iets geregeld worden.'

Toen Jake naar de deur liep, riep Patterson hem na: 'Hebt u iets met Madison Bowe?'

Jake bleef abrupt staan. 'Waarom vraagt u dat?'

'Nou, toen ik haar daarnet een "lekker wijf" noemde, kwam er zo'n boze blik in uw ogen dat ik even bang was dat u me naar de strot zou vliegen.'

'Ik spreek haar wel eens,' zei Jake.

'Dan spijt het me van dat "lekker wijf".'

'Ja... nou, het idee erachter klopt wel.'

'Nog een vraag,' zei Patterson. 'Dat rare Hello Kitty-petje, wat is het verhaal daarachter?'

Jake bracht zijn hand naar de klep van de pet. 'De korte versie is dat ik een snee in mijn hoofd heb, dat ze een stuk haar hebben weggeschoren en dat er hechtingen uitsteken. Een taxichauffeur zei tegen me dat ik hem aan het monster van Frankenstein deed denken. Ik had haast en had geen tijd om een ander petje te kopen.'

Patterson glimlachte weer. 'Die pet... ik ben nog nooit ondervraagd door iemand met een Hello Kitty-petje. Best beangstigend, op een "Texas Chainsaw Massacre"manier.'

Toen Jake de deur achter zich dichtdeed, zat Patterson nog steeds op de bank, hij dronk een cola uit de minibar en staarde naar de televisie. Jake nam de lift, liep naar de balie en vroeg de receptionist een taxi voor hem te bellen. In de lobby was een cadeaushop waar hij een pet van de Atlanta Braves kocht, het Hello Kitty-petje in de prullenbak stopte, het hotel uit liep en het nummer van Danzig intoetste op zijn mobiele telefoon. Gina verbond hem meteen door.

'Zeg niet te veel,' zei Danzig zonder Jake gedag te zeggen. 'We moeten heel voorzichtig zijn.'

'Dat weet ik. Ik heb Patterson gesproken. We moeten praten, vanavond nog, als ik een vlucht kan krijgen. Het kan laat worden.'

'Bel het reisbureau.'

Jake belde het reisbureau van het Witte Huis en kreeg te horen dat er al een vlucht voor hem was geboekt, om zeven uur. Op de heenweg en tijdens zijn gesprek met Patterson had zijn toestel uit gestaan, en toen hij zijn berichten bekeek, zag hij dat er een voicemail van Madison Bowe was.

'Bel me alsjeblieft. Het is belangrijk.' Ze had zowel haar privénummer als haar mobiele nummer ingesproken. De taxi kwam eraan en Jake stak het toestel in zijn zak. Op het vliegveld haalde hij zijn ticket af, ging door de beveiliging en belde haar vanuit de vertrekhal.

Ze nam meteen op. 'Hallo?'

'Madison... mevrouw Bowe, met Jake Winter.'

'Jake. Jezus, ik ben je de hele dag al aan het bellen,' zei ze. 'Johnnie Black had gehoord dat je gisteravond in elkaar bent geslagen en naar het ziekenhuis bent gebracht. Waar ben je nu?'

Ze klonk bezorgd. Interessant. 'In Atlanta.'

'Atlanta.' Ze klonk al minder bezorgd. 'Hoe kom je in Atlanta?'

'Met het vliegtuig,' zei Jake.

Ze lachte en zei: 'Nee, gekkie, dat bedoel ik niet. Ik bedoel... shit, laat maar, ik weet niet wat ik bedoel. Ben je niet ernstig gewond?'

'Ik ben bont en blauw en heb een paar hechtingen in mijn hoofd.' Hij betrapte zich erop dat hij genoot van haar medeleven. 'Ben je... eh, is morgen de begrafenis?'

Ze werd meteen weer ernstig. 'Ja, om één uur. Het zal een mediacircus worden. Hoor eens, jouw onderzoek voor Danzig, gaat dat nog door, of ben je er nu klaar mee?'

'We willen nog steeds weten wat er precies gebeurd is,' zei Jake.

'Mooi. Dus je bent er nog mee bezig. Want ik heb problemen.'

'Wat is er gebeurd?' Hij verborg zijn bezorgdheid niet. 'Je denkt toch niet, ik bedoel, heeft iemand je weer...'

'Nee, nee, ik ben in New York, maar ik sta op het punt om terug te vliegen naar Washington. We kunnen beter daar afspreken. Ik ben paranoïde aan het worden.'

'Blijf je laat op?' vroeg hij.

'Dat denk ik wel. Hoe laat ben je terug?'

'Het vliegtuig landt om negen uur,' zei Jake. 'Maar ik moet eerst met Danzig gaan praten. Dus ik kan niet eerder dan tien uur of halfelf, op z'n vroegst.'

De luchthaven beschikte over draadloos internet en terwijl Jake op zijn vlucht wachtte, logde hij in op de website van de staat Wisconsin, sectie Verkeer en Waterstaat, en zag bevestigd wat Patterson hem had verteld. De aanleg van de weg had echt plaatsgevonden en de geldbedragen klopten met die van Patterson. Een aanzienlijk deel van het geld was afkomstig van de federale overheid, wat inhield dat als de beschuldigingen tegen Landers echt waren, Landers zich aan een federaal vergrijp schuldig had gemaakt.

De vlucht werd op tijd omgeroepen en verliep zo snel en routinematig als een vlucht maar kon zijn: kort, saai en rumoerig. Toen hij in Washington uit zijn stoel opstond, kon hij bijna niet overeind komen, want zijn beurse spieren wilden niet meewerken, en hij bleef in de aankomsthal staan om wat rekoefeningen te doen.

Het hielp niet veel; hij bleef gewoon pijn houden. Buiten hield hij een taxi aan, hij liet zich naar het Witte Huis brengen en belde van tevoren dat hij eraan kwam. Hij werd meteen naar de Blauwe Kamer begeleid. Gina was in Danzigs kantoor, had haar schoenen uitgetrokken en masseerde haar in nylon gehulde tenen. De andere twee secretaresses waren al naar huis. 'Hoe gaat het met je hoofd?' vroeg ze toen Jake binnenkwam.

'Een beetje pijnlijk, maar dat kan ook van de honger komen.' Vervolgens moest hij haar en Danzig precies uitleggen wat er gebeurd was.

'Dus toen je op de grond lag en voordat je buurman zijn geweer afschoot, hebben ze niet geprobeerd je portefeuille te pikken?' vroeg Danzig. 'Of je koffertje?'
'Nee, en dat baart me zorgen.'
Gina huiverde. 'Dat bevalt me helemaal niet.' Ze stond op en vroeg: 'Wil je koffie? Zal ik een broodje voor je halen?'
'Ja, lekker,' zei Jake. 'Allebei graag.'
'Ham en kaas? Tonijnsalade?'

Toen ze de kamer uit was gelopen zei Danzig: 'Ze is niet te stoppen. Nou, vertel op.'
Jake plofte in de stoel bij het bureau, deed zijn koffertje open, haalde de blocnote eruit en keek naar zijn aantekeningen. 'In Wisconsin, tijdens de ambtsperiode van Landers, is Verkeer en Waterstaat begonnen met de verbreding van Federal Highway 65, over een lengte van ongeveer honderdvijftig kilometer. De werkzaamheden begonnen bij de I-94, ten oosten van de Twin Cities, tot aan Hayward, een stadje in een vakantiegebied in de bossen in het noorden van Wisconsin. De federale overheid heeft ongeveer driehonderd miljoen dollar aan het project meebetaald, en de staat Wisconsin nog eens vijfenvijftig miljoen. Landers en zijn kornuiten worden ervan verdacht dat ze ongeveer acht miljoen van dat geld in hun zak hebben gestoken.'
'Jezus, dat is meer dan twee procent,' zei Danzig. 'Knap werk. Hoe hebben ze dat gedaan?'
'Dat weet ik niet. Maar nu bestaat er belastende informatie...'
Halverwege Jakes uitleg hoorden ze Gina terugkomen, en Danzig bracht zijn vinger naar zijn lippen om Jake aan te geven dat hij even stil moest zijn. Gina kwam binnen met de koffie en de broodjes en Danzig zei: 'Ga maar naar huis, Gina.'
'O, maar als u nog iets te doen hebt...'
'Gina, ga naar huis. Ga je man gedag zeggen. Ik ga nog even met Jake praten, dan zetten we er voor vandaag een punt achter en ga ik zelf ook naar huis. Ik wil dat je morgen begint met de opzet van een dagelijks rapportageproces voor het partijcongres, en dat je een lijst maakt van iedereen die we daarbij moeten betrekken.'
'Daar kan ik nu alvast mee beginnen...'
'Gina, ga naar huis.'
Toen ze uiteindelijk was vertrokken, met tegenzin, wendde Danzig zich weer tot Jake. 'Je zei...'
Jake maakte zijn verhaal af en daarna vroeg Danzig: 'Hoeveel mensen weten dat deze informatie bestaat?'

'Patterson denkt dat er aardig wat mensen zijn die het bestaan vermoeden. Als hij gelijk heeft over Goodman...'

Danzig schudde zijn hoofd. 'Daar geloof ik niet in. Goodman is veel te slim om zich met ontvoering en moord in te laten. Of met het laten aftuigen van jou, als je dat soms denkt.'

'Dat weet ik nog zo net niet,' zei Jake, en hij schudde zijn hoofd. 'Er schijnt daar toch iets gaande te zijn. Goodman wil iets en iemand anders doet er iets aan.'

'Zoals Lincoln Bowe vermoorden?'

'Dat weet ik niet,' zei Jake. 'Maar als die informatie daar ergens rondzwerft en Goodman weet ervan... Ik kan best begrijpen dat Patterson zich zorgen maakt. Goodman is uit op macht. Macht die hij juist gaat kwijtraken. Hij heeft nog maar een jaar. Misschien ziet hij die informatie als een mogelijkheid om zijn comeback te maken.'

'Ja...' Danzig zat met zijn duimen te draaien alsof dat vanzelfsprekend was.

'De grote vraag is: geef ik al deze ontwikkelingen door aan Novatny, blijf ik zelf zoeken, of vergeten we de hele zaak?'

Danzig bleef hem even aankijken en zei toen: 'Het gaat hierom, Jake. Patterson heeft gelijk voor zover het Landers betreft, dat is zeker. Als we hem moeten dumpen, moeten we dat gauw doen. En wíj moeten dat doen. We willen niet dat *The New York Times* of *The Washington Post* ons voor is. We moeten een proactieve indruk maken.'

'We moeten die informatie te pakken zien te krijgen.'

'Ja. Landers laat zich heus niet wegsturen als we die niet hebben. Die ontkent gewoon alles.'

'Misschien kunnen we... ach, laat maar.'

'Wat wilde je zeggen?' vroeg Danzig.

'Wat ik wilde zeggen was, misschien kunnen we de informatie reproduceren, die met behulp van onafhankelijke bronnen samenstellen. Maar daar is onderzoek voor nodig, en als iemand er lucht van krijgt, hangen we alsnog.'

Danzig knikte. 'Precies. Als er informatie bestaat, willen we die nu hebben, en helemaal compleet. Als er geen informatie bestaat, moeten we dat ook weten. Waar we geen behoefte aan hebben is een langdurig onderzoek, bijzondere openbare aanklagers en een hoop gekrakeel. We willen geen langlopend schandaal. We willen het nú afgehandeld hebben, of voor altijd vergeten.'

'Wilt u dat ik blijf zoeken?'

'Ja, Jake, ik wil dat je blijft zoeken,' zei Danzig. 'Maar ik wil er niks mee te maken hebben. Ik ga morgenochtend tegen Gina zeggen dat wij helemaal klaar met elkaar zijn en haar opdracht geven uit te rekenen wat we je verschuldigd zijn voor je consult. Ik wil dat je geheel op eigen gezag doorzoekt, en als je de informatie vindt, bij ons aflevert.' Hij liet een stilte vallen en zei toen: 'Je begrijpt wel wat ik bedoel.'

'U wilt kunnen ontkennen dat ik voor u werk,' zei Jake.

'Je haalt me de woorden uit de mond,' zei Danzig. 'Ik wil namelijk alles wat ik krijgen kan. Ik wil jou van de loonlijst, zodat er achteraf niets in onze richting wijst. Ik wil dat je blijft zoeken, en als er iets is waar wij behoefte aan hebben, dat je dat vindt en aan ons geeft. Aan ons, niet aan iemand anders. En als je wordt gepakt omdat je iets doet wat on-ethisch of strafbaar is, wil ik je voor de wolven kunnen gooien.'

Jake glimlachte. 'Goh, bedankt, baas.'

'Je bent niet bepaald een maagd in dit werk.'

'Nee, maar een deel van me is dat nog wel. Dat wil ik niet graag beëindigd zien in een federale gevangenis.'

'Dat begrijp ik,' zei Danzig. 'Aan de andere kant, als je dit voor elkaar krijgt, staat je een fantastische beloning te wachten.'

'Wat voor beloning?'

'Wat zou je willen?'

De vraag bleef in de lucht hangen. Jake staarde Danzig enige tijd aan en zei toen: 'U meent het.'

'Nou en of.'

'Misschien wil ik wel heel veel,' zei Jake.

'Ik kan je geen miljard dollar geven, maar wel iets anders wat zeer de moeite waard is.'

Jake dacht er even over na en knikte toen. 'En u betaalt dit consult?'

'Vanavond nog.'

'Hou ik contact?'

'Bel me als je de informatie hebt,' zei Danzig.

'En als ik die niet vind?'

'Dan bel je me niet. Maar Jake, je móét die informatie te pakken krijgen.'

Jake stond op, leunde op zijn wandelstok, draaide zich langzaam om, keek naar de bronzen adelaar op de sokkel, legde zijn hand even op de buffelkop, draaide zich weer terug en zei: 'Het hele gedoe met die informatie is begonnen met een anonieme tip. Iemand belt me midden in de nacht op en zegt: "Zoek uit wat Packer en Patterson met elkaar hebben besproken in het Watergate." Dus... wie was dat, en wat was zijn motief? Er is dus nog een medespeler, iemand die ik niet kan zien en van wie ik niet weet wat hij wil.'

Danzig tikte met een geel potlood op zijn bureaublad en staarde Jake aan, maar zonder hem echt te zien. Ten slotte slaakte hij een zucht en zei: 'Shit, Jake, er is altijd wel iemand. Wat hij wil? Ja, misschien wil hij iets. Of misschien beleeft hij alleen plezier aan de wetenschap dat Landers' kop gaat rollen. Misschien levert het hem wel een betere baan op. Of hij hoopt dat ze ooit een film over hem zullen maken, dat hij naar Hollywood gaat en met Brittany West naar bed mag.'

'Patterson zei dat Goodman ervan zou profiteren,' zei Jake. 'Dat hij een flinke stap omhoog zou kunnen doen.'

De blik in Danzigs ogen werd weer scherp. 'Nou, we zullen wel zien hoe het zich ontwikkelt. Maar ik begrijp waarom hij dat zegt. God sta ons bij.'

Jake liep naar de deur. 'Tot ziens.'

'Dus je doet het?'

Jake glimlachte. 'Dat wilt u niet weten, toch?'

11

Om halfelf stopte Jakes taxi voor Madisons huis. Jake wrong zich eruit, hing de reistas over zijn schouder, nam zijn koffertje in de ene hand, zijn stok in de andere en liep het tuinpad op. Hij had Madison vanuit de taxi gebeld. Toen hij halverwege het pad was, ging het licht op de veranda aan en deed ze de deur open.

'Mevrouw Bowe...'

'Was het leuk in het Witte Huis?'

'Het is zelden leuk in het Witte Huis, tenzij je de president bent,' zei Jake, maar toen moest hij denken aan Danzigs opmerking over wat hij als beloning zou willen hebben. 'Maar het kan er soms interessant zijn.'

'Ga je het me vertellen?'

'Nee.'

Er hing een zwarte jurk in de hal, in een plastic zak van de stomerij, en eronder stond een tas van een schoenenwinkel. Haar kleding voor de begrafenis, dacht Jake toen hij doorliep naar de woonkamer. Daar brandde een gashaard; hij zag de vlammen door het glazen deurtje. Hij zette zijn reistas en koffertje neer en ging op de bank zitten.

'Wil je een glaasje wijn?' vroeg Madison.

'Ja, lekker.'

Even later kwam ze terug met twee glazen. De fles was al open, en ze hield hem tegen het licht om te zien hoeveel er nog in zat. 'Ik ben alvast begonnen,' zei ze terwijl ze een glas voor hem inschonk en het aan hem gaf. 'Ik heb Novatny gesproken. Ze hebben geen idee wie het gedaan kan hebben, afgezien van die Schmidt.'

'Schmidt is inderdaad een mogelijkheid,' zei Jake. 'Maar wat is er in New York gebeurd? U zei dat er iets raars was gebeurd.'

'Je moet me eerst over gisteravond vertellen. Over die overval.'

Jake vertelde het verhaal, op zakelijke toon om zijn gêne niet te laten blijken, en nam af en toe een slokje wijn. Ze luisterde aandachtig en toen hij klaar was zei ze: 'Zo te horen was dat geen beroving.'

'Nee, dat weet ik,' zei Jake. 'En ik weet ook wat u gaat zeggen. Maar ik geloof niet dat de burgerwacht erbij betrokken is geweest. Goodman denkt dat ik voor hém aan het rondkijken ben. Wie er wel mee te maken kan hebben, is uw vriend Barber, hoewel ik geen idee heb wat hij ermee opschiet als hij me in elkaar laat slaan.'

Madison fronste haar wenkbrauwen. 'Hij heeft wel een vals trekje. Dat heb ik in het verleden gemerkt. Maar weet je nog wat je me vertelde over de "regel"? Wie doet zijn voordeel met het feit dat jij in elkaar geslagen bent?'

'De regel zegt niet dat het voordeel duidelijk zichtbaar moet zijn. Sterker nog, meestal is dat niet zo. We weten gewoon nog niet genoeg... Nou, New York?'

'Oké.' Ze schonk een glas wijn voor zichzelf in, zette de fles op de salontafel, ging in een fauteuil zitten en stopte haar benen onder zich zoals vrouwen dat doen. 'Ik heb vanochtend vroeg de shuttle naar New York genomen en ben naar de flat gegaan. Om te kijken of alles in orde was, wat papieren op te zoeken en het dienstmeisje te betalen. Ik moest Lincs testament ophalen, en een paar verzekeringspolissen die Johnnie Black wilde zien. Ik heb alles gevonden wat ik nodig had, maar... Lincs medische gegevens waren weg. Er waren twee dikke dossiermappen die altijd in de bovenste la van de kast hebben gelegen, en ze lagen er niet meer. Hier zijn ze niet en op de ranch ook niet, dat weet ik zeker. Ze zouden in het huis in Santa Fe kunnen zijn, maar ik zou niet weten waarom, want zijn arts zit in New York.'

Jake dacht erover na en haalde zijn schouders op. 'Ik heb geen idee wat het kan betekenen.'

'Ik ook niet. Maar tussen de rommel onder het bed vond ik een flesje van een door zijn arts voorgeschreven medicijn, Rinolat. Ik heb het op internet nagezocht en het is een pijnstiller. Ik begreep het niet allemaal, maar er werd iets gezegd over monoklonale antilichamen. Hoe dan ook, hij slikte een heel zware dosis. Zwaar genoeg om een paard mee in slaap te krijgen.'

'Ik ken het...' Jake klopte op zijn bovenbeen. 'Ik heb er zelf ervaring mee gehad. Stond er een datum op?'

'Ja, van een maand voordat hij is verdwenen.'

'Was hij ziek?'

Ze schudde haar hoofd. 'Voor zover ik weet niet. Ik had hem al een tijdje niet gezien. De laatste keer dat ik hem zag, maakte hij een wat geïrriteerde indruk, maar niet dat hij pijn had. Daar heb ik niks van gemerkt.'

'Hm. Die pillen slik je niet zomaar... Weet u zeker dat ze van hem waren?'

'Zijn naam stond op het etiket, en die van zijn arts.'

Jake liet de wijn ronddraaien in zijn glas en nam er een slokje van. Hij had niet veel verstand van wijn, maar deze smaakte prima, naar geld. Hij dacht na over het autopsierapport. Novatny had gezegd dat er sporen van pijnstillers in Bowes lijk waren aangetroffen, dat hij vermoedelijk gedrogeerd was geweest om hem weerloos te maken. Maar was dat ook echt gebeurd? 'Denkt u dat iemand zijn medische gegevens heeft gestolen? Hebt u het dienstmeisje ernaar gevraagd?'

Madison knikte. 'Ja, dat heb ik gedaan. Maar ook dat is heel vreemd. Ze zei dat ze zijn arts gezien heeft. In de flat. Met zijn dokterstas.'

'Wie is die arts?'

'James Rosenquist, een oude vriend van Linc. Een van zijn echt goede vrienden, tenminste, dat was hij ooit. Ik heb hem gebeld, maar hij zei dat hij Linc al een halfjaar niet had gezien, niet meer na zijn jaarlijkse controle. Maar James heeft een lichte streep in zijn haar – waar hij nogal trots op is – en het meisje zei dat de man die ze in de flat heeft gezien, de arts, haar als van een stinkdier had.'

'O, jezus.' Jake leunde achterover, wreef over zijn kin en geeuwde. Vervolgens schudde hij zijn hoofd en bekende: 'Ik weet nog steeds niet wat het te betekenen kan hebben.'

'Ik ook niet,' zei Madison. 'Maar het is nu wel zo dat er ook in New York een verdacht incident heeft plaatsgevonden, en ik vind het vreemd als er op hetzelfde moment twee verdachte dingen gebeuren, tenzij die iets met elkaar te maken hebben. Ik heb overwogen Johnnie Black bij James langs te sturen, maar als James beweert dat hij Linc niet eens gezien heeft...'

'Heeft Rosenquist zijn praktijk in New York?'

'Ja, op de begane grond van een medisch centrum in de Upper East Side.'

'Een van de rijke jongens,' zei Jake, 'die zich achter hun advocaten kunnen verschuilen.'

'Zeker weten.'

Jake zuchtte, dronk zijn glas leeg, boog zich voorover om zijn koffertje te pakken en kromp ineen van de pijn. 'Mevrouw Bowe, ik zal hier en daar mijn licht eens opsteken, maar eerlijk gezegd weet ik niet wat ik hiermee aan moet.'

'Maar als James... als Rosenquist nu op de een of andere manier met Goodman onder één hoedje speelt? Ik bedoel...' Ze keek hem angstig aan.

'Is er een reden om dat te denken? Dat er een verband tussen die twee is?'

'Nee, maar ik blijf het raar vinden. Linc hield nooit dingen voor me achter. Goed, we hadden geen seksuele relatie meer, maar we waren nog wel getrouwd. We gaven heel veel om elkaar. Ik heb nooit iets geweten van een ziekte. Ik kan me niet voorstellen dat... ik bedoel, stel dat Rosenquist hem op de een of andere manier gedrogeerd heeft? En hem bij de ontvoerders heeft... afgeleverd?' Ze zweeg en fronste haar wenkbrauwen. 'Is dat erg dom?'

'Nee, helemaal niet,' zei Jake. 'Niets van wat u hebt gezegd is dom, maar ik weet niet waar u precies naartoe wilt. Of welke kant het op kan gaan.'

Ze beet even op haar lip, bleef hem aankijken en zei toen: 'Je vertrouwt me niet.'

'Jawel, voor zover ik...' Hij onderbrak zichzelf.

'Voor zover je wat? Voor zover je een Toyota kunt vertrouwen?'

'Nee, ik vertrouw u wel.' Weer een leugentje. Of niet? Ze gaf hem wel het gevoel dat hij haar kon vertrouwen. Aan de andere kant was vertrouwen wekken iets wat mensen in Washington tot een ware kunst hadden verheven.

Even overwoog hij haar naar de informatie over Landers te vragen, maar deed het toch maar niet; hij moest eerst nog wat speurwerk doen. Als zij de informatie had, of wist wie die had, wilde hij niets doen wat de zaak zou forceren en ervoor zou zorgen dat die in *The Times* terechtkwam. Niet totdat Danzig er klaar voor was, in elk geval.

Jake stond op en zei: 'Ik ga hier eens goed over nadenken en dan bel ik u morgen op.'

Ze leunde achterover in de fauteuil, nam nog een slokje wijn, keek hem aan over de rand van haar glas en zei: 'Goed dan. Het zal er waarschijnlijk niet voor zorgen dat je me helemaal gaat vertrouwen, maar ik moet je iets vertellen. Iets waaraan ik heb lopen denken sinds we het over Lincs seksuele voorkeur hadden.'

'Oké.'

'Linc had zijn buitenechtelijke relaties, maar ik ook. In de afgelopen negen jaar heb ik twee relaties gehad. Allebei met nette, discrete mannen, allebei relaties die een jaar of twee duurden en toen ophielden. Ik was degene die er een punt achter zette, omdat ik tot het besef kwam dat ze nergens toe leidden. Linc wist ervan, van allebei, en hij vond het goed. Ik bedoel, hij was er niet echt blij mee, maar hij begreep het.'

'Mevrouw Bowe...' begon Jake.

'Je mag me nu wel Madison noemen, in deze nieuwe situatie.'

'Wat voor nieuwe situatie?'

'De situatie waarin ik je als biechtvader gebruik. Maar laat me mijn verhaal afmaken. Ik vond dat je het moest weten, want dit is ook weer zoiets waar...' Er kwamen denkrimpels in haar voorhoofd en ze gebaarde met haar glas. '... als ik het je niet vertel en je komt er later achter, je je bedenkingen over zult hebben. Dat je je misschien gaat afvragen of iemand een reden gehad kan hebben om Linc uit de weg te ruimen. Maar ik beloof je dat ik precies twee relaties heb gehad, meer niet. En geen van beide mannen kan ook maar de geringste reden hebben gehad om Lincoln kwaad toe te wensen. Geen van beide relaties heeft een nasleep gehad. Er is gewoon een eind aan gemaakt en iedereen was min of meer tevreden. Dus...'

Jake knikte en zei: 'Je had me dit niet hoeven vertellen, Madison. Ik heb geen moment geloofd dat wat ze met Lincoln hebben gedaan, gebeurd zou zijn vanwege een buitenechtelijke relatie. In het extreemste geval wordt er wel eens iemand doodgeschoten, neem ik aan, maar verder...'

'Dat is nogal cynisch,' zei ze.

'Ik werk in Washington.'

Die nacht lag hij een tijdje wakker en dacht hij na over de mogelijkheden. Eén ding leek duidelijk: alle wegen naar de waarheid liepen via het lijk van Lincoln Bowe. En hij dacht aan Madison en de medische gegevens...

Voordat hij het wist was hij vertrokken en werd hij de volgende ochtend om vijf uur weer wakker. Hij douchte en deed oefeningen voor zijn been. Zijn hele lijf deed nog zeer van de afranseling en zijn blauwe plekken hadden, voor zover dat mogelijk was, een nóg donkerder blauwe tint gekregen. Ook de sluimerende hoofdpijn was er nog steeds, als een schaduw, irritant maar niet echt ernstig. Hij had geluk gehad.

Of, dacht Jake, hij was gemanipuleerd, niet alleen door Madison, maar ook door de mannen die hem in elkaar hadden geslagen. Misschien hadden ze hem in elkaar geslagen om redenen waar hij totaal geen weet van had, om hem in een bepaalde richting te sturen... Maar welke?

Op kantoor maakte hij gebruik van zijn toegang tot de overheidscomputers om in de database van Sociale Zaken te komen. Daar ging hij op zoek naar de gegevens van ene Donald Patzo, iemand uit zijn verre verleden. Patzo beschikte over vaardigheden die hem misschien van pas zouden komen...

Er zaten vierentwintig Donald Patzo's in de database, maar er was er maar één met de juiste leeftijd en het juiste beroep. Patzo was zesenzestig jaar. Hij was in de bijstand terechtgekomen toen hij tweeënzestig was, en zijn werkverleden deed vermoeden dat hij niet veel pensioen had opgebouwd, want hij had vierentwintig baantjes gehad in de veertig jaar nadat hij uit het leger was gekomen, en had helemaal niet gewerkt in de vijftien jaar die hij in de gevangenis had doorgebracht.

Jake schreef het adres op, en zocht met het routeprogramma op zijn laptop uit waar het was. Om zeven uur belde hij Madison.

'Met Jake. Ik hoop dat ik je niet wakker bel?'

'Nee, nee,' zei ze. 'Het wordt een afschuwelijke dag en ik was om vijf uur al op.'

'Kan ik even bij je langskomen om de sleutel van jullie flat in New York op te halen?'

Het bleef even stil. 'Wat ben je van plan?'

'Die centimeter voor centimeter uit te kammen. Ik zal mijn uiterste best doen je privacy te respecteren, als er plekken zijn waarvan je liever niet wilt dat ik er kijk.'

'Nee, nee...' Weer een stilte. 'Ik heb liever dat jij het doet dan de FBI, denk ik. Wanneer wil je het doen?'

'Vandaag nog. Ik moet vanochtend een paar dingen doen, maar ik was van plan de shuttle van twaalf uur vanaf National te nemen.'

'Kom dan maar meteen.'

Om kwart over zeven stopte hij voor haar huis. Er stonden twee nieuwsbusjes in de straat geparkeerd, maar geen van beide nam de moeite om Jake te filmen. Een man met een grappig hoedje kwam net het tuinpad af en liep naar het busje van een bloemisterij. Ze had bezoek, een vrouw, haar beste paardenvriendin uit Lexington, zei Madison. Ze gaf hem de sleutel en een briefje voor de portier. 'Ik heb hem gebeld, gezegd dat je komt en dat hij je binnen moet laten.'

'Is er een computer in de flat?'

'Natuurlijk.' Ze had een spijkerbroek en een polo aan, stond heel dicht bij hem en praatte op gedempte toon. Jake hoorde haar vriendin met iemand telefoneren.

'Weet je zijn wachtwoord? Had hij een wachtwoord?'

Ze rolde met haar ogen. 'Hij zat bij de Skull and Bones op Yale. Het wachtwoord is "Bonester".'

'Dat meen je niet...' Jake schudde zijn hoofd en glimlachte: de Ivy League. 'Is er een kluis?'

'Ja, maar daar zit niks in. Die heb ik gisteren leeggehaald. Hij is in de keuken, onder iets wat eruitziet als een ingebouwd houten hakblok in het aanrecht.'

Haar vriendin was nog steeds in de woonkamer. Ze liepen naar de hal en toen hij zich omdraaide om haar gedag te zeggen, pakte ze zijn mouw vast, trok hem iets omlaag en kuste hem snel op de lippen. 'Wees voorzichtig. Toe, wees voorzichtig.'

Daarna wilde hij eigenlijk niet meer weg, maar hij ging toch. Hij ging langs bij een buurtsuper en belde Don Patzo in Baltimore. Het toestel ging vier keer over voordat Patzo met slaperige stem opnam. 'Wat is er?' Jake hing op. Hij wilde Patzo zien als hij hem sprak.

Het was druk op de weg en terwijl hij naar Baltimore reed, voelde hij zijn lippen nagloeien van de kus.

Er bestond, wist hij uit ervaring, een groot scala van kussen, variërend van de luchtkus, aan de ene kant van het spectrum, tot de orgastische kus aan de andere kant. Met daartussenin de tedere kus, de hete kus, de vriendschappelijke kus, de eerste kus, de veelbelovende kus, de intense kus, de 'vaarwel voor altijd'-kus, de 'tot straks'-kus, de wanhopige kus, de moederlijke kus en de Franse kus ofwel tongzoen, in willekeurige volgorde.

Was dit een eerste kus geweest, wat erop duidde dat er een tweede zou volgen, of was het een tedere of vriendschappelijke geweest, wat veel minder leuk zou zijn? Had ze zich iets tegen hem aan gedrukt? Was hij teruggedeinsd? Hij dacht van niet, maar hij was zeker verrast geweest. Had hij haar moeten vastpakken? En zo ja, waar dan?

Jake moest denken aan een oude Ierse grap, en hij glimlachte. 'Godallejezus, Sweeney, kon je dan nergens de hand op leggen?' 'Alleen op de kont van mevrouw O'Hara, en hoewel die een kunstwerk op zich is, heb je er in de oorlog geen reet aan...'

Hij voelde zich alsof hij weer veertien was.

Een paar minuten over negen reed hij Baltimore binnen en gebruikte hij het navigatiesysteem van de auto om Don Patzo's huis te vinden. Hij verdwaalde, zelfs met het navigatiesysteem, want het gaf straten aan die er niet waren, reed ruim een halfuur rond en vond Patzo's huis ten slotte in een doodlopende straat niet ver van het water. Water dat een onaangename vislucht verspreidde.

Patzo was degene geweest die Jake inbraaktechnieken had geleerd voordat Jake naar Afghanistan was gestuurd. Patzo had een keer of zes in de gevangenis gezeten, in drie verschillende staten, voordat hij als docent voor de CIA was gaan werken. Tijdens de les zei hij dat hij het precieze aantal niet meer wist, maar dat hij meer dan tweeduizend inbraken gepleegd moest hebben. 'Alleen kwaliteitsklussen, geen stomme gettoblasters en spelcomputers!'

Jake had hem een keer gevraagd hoe het kwam dat hij zo vaak gepakt was. 'Je werkt met percentages, knul, net als met gokken. Je schat de pakkans in op één procent, breekt honderd keer ergens in en raad eens? De laatste keer ben je door je procenten heen.'

Patzo woonde in een klein houten huis met een stoepje van betonplaten en een keurig gemaaid grasveldje ervoor. In een bloembak op het raamkozijn vochten tien onlangs geplante petunia's voor hun leven. Jake klopte op de voordeur, wachtte en klopte nog een keer. Patzo deed open. Jake herkende hem nog wel, maar alleen omdat hij wist wie hij was. De Patzo die hij tien jaar daarvoor had ontmoet, was een potige kerel geweest, met stekeltjeshaar en een felle blik in de ogen. Deze Patzo leek ineengeschrompeld, hoewel de blik in de donkere ogen er nog steeds was. Hij had een grauw gezicht, de tint van een hartkwaal, en een grote, vlezige neus. Hij ging gekleed in een sjofel flanellen shirt, een spijkerbroek met een te grote taillemaat en witte sportsokken.

Hij duwde de hordeur open en zei: 'Ja?'

'Don Patzo,' zei Jake. 'Jij hebt ooit inbraaktechnieken onderwezen aan een groep mannen van de Special Forces.'

'Ja. Nou, en?'

'Ik was een van die mannen. Ik heb je hulp nodig.'

'Ach, ga toch weg, man.' Patzo wilde de deur weer dichtdoen. 'En ik heb nooit lesgegeven aan een mankepoot.'

'Ik was toen nog geen mankepoot,' zei Jake. 'Dat ben ik later geworden. Wat ik wil dat je doet, is gemakkelijk, ongevaarlijk, je bent vanavond weer thuis en je krijgt er duizend dollar contant, belastingvrij, en een paar behoorlijke maaltijden voor. En het mooist van alles, het is legaal.'

De binnendeur was bijna dicht maar ging weer open. 'Hoe legaal is dat?' Jake haalde de sleutel van de flat uit zijn zak. 'De eigenaar heeft me de sleutel gegeven en de portier weet dat we komen. Je bent in dit geval meer een adviseur dan een inbreker.'

Patzo duwde de hordeur open. 'Je hebt vijf minuten om me te overtuigen.'

Ze praatten en Patzo ging akkoord. Jake liet de oude man voor in de auto stappen en ze reden terug naar Washington. Ze gingen even langs bij Riggs, waar Jake zijn privékluisje opende en tienduizend dollar meenam van de vijfentwintigduizend die hij daar bewaarde – voor bijzondere gevallen – en bij een drogisterij, waar hij een doosje gummihandschoenen kocht, en daarna reden ze door naar National. Patzo hield de hele rit zijn mond dicht, maar zijn ogen zagen alles. De enige emotie die hij prijsgaf was het ballen van zijn vuisten toen het vliegtuig opsteeg, en toen het landde.

Om één uur waren ze in New York en reden ze met een taxi over de Triborough naar de Upper East Side. De portier had de boodschap van Madison ontvangen en stuurde hen door naar de flat van de Bowes.

Ze gingen naar binnen en kwamen terecht in een hal met een ovalen spiegel in een gouden lijst, boven een antiek tafeltje waarop een geslepen kristallen vaas stond.

'Jezus christus,' zei Patzo. 'Die klotetafel is minstens dertig ruggen waard.'

'Weet je iets van antiek?'

'Genoeg. Ik heb vroeger veel timmermanswerk gedaan. Je weet wel, toen ik in dienst van de staat was...' Heel voorzichtig raakte hij het tafeltje aan. 'Hoe krijg ik dat ding hier verdomme weg?'

'Haal het niet in je hoofd,' zei Jake.

De flat had twee slaapkamers, maar was groter dan op het eerste gezicht. De keuken was lang, smal en compleet. De woonkamer was ruim, had een eiken parketvloer waarop drie oosterse tapijten lagen, en aan de muren hingen abstracte schilderijen, waaronder, boven de open haard, een prachtige Rothko. Naast de woonkamer was een tussenkamer, en de gang leidde naar twee slaapkamers, een grote en een kleinere, de logeerkamer. De grote slaapkamer beschikte over een badkamer met een ligbad dat groot genoeg was voor drie of vier mensen. Alles was behangen en geschilderd in subtiele pasteltinten.

Jake gaf Patzo een paar gummihandschoenen en zei: 'Kijk goed om je heen maar laat geen sporen achter. Als je iets tegenkomt waarvan je denkt dat het verstopt is, of wat interessant is – officiële papieren, medische gegevens – roep me dan. De bewoner van deze flat heeft de complete inboedel laten inventariseren voor de Belastingdienst, dus als er na ons bezoek iets ontbreekt, gaan we allebei voor schut.'

'Een huis als dit moet een kluis hebben,' zei Patzo.

'Die is er ook,' zei Jake. 'Maar die is leeg... de eigenaar heeft hem gisteren leeggehaald. Kijk maar of je hem kunt vinden.'

'Als een test.'

'Ja.'

Patzo ging aan de slag en Jake ging op de grond zitten om de archiefkasten door te nemen. Er waren er twee, in de tussenkamer, onder de computertafel. Hij haalde de dossiermappen er een voor een uit en vond betaalde rekeningen, financiële gegevens, gezamenlijke eigendomspapieren van de diverse huizen, belastingformulieren, aankooppapieren en kentekenbewijzen van auto's, en aandelenoverzichten van gezamenlijke fondsen bij Fidelity en Vanguard. Hij deed wat hoofdrekenwerk, telde alles op bij de saldi van hun twee bankrekeningen, bij U.S. Trust en Merrill Lynch, en de gezamenlijke aandelenpakketten, en kwam uit op een totaal van ongeveer vijfentachtig miljoen dollar.

Hij zocht in elke map naar verborgen papieren, maar vond die niet.

Patzo kwam de kamer in. 'Achter het hoofdeinde van een bed in de grote slaapkamer hangt een handwapen.'

Jake ging kijken. Het was een revolver, een oude blauwstalen .38, voor zelfbescherming. Hij zat in een zwart, rubberen holster die op de achterkant van het hoofdeinde was geschroefd. 'Blijf zoeken,' zei Jake.

Zoals Madison had gezegd, waren er nergens medische gegevens te vinden. Jake bekeek de rekeningoverzichten van beide banken en zag dat er in de maanden voorafgaande aan Bowes verdwijning diverse grote geldbedragen per cheque waren betaald, maar in het overzicht was niet te zien aan wie.

Jake zette de computer aan, typte 'Bonester' als wachtwoord in en ging de e-mails lezen. Er was opvallend weinig e-mail, zowel ontvangen als verzonden. Veel te weinig. Jake opende het adresboek en vond de namen van vijftig tot zestig mensen, onder wie Howard Barber. Maar toen hij ging zoeken naar e-mail van Barber, ontvangen en verzonden, vond hij die niet.

De e-mail was gewist.

Patzo kwam de kamer weer in. 'De kluis zit onder het hakblok in de keuken. Hij is open. Wil je hem zien?'

Jake ging kijken. Zoals Madison had gezegd, was de kluis leeg.

'Nou, wat maak je hieruit op?' vroeg Patzo.

'Al sla je me dood,' zei Jake.

'We leren hiervan dat degene die de beveiliging van deze flat heeft gedaan, heel goed wist wat hij deed,' zei Patzo. 'Hij weet best dat hij een prof niet voor de gek kan houden, zeker niet als je hem de hele dag de tijd geeft, maar geen junkie ter wereld zal deze kluis ooit vinden. Of het moet per ongeluk zijn. Dus als er hier nog iets verstopt is, zal dat op een heel slimme plek zijn, en moeten we dus op zoek naar bergplekken waar we die niet verwachten.'

'Daarom heb ik jou meegenomen.'

Jake ging terug naar de computer en controleerde de geschiedenisinstelling van de browser. De geschiedenis was gewist en het aantal dagen dat de gegevens bewaard moesten worden, was op nul gezet.

Bowe, dacht Jake, was bezig geweest zijn eigen sporen te wissen tot aan het moment dat hij was verdwenen. Hij kon Madison naar de bank laten gaan om uit te zoeken aan wie Bowe de cheques had uitgeschreven, maar dat duurde meestal een paar dagen, en in geval van een overledene – en advocaten die zich ermee bemoeiden – waarschijnlijk veel langer.

Maar als Bowe zich geen zorgen had gemaakt over alle persoonlijke financiële gegevens die hij had achtergelaten, waarom had hij dat dan wel gedaan als het ging om zijn e-mail, de websites die hij had bezocht en zijn medische gegevens? En waarom had de arts met het stinkdierenhaar ontkend dat hij Bowe had gezien? Jake dacht na over de arts toen Patzo weer binnenkwam.

'Ik heb weer wat.'

'Nog een kluis?'

'Iets anders.'

Deze vondst bevond zich in de woonkamer, in een ingebouwd kastje voor cd's en dvd's. 'Zie je dat het eruitziet als een sierpaneeltje, vanaf de zijkant?' zei Patzo. 'Maar misschien is het dat niet.' Hij liet zijn vingertoppen heel licht over het hout gaan. 'We hebben hier een loze ruimte met een breedte van vijfenveertig centimeter, dertig hoog en dertig diep. Het kan een meet- of constructiefout zijn, maar alles hier in huis is zo goed en strak gedaan dat ik dat niet geloof...'

Patzo bleef aan het hout voelen, maar gaf het ten slotte op. 'Ik weet alleen niet hoe het opengaat. Maar als je er een koevoet achter zet, denk ik dat je iets zult vinden.'

'Misschien kan het van een afstand worden geopend,' zei Jake. 'Met een knop, of een afstandsbediening?'

'Voor een afstandsbediening zou er een elektrisch oogje moeten zitten. Dus dat denk ik niet. Waarschijnlijk... ik zal nog eens kijken... voor een knop moet er ergens een snoertje lopen, en aangezien ze waarschijnlijk geen losse snoeren op de vloer willen, zou die heel dicht in de buurt moeten zitten.'

Ze keken aandachtig naar de hoeken van het kastje, voelden onder de planken, betastten de hoeken van de open haard en voelden achter de televisie. Toen zei Patzo opeens: 'Aha!' Hij duwde met de neus van zijn schoen tegen de plint en geruisloos kwam er een la uit het dvd-kastje schuiven.

'Grote genade,' zei Jake, en Patzo zei: 'Het lijkt wel zo'n film over piramides, als ze de geheime graftombe ontdekken', en ze bogen zich allebei voorover om te kijken.

Bovenop lagen velletjes papier en karton. Jake pakte ze eruit. Daaronder lag iets wat van leer leek en zagen ze de schittering van edelstenen. Patzo keek eens goed en zei: 'Die vriend van jou is een sm'er, of hoe zoiets heet. Een freak.'

'Die vriend van mij is de vrouw van deze man,' zei Jake. Hij wees en vroeg: 'Wat is het?'

'Ik kende vroeger iemand in het seksgebeuren die een hele koffer vol van dit spul had,' zei Patzo. 'Dat ding daar is een hondenhalsband, maar dan voor mensen, en dat andere een hondenketting. Ik weet niet wat dát is, maar ik ga het niet aanraken.'

'Jezus christus,' zei Jake.

'Een andere cultuur,' zei Patzo.

'Wat?'

'Een andere cultuur, de homocultuur. Die doen dat soort dingen.'

Jake keek naar de velletjes karton die hij uit de la had gepakt. Drie foto's: een van een hippiestel, mogelijk genomen in de jaren zestig, een van een klein meisje op een schommel, en een van een jongetje. De foto's waren oud maar nog gaaf, en de randen stonden een klein beetje krom, alsof ze in een portefeuille hadden gezeten.

En er was een kartonnen kaartje van ongeveer twaalf bij acht centimeter, waarop met een viltstift DIT ALLEMAAL VANWEGE LION NERVE geschreven stond. Verder niks.

'Ik heb nog nooit een hondenhalsband met diamanten erin gezien,' zei Patzo, die de band ophield aan de sluiting. 'Maar dat zijn het.'

'Ik betwijfel of ze echt zijn,' zei Jake. 'Daar zijn ze te groot voor.'

'In een huis als dit?' vroeg Patzo. 'Die zijn echt. En die ketting is van 18-karaats goud.' Hij keek Jake aan. 'Mag ik ze hebben?'

'Wat?'

'Die hondenband. De ketting. En dat andere ding. Ik bedoel, het zal heel gênant zijn als die vrouw, je vriendin, het vindt. Zonder het te willen is me inmiddels opgevallen dat het gaat om mevrouw Lincoln Bowe, en dat haar man de vermoorde senator is, en als dit spul van hem is... ik bedoel, ik kan ervoor zorgen dat het verdwijnt. Niemand zal het ooit weten. En ík kan het aan niemand vertellen, want dan ga ik de gevangenis weer in.'

'Hoeveel is het waard?'

'Minder dan Bowes reputatie,' zei Patzo.

Toen ze klaar waren met het uitkammen van de flat, om een paar minuten over zes, belde Jake Madison op haar mobiele telefoon.

'Hoe is het met je?'

Ze was na de begrafenis alleen geweest. 'Ik heb de hele middag zitten huilen. Het heeft me zo aangegrepen, Jake.'

'Gaat het nu weer?'

'Nee, ik zit er aardig doorheen,' zei ze.

'Hè, verdorie,' zei Jake. Na een korte stilte zei hij: 'Ik moet dokter Rosenquist uithoren. Gaat dat jou een eindeloze reeks problemen opleveren?'

'Nee,' zei ze. 'Hij is mijn arts niet. Ik ken hem niet eens erg goed. Wat heb je gevonden?'

'Het gaat meer om wat ik níét heb gevonden. Het lijkt erop dat je man zijn verdwijning heeft voorbereid. Hij heeft een groot deel van zijn e-mail en de geschiedenis van zijn browser gewist. Al zijn belasting- en bankpapieren zijn echter in orde, en keurig op volgorde opgeborgen, bijna alsof hij een belastingcontrole verwachtte. De vraag blijft: waarom heeft hij zijn medische gegevens weggedaan? En waarom ontkent

zijn arts dat hij hem heeft bezocht? Dat soort dingen willen we weten.'
'Oké, ga je gang, Jake. Maar wees alsjeblieft, alsjeblieft voorzichtig.'
'Dat zal ik doen. En ik bedenk wel een manier om jou erbuiten te houden. Er is nog iets. We hebben een andere bergplaats in de flat ontdekt en daar een paar dingen gevonden die te maken hebben met het seksleven van je man. Spul van leer, met kettingen en zo. Ik vroeg me af... mijn adviseur zegt dat ze enige waarde vertegenwoordigen, misschien zelfs aanzienlijke waarde, maar gezien het karakter ervan...'
'Weg ermee,' zei Madison.
'En ik heb drie foto's gevonden, op dezelfde bergplaats. Ze zijn gaaf, maar zo te zien hebben ze in een portefeuille gezeten. Een foto van een soort hippie-echtpaar uit de jaren zestig of zeventig, vermoed ik, want de man draagt een geruite broek...'
'O, nee,' zei ze. 'En op die twee andere staan een jongetje en een meisje?'
'Ja. Zijn ze belangrijk?'
Na een lange stilte zei ze: 'Die zou hij nooit uit zijn portefeuille halen. Die foto's zijn... als hij ze daar heeft opgeborgen, een soort zelfmoordbriefje.'
'Zelfmoordbriefje?'
'Ja. Hij zou hebben geweten dat ik het zo zou zien. Die foto's, van zijn ouders, zijn zusje en van hem, zijn een boodschap aan mij. Het waren zijn schatten. Hij zou ze nooit ergens verstoppen, waar dan ook. Die zijn echt een zelfmoordbriefje.'
'Een zelfmoordbriefje heeft alleen effect als het wordt gevonden,' zei Jake.
'Ergens tussen zijn papieren moet een aanwijzing zitten die aangeeft waar ik moet zoeken. Of misschien weet zijn moeder het; ze leeft nog. Maar, Jake, hij wíst dat hij ging sterven. Of hij werd achtervolgd en bedreigd, óf hij heeft het zichzelf aangedaan. Maar hij wist het.'
Jake opende zijn mond om haar te vertellen van het kaartje van twaalf bij acht centimeter, maar hij deed het niet. Hij wilde haar gezicht zien als hij het haar vertelde. Als 'dit allemaal' zijn verdwijning betekende, dan wilde hij haar gezicht zien als ze de woorden 'Lion Nerve' hoorde. Zien hoe ze reageerde.
Wat krijgen we nou, Jake, dacht hij opeens, vertrouw je haar niet?
Ze praatten nog een paar minuten door en toen zei Jake: 'Ik ga die Rosenquist opzoeken.'
'Bel me vanavond. Ik wil weten wat hij heeft gezegd.'

Toen Jake zijn telefoon had opgeborgen, zei hij tegen Patzo: 'Je hebt geluk. Ik zou graag het gezicht van je vriend willen zien als je hem vraagt een met diamanten bezette hondenhalsband voor je te verkopen.'

Er kwam een brede, dolgelukkige glimlach op Patzo's gezicht. 'Jezus, man. Ik bedoel, dit is een goudmijn... deze halsband.' Hij had er een stuk toiletpapier omheen gewikkeld en hield hem omhoog. 'Dit is mijn pensioen.'

'Denk je dat je op eigen gelegenheid terug kunt naar Baltimore?' vroeg Jake.

'Natuurlijk,' zei Patzo. 'Ik wil even een paar telefoontjes plegen, of misschien ga ik wel met de trein terug. Heb je een paar honderd dollar voor me? Ik hou niet zo van die klotevliegtuigen.' Hij wachtte even en vroeg: 'Wat ga jij doen?'

Patzo pleegde zijn telefoontjes, wierp nog een liefhebbende blik op het antieke tafeltje, raakte het nog één keer aan om er afscheid van te nemen en liet Jake alleen in de flat achter.

Toen hij vertrokken was, schoof Jake de comfortabelste fauteuil naar het raam, zodat hij een mooi uitzicht op Park Avenue had, en ging hij onderuit zitten om alles nog eens goed te overdenken. Alles, vanaf Bowes verdwijning en hoe die had plaatsgevonden, Schmidt en het amateuristisch verstopte pistool, Barber, het anonieme telefoontje dat hem bij Patterson had gebracht, tot en met de verdwenen medische gegevens. En Madisons kus van die ochtend.

Alles wat tot nu toe was gebeurd, was in een mysterie geëindigd. En hij beschikte niet over de middelen om een van die mysteries op te lossen... met één uitzondering.

Hij bleef daar zitten tot het donker was en dacht zijn plan uit. En toen het zover was en de achterlichten van de auto's op Park Avenue een rood lint vormden, als zalmen op weg naar hun broedplaats, kwam hij uit de fauteuil, deed een lamp aan en liep naar de grote slaapkamer om de holster met de revolver van het hoofdeinde van het bed te trekken.

Hij haalde de revolver uit de holster, keek of hij geladen was en schoof de vijf .38-patronen uit de cilinder.

Toen ze de flat doorzochten, had hij in een van de keukenladen gereedschap zien liggen. Jake gebruikte de nijptang om de kogel uit een van de patronen te trekken, gooide het kruit in de spoelbak en spoelde het weg. Hij schoof de lege patroon weer in de cilinder en draaide die zo totdat de patroon zich onder de hamer bevond. In de kast van de logeerkamer, waar Madison een deel van haar garderobe bewaarde, vond hij een kniehoge dameslaars. Hij stak zijn hand met de revolver in de laars, klemde die tussen twee kussens en haalde de trekker over. Hij hoorde een droge tik en rook de geur van verbrand kruit.

'Ik hoop van harte dat de politie hier geen sporenonderzoek doet,' mompelde hij tegen zichzelf terwijl hij de laars weer in de kast zette. In een van de laden van Madisons kast vond hij een zwarte panty. Hij trok die over zijn hoofd en vroeg aan de spiegel: 'Hoe zie ik eruit?' Hij bekeek zichzelf enige tijd en antwoordde: 'Als een of andere mafkees met een panty over zijn hoofd.'

Hij trok de panty van zijn hoofd, vouwde hem op en legde hem weer in de la. Zo kwam hij toch niet langs de portier.

Jake ging aan Madisons kaptafel zitten en bekeek zichzelf in de spiegel. Hij zag er best goed uit, vond hij. Als een ambtenaar of een schooldocent die net terug was van vakantie en nog geen tijd had gehad om zijn haar te laten knippen, iemand die zichzelf in conditie hield met een of andere zaalsport.

Hij kon er weinig aan veranderen, zonder make-upexpert, kon zich niet omtoveren in een boef. Hij had de littekens onder zijn ogen niet, noch de neus die diverse keren was gebroken, of het glimmende voorhoofd. Hij had wel de snee in zijn schedelhuid. Als hij zijn haar nu anders kamde... Het moest lukken om er als een gestoorde uit te zien, vond Jake. Hij dacht aan zijn Hello Kitty-petje, die hij eigenlijk had moeten houden, en glimlachte.

Hij keek nog eens in Madisons la, daarna in die van Lincoln Bowe, en vond een kam en een tube gel. Hij ging naar de badkamer, smeerde de gel in zijn haar en kamde het strak naar achteren en deed er nog wat meer gel in. De gel maakte zijn gezicht smaller en zijn hoofd kleiner, als de kop van een dobermann. En hij zag er nu ook een beetje verlopen uit. Rijk verlopen, weliswaar, als een straatschooier die een pak van duizend dollar had gevonden. Maar het was al een stuk beter.

Jake bekeek zichzelf weer in de spiegel, haalde een kwartdollar uit zijn zak, stak die in zijn mond en klemde hem tussen het tandvlees rechtsboven en zijn wang. Hij praatte in de spiegel tegen zichzelf, waarbij hij het muntstuk met zijn wang op zijn plaats hield en de spanning op zijn lippen. 'Hallo. Ik werk als huurmoordenaar voor de CIA en ben ernstig gestoord. Ik kom een kogel door je kop schieten...'

Nee, dat was te leuk. En hij wilde niet leuk maar ijskoud overkomen. Hij oefende nog wat meer. 'Ga met je dikke reet op die bank zitten, vetzak!' En met meer schorheid in zijn stem: 'Ga godverdomme op die bank zitten...'

Rosenquist woonde op de elfde verdieping van een luxe appartementengebouw aan Park Avenue, in het gedeelte van de 600-nummers, een log, granieten gebouw met een portier in uniform. Een van de bewoners, een dame met een hondje dat maar iets groter was dan een marmot, ging voor Jake het gebouw binnen. De portier knikte naar haar en ze liep door naar de lift. Toen ze was ingestapt, ging Jake naar binnen. De portier ging rechtop zitten en Jake vroeg: 'Dokter Rosenquist?'

'Wie kan ik zeggen dat er is?'

'Andy Carlyle.' Hij kon niet het risico nemen dat de portier zijn naam opschreef. 'Een vriend van hem is overleden en ik heb geholpen met het leegruimen van de flat. Ik heb een paar... eh... persoonlijke eigendommen gevonden waarvan ik denk dat ze aan dokter Rosenquist toebehoren.'

De portier belde naar boven. Hij praatte even en gaf de telefoon toen aan Jake. Jake pakte hem aan en zei: 'Hallo?'

'James Rosenquist. Wat hebt u voor me?'

'De vrouw van uw vriend had me gevraagd zijn flat, hm, uit te ruimen.' Hij noemde expres geen namen. 'Ik heb wat... eh, sieraden gevonden. En tussen zijn privépapieren zat een brief waarin stond dat u die moest krijgen. Het ene stuk is van leer, met diamanten, en het andere is een gouden ketting.'

'Als u de telefoon teruggeeft aan Ralph, zal ik tegen hem zeggen dat hij u naar boven kan sturen.'

In de lift zei Jake hardop: 'Stoer en mysterieus. Stoer en mysterieus. CIA-moordenaar. Een huurmoordenaar, zoals in de film...'

Hij bekeek zichzelf in de spiegelwand en haalde de kam nog eens door zijn haar om ervoor te zorgen dat de kale plek met de hechtingen goed zichtbaar was. Het Frankenstein-element. Ondanks de gel was er een lok haar losgelaten en over zijn voorhoofd gevallen, maar dat beviel hem wel. Het voegde een vleugje Hitler aan zijn Frankenstein-uitstraling toe. Hij stopte de kwartdollar weer in zijn mond, klemde die tussen zijn tandvlees en linkerwang en zei: 'Showtime.'

Nee. Nu was hij weer leuk. Hij moest niet leuk zijn. Hij moest gestoord zijn.

Rosenquist was een vadsige man met een rond gezicht, gekleed in een joggingbroek, een kort marathon-T-shirt met de tekst REN VOOR JE LEVEN en slippers. Een weke man die minstens vijfentwintig kilo te zwaar was. Hij had een glas in zijn hand en verderop in de flat werd zachte dansmuziek gespeeld. Jake boog zijn hoofd, liet de man zijn wandelstok en koffertje zien, probeerde eruit te zien als de beleefde CIA-moordenaar en vroeg: 'Dokter Rosenquist?'

'U kunt beter binnenkomen. Hebt u die dingen in Lincs flat gevonden?' Rosenquist had de deur dichtgedaan en Jake deed snel twee stappen de gang in om in de woonkamer te kijken. Niemand, en de muziek was afkomstig van een stereoset in de hoek. Jake draaide zich om en zei, met een stem zo vals en dreigend als hij maar kon opbrengen: 'Ja, maar we hebben ze weggegooid. Ik heb ze alleen gebruikt om hier binnen te komen. Ik wil weten wat je met Bowes medische gegevens hebt gedaan.'

Rosenquist bleef staan, zijn lippen plooiden zich in een grimas en hij gromde: 'Eruit.'

'Nee. We hebben geen tijd meer voor spelletjes.' Jake deed een stap naar hem toe, en toen nog een, en Rosenquist deed een stap achteruit. 'Je zit tot aan je nek in de problemen, Rosenquist, want er zijn al slachtoffers gevallen. Ik móét die medische gegevens hebben.'

Rosenquist deed een stap opzij en zijn hand schoot uit naar de intercom. 'Ik laat...'

Maar Jake had de revolver al in zijn hand en de loop wees naar Rosenquists slaap. 'Je schijnt niet te begrijpen hoe ernstig de situatie is, dikke,' zei Jake. 'Er is mij gezegd dat ik die medische gegevens bij jou moet ophalen, en ik zal ze krijgen ook. Het maakt me niet uit hoe.'

Rosenquist had zijn handen in de lucht gestoken en zijn ogen waren groot van angst. 'Richt dat wapen niet op me. Het kan afgaan. Richt dat wapen niet op me.'

'De medische gegevens...' Het muntstuk gleed weg en Jake duwde het terug met zijn tong. Het kwam achter zijn bovenlip terecht, waardoor zijn grijns nog gemener werd.

'Er zijn geen medische gegevens, die zijn er niet,' stotterde Rosenquist. 'De gegevens die er zijn, zijn in mijn praktijk, maar die stellen niks voor. Er is nooit iets mis met hem geweest.' Maar hij loog; zijn ogen verraadden hem. Zijn blik ging eerst opzij en toen weer terug naar Jake, om te zien of hij de leugen slikte.

Dat deed Jake niet. Hij zwaaide dreigend met de revolver. 'De woonkamer in. Ga met je dikke reet op de bank zitten, vetzak.'

'Er zijn geen medische gegevens...' Rosenquist ging op de bank zitten.

'Waarvoor behandelde je hem?' vroeg Jake.

'Ik behandelde hem niet, dat zweer ik.' Hij loog weer.

Jake bleef hem even aankijken en zei toen op vriendelijke toon: 'Weet je, ik heb al aardig wat mensen gedood. In het leger. En daarna nog een paar. Gewoon, omdat het nodig was. Ik vond het niet leuk, maar het moest gebeuren. Begrijp je wat ik bedoel? Iemand moest het doen. Mensen die problemen veroorzaakten.' Hij hoopte dat hij gestoord klonk. Het muntstuk gleed weer weg en hij duwde het terug met zijn tong.

'Ik begrijp het, ik begrijp het.' Rosenquist probeerde te glimlachen, maar zijn stem trilde en het huilen stond hem nader dan het lachen.

'Dit is net zoiets, goed beschouwd,' zei Jake. Hij wachtte even en vervolgde toen: 'Als je je beweegt, sla ik je verrot.'

'Luister...'

Jake klapte de cilinder van de revolver open en liet de patronen in zijn linkerhand vallen. Rosenquist zei niets en keek met grote ogen toe. Jake koos de lege patroon uit, te herkennen aan de indruk van de slagpen, hield hem op naar Rosenquist, zodat hij hem kon zien, schoof hem in de cilinder en klapte de cilinder dicht.

'Welnu,' zei Jake, en hij draaide de cilinder rond.

'Nee, toe,' zei Rosenquist. 'Dat ga je toch niet doen?'

Jake richtte de revolver op Rosenquists hoofd en haalde de trekker over. De revolver produceerde een droge tik, maar verder gebeurde er niets. Rosenquist veerde op, zijn mond ging open en hij knipperde met zijn ogen van afgrijzen. 'Je hebt de trekker overgehaald. Je hebt verdomme de trekker overgehaald!'

Jake draaide de cilinder weer rond. 'Ja, maar je had een kans van vijf tegen één. Een aanzienlijke kans dat je hersens niet tegen de muur terechtkomen. Maar misschien ook niet. Het is me nooit gelukt om het uit te rekenen.' Het muntstuk gleed weer weg en hij nam even de tijd om het terug te duwen. Hij kwijlde een beetje, ging met zijn hand over zijn kin en zag dat Rosenquist het zag. 'De kans zou elke keer vijf tegen één moeten zijn, toch? Maar als je het vaak genoeg doet, zal het uiteindelijk een keer raak zijn, nietwaar? Hoeveel keer denk jij? Jij bent dokter, dus je hebt wiskunde gehad. Is het vijf keer fiftyfifty? Of tweeënhalf keer fiftyfifty? Daar ben ik nooit helemaal uitgekomen.'

Hij richtte de revolver weer op Rosenquists hoofd. De arts stak zijn handen op alsof hij daarmee de kogel kon tegenhouden, draaide zijn gezicht weg en riep: 'Hij had kanker!'

'Kanker?' Jake keek hem over de loop heen aan. 'Waar had hij kanker?'

'In zijn hoofd. Een hersentumor.'

'Hoe ernstig?' vroeg Jake.

'Niet meer te behandelen.'

'Hoe lang had hij die al voordat hij is verdwenen?'

'Ongeveer een jaar, vermoeden we, maar we wisten het pas een paar weken. Hij groeide als een gek. Er was niks meer aan te doen. Voordat hij verdween, begon hij al tekenen te vertonen. Functiestoornissen, zowel geestelijk als lichamelijk. Hij had heel veel pijn. We konden hem een tijdje behandelen, maar niet lang.'

'Was hij van plan zelfmoord te plegen?'

'Dat denk ik wel, maar ik weet het niet. Ik weet niet wat er gebeurd is met die... onthoofding. Dat weet ik echt niet. Hij had me laten beloven dat ik mijn mond erover zou houden. Hij was mijn beste vriend.'

Jake deed een stap achteruit, klapte de cilinder van de revolver open en deed de andere patronen er weer in.

'Ga je me vermoorden?'

'Dat is niet nodig,' zei Jake. 'Als je iemand vertelt dat ik hier ben geweest, komt alles uit. De gevangenis is geen prettige plek voor een dikke nicht als jij. En je zou het daar lange tijd moeten volhouden.'

'Ik kan niet geloven dat Madison je op me af heeft gestuurd,' zei Rosenquist, en zijn adamsappel wipte op en neer.

'Jezus christus.' Jake barstte in lachen uit, zijn beste valse lach, schudde zijn hoofd, kwijlde weer en veegde zijn mond af. 'Wat ben jij ongelooflijk dom, dikke. Madison Bowe heeft hier niets mee te maken. Je hebt geen idee wat je met jouw spelletje hebt veroorzaakt. Je hebt geen idee waarin je bent terechtgekomen. De FBI zit erin, de CIA, en god weet wat voor beveiligingsdiensten nog meer. Ik weet dat de burgerwacht zich ermee bezighoudt, en er werken een paar jongens voor Goodman die jij niet graag wilt ontmoeten. Die zagen met een kettingzaag je benen van je dikke lijf. Madison Bowe? Stomme klootzak.'

'Maar als je niet voor Madison werkt...' Rosenquist was in verwarring. '... voor wie dan wel?'

'Dat kun je beter niet weten,' zei Jake, met een valse kwartdollarglimlach. 'Ik kan het je wel vertellen, maar dan moet ik je doodschieten, zo'n soort deal is het.'

Een oude grap. Rosenquist had hem eerder gehoord, maar op dit moment was hij bereid er genoegen mee te nemen. Jake ging door. 'Dus mondje dicht. Misschien overleef je het, hoewel ik niet weet hoe de andere kant daarover denkt. Ik zou zeker geen medische gegevens weggooien. Ik zou die ergens opbergen waar je advocaat ze kan vinden als hij ze nodig heeft. Want die zijn de allerlaatste troefkaart die je nog hebt.'

En weg was Jake.

Op straat, terwijl hij snel wegliep van het appartementengebouw, belde hij Madison. 'Ik denk dat ik bij je moet langskomen om je iets te vertellen,' zei hij.

'Kom maar,' zei Madison.

Hij stak zijn telefoon in zijn zak en begon hardop te lachen. Als zijn grootmoeder hem in Rosenquists flat bezig had gehoord, de taal die hij had uitgeslagen, zou ze zijn mond met zeep hebben uitgewassen.

Dus lachte hij, en de mensen op straat liepen voorzichtig in een boogje om hem heen, want een man alleen, 's avonds op straat in New York, die hardop liep te lachen, was niet zozeer een dreiging, maar je kon maar beter voorzichtig zijn.

12

Tijdens de vlucht terug zette Jake op een rijtje wat hij wist: dat Lincoln Bowe stervende was geweest en dat hij had geweten van een pakket informatie die de vicepresident van de Verenigde Staten de kop zou kosten, en, als de informatie op het juiste moment openbaar werd gemaakt, de president ook.

Die zaken pasten niet bij elkaar. Jake probeerde er iets van te maken, maar pas toen ze National naderden en hij Washington Monument als een witte streep in het duister rechts van zich zag, kwam er één enkel antwoord in hem op.

Dat antwoord stond hem tegen. Hij deed zijn uiterste best om tot een logica te komen waarin alle stukjes in elkaar zouden passen, maar de enige conclusie die zich aan hem wenste te openbaren was dat het simpelste antwoord waarschijnlijk het juiste was.

En het simpelste antwoord was in dit geval heel simpel, namelijk dat deze dingen helemaal níéts met elkaar te maken hadden.

Even na middernacht stapte Jake bij Madisons huis uit de taxi. Het licht op de veranda brandde en Madison deed open toen hij de treden op liep. 'Wat is er gebeurd?' vroeg ze. 'Kom binnen... Je ziet er doodmoe uit.' 'Ik zit er aardig doorheen,' gaf Jake toe. 'Het zijn lange dagen.' Ze liepen door naar de woonkamer. 'Vertel op,' zei Madison.

'Ik zal het je vertellen, maar je mag nooit toegeven dat je het weet, afgesproken?' zei Jake. 'Het kan je juridisch in de problemen brengen. Als het ooit tot een rechtszaak komt, beroep je je daarop, dat je er niks van weet, oké?'

'Wat is er gebeurd?'

'Rosenquist wilde niet praten. Ik heb Russische roulette met hem gespeeld, niet echt, maar met de revolver van je man. Ik heb die op Rosenquists hoofd gericht en de trekker overgehaald. Dat is strafbaar, een misdaad. Maar toen praatte hij wel. Ik heb de indruk gewekt dat ik voor een of andere politieke groepering werkte, of voor een inlichtingendienst. Ik heb gezegd dat ik jou niet kende.'

'Jezus, Jake.' Ze stond dicht bij hem en legde haar hand op zijn elleboog. 'We moesten het weten,' zei Jake. 'Nu komt het: hij vertelde me dat je man kanker had, een hersentumor. Hij had niet lang meer te leven.

Rosenquist zei dat er geen enkele kans op genezing was. Toen hij verdween, vertoonde hij al functiestoornissen, zowel geestelijk als lichamelijk. Dat verklaart die opmerkingen in de pers, dat hij in het openbaar dronken was. Dat hij de indruk wekte dat hij zichzelf niet meer in de hand had... Hij zat zwaar onder de medicijnen. Ik denk dat hij zelfmoord heeft gepleegd – of het door iemand heeft laten doen – en dat hij de schuld op Goodman wil schuiven.'

Madison had haar handen naar haar gezicht gebracht. 'Grote hemel. Maar... zijn hoofd?'

'Het is mogelijk dat hij van die details niet op de hoogte was, dat hij dat niet zelf heeft uitgedacht. Maar misschien ook wel. Ze konden zijn hoofd er niet op laten zitten. Dat moest verdwijnen, vernietigd worden, want de autopsie zou aantonen dat hij een hersentumor had. De beste manier om dat te voorkomen, was... het te laten verdwijnen.'

'Ongelooflijk.' Ze was heel bleek geworden.

'Geloof je het niet?'

'Nee, ik geloof het wel, maar ik kan me niet voorstellen dat iemand het zo heeft gepland. Zo koelbloedig en wreed.'

'Mensen die Lincoln hebben gekend, vertelden me dat hij een vals trekje had, wat zou kunnen betekenen dat hij koelbloedig genoeg was om ertoe in staat te zijn.'

Madison liep van hem weg, met haar handen boven op haar hoofd, alsof ze haar gedachten vast wilde houden. 'Maar ik... maar ik...'

'Novatny heeft me verteld dat de autopsie heeft aangetoond dat Lincoln gedrogeerd was, dat hij zwaar onder de pijnstillers zat. Wij dachten dat dat was om hem weerloos te maken, maar die waren dus echt tegen de pijn. Ik durf te wedden dat hij buiten kennis was toen ze het hebben gedaan, en ik durf er alles onder te verwedden dat Howard Barber degene is die het heeft gedaan. Hij was Lincolns beste vriend, zowel in de politiek als seksueel. Ze hadden allebei de pest aan Goodman, en Barber heeft dat soort dingen vroeger in het leger gedaan. Hij kon het, had er het lef voor, had het motief, en Lincoln kon erop vertrouwen dat hij het goed zou doen.'

'En die Schmidt?'

'Ik denk dat Schmidt erin is geluisd. Door Barber. Ik heb nog geen kans gehad om naar verbanden te graven, maar ze hebben in dezelfde periode in het leger gezeten. Schmidt heeft eervol ontslag gekregen, wat meestal betekent dat hij schuld heeft bekend en is geloosd. Hij heeft waarschijnlijk iets gedaan, maar ze wilden geen tijd meer in hem steken, of misschien wilden ze niet dat het in de publiciteit kwam. Ik heb toegang tot de database van het leger. Waarschijnlijk kan ik er wel achter komen wat er gebeurd is.'

153

'Maar waarom kunnen ze hem niet.... o, bedoel je dat Howard hem ook heeft vermoord? Die Schmidt?'

'Ja.'

'Maar als Howard hem heeft vermoord, moet dat gepland zijn en zou Linc ervan hebben geweten... ik kan gewoon niet geloven dat Linc... Linc zou nooit weggaan zonder de katten eten te geven, en hij zou nooit goedvinden dat er een onschuldig iemand werd vermoord.'

'Je man hoeft niet van het hele plan op de hoogte te zijn geweest,' zei Jake. 'Misschien heeft hij zelf gewild dat hem niet alles werd verteld.' Hij haalde het kaartje uit zijn zak. 'Nog iets anders... Ik heb dit in de andere bergplaats gevonden. "Dit allemaal vanwege Lion Nerve", staat erop. Heb jij enig idee wat dat kan betekenen? Het lag bij de foto's in die bergplaats, alsof het belangrijk was.'

Madison keek enige tijd naar het kaartje en er verscheen een denkrimpel in haar voorhoofd. 'Ik weet niet wat het betekent, maar wel wat het ís. Het is een anagram van iets. Linc praatte graag in anagrammen. Hij kon voor vrijwel alles een anagram bedenken, zomaar uit zijn hoofd. Hij gebruikte die mnemotechnisch.'

Jake glimlachte. 'Je bent de eerste die ik dat woord ooit heb horen uitspreken,' zei hij, en hij pakte het kaartje weer van haar aan. 'Dus dat "Lion Nerve" is een anagram?'

'Dat denk ik wel.'

Hij stak het kaartje weer in zijn zak. 'Nog één ding...'

Jake vertelde haar over de informatie, de poging om vicepresident Landers van zijn post te krijgen, over Patterson, en over een mogelijke connectie met Wisconsin. Madison luisterde aandachtig toe en zei toen: 'Ik ken Tony Patterson van de campagne. Een heel slimme man. Waarom kan het Goodman niet zijn? Hoe weet jij zo zeker dat híj Linc niet heeft ontvoerd om die informatie in handen te krijgen? Je zei net dat Tony Patterson dat denkt. Ik vind dat helemaal niet onwaarschijnlijk.'

'Omdat Schmidt dan niet in het verhaal past,' zei Jake. 'Ik denk dat het zo zit: dat we te maken hebben met twee groepen die elkaar in het geniep bestrijden. Goodmans mensen hebben lucht gekregen van de informatie en doen hun uiterste best om die te vinden, om die in een vroeg stadium openbaar te maken. Misschien zelfs om er een keiharde deal mee te maken om Goodman op Landers' post te krijgen. Barbers groep hééft de informatie, of weet waar die is, of wie die heeft, en zij willen die tot het allerlaatste moment bewaren, zodat ze er de meeste schade mee kunnen aanrichten.'

Madison dacht er een ogenblik over na en zei toen: 'Wisconsin.'

'Daar zou de informatie vandaan moeten komen.'

'Er woont daar ene Alan Green,' zei Madison. 'Hij is directeur van een enquêtebureau dat PollCats of zoiets heet.'

'Denk je dat hij...?'

Ze knikte. 'Hij heeft een jaar of tien hier gewerkt, als rechterhand van een congreslid, totdat zijn baas werd weggestemd. Alan is toen terug naar huis gegaan. Hij is homo. Linc en hij hebben een relatie gehad. Politiek hebben ze altijd heel nauwe banden gehad. Als de informatie uit Wisconsin afkomstig is... Alan kent iedereen in Wisconsin. Hij zou het verband tussen Lincoln en Wisconsin kunnen zijn.'

Jake dacht er even over na en zei: 'Ik ga naar hem toe. Morgen.'

'Zal ik met je meegaan?' vroeg ze. 'Ik ken Alan vrij goed; met mij praat hij wel.'

Jake schudde zijn hoofd. 'Er zijn te veel ogen op je gericht. Als het ooit tot een officieel onderzoek komt, wil je niet in Wisconsin gezien zijn. Dan wil je kunnen beweren dat, ook al was je man bij die informatie betrokken, hij je er niks over heeft verteld, juist om je in bescherming te nemen. Als jij in Wisconsin wordt gezien...'

'En jij dan?'

'Ik ga mijn best doen om mijn sporen zo veel mogelijk te wissen, hoewel dat nooit helemaal zal lukken. We moeten maar hopen dat ik in de massa opga.'

'Goed dan.' Ze wreef over haar wangen. 'Wat ga je doen als je de informatie hebt?'

'Die aan mijn baas geven,' zei Jake. 'Op dat punt heb ik geen keus.'

'Je zou je ook kunnen terugtrekken,' zei Madison. 'Nu meteen. Teruggaan naar de universiteit. Nog een boek schrijven.'

'Dat zou ik kunnen doen. Maar we hebben hier te maken met twee factoren. Als de republikeinen – jullie – de informatie in handen krijgen, maken jullie die hoe dan ook openbaar en wordt er iemand geschaad die ik graag mag. De president. Hij is best een goeie kerel. Maar de andere kant van de zaak is dat, zolang de strijd om die informatie voortduurt, jij je dicht in de buurt van de vuurlinie bevindt. Iedereen zal je op z'n minst in de gaten houden. Beide partijen, zowel Barber als Goodman, hebben mensen in dienst van wie ik vermoed dat ze bereid zijn een moord voor die informatie te plegen. Ik wil niet dat jij een doelwit wordt.'

Madison schudde haar hoofd. 'Howard zou me nooit kwaad doen. We hebben altijd op goede voet met elkaar gestaan... een soort vriendjes.'

'Vriendschap telt nu niet meer,' zei Jake. 'Hoor eens, ik moet... hm... ik wil er niet aan denken dat jij me zou bespelen. Dat Madison Bowe een spelletje met Jake Winter zou spelen. Want we hebben te maken met heel ernstige problemen. In Virginia geldt de doodstraf, de dodelijke injectie. Zelfs als Barber zich weet vrij te pleiten voor de moord op Lincoln, door te zeggen dat hij hem alleen bij zijn zelfmoord heeft geholpen, dan hangt hij nog altijd voor Schmidt. Ik durf er honderd dollar op te zetten dat Schmidt in het bos begraven ligt. Als jij ervan weet, kun je door hem in de problemen komen. Dan maak je deel uit van een samenzwering die een moord tot gevolg heeft gehad. Zo niet, dan kun je nog steeds een gevaar voor hem vormen, en hij voor jou. In beide gevallen kun je in de problemen raken.'

Ze bleef hem even aankijken, stond toen op en sloeg de stofjes van het zitvlak van haar broek. 'Misschien moet ik naar New York gaan. Of naar Santa Fe. Het alleen zeggen tegen een paar mensen die ik kan vertrouwen en gewoon weggaan.'

'Dat zou geen slecht idee zijn, als je naar New York ging,' zei Jake. Hij keek op zijn horloge en deed een stap in de richting van de deur. 'Ik ga hiermee aan de slag. Jij... zorg ervoor dat je jezelf niet isoleert. Hoe meer mensen je om je heen hebt, hoe veiliger je zult zijn.'

Ze liep met hem mee naar de voordeur. 'Wat je daarnet zei... over of ik iets van Schmidt wist...'

'Ja?'

Jake draaide zich om op de veranda, met zijn stok en koffertje in zijn handen, hopend op een afscheidskus, en Madison zei: 'Je vertrouwt me niet.'

'Nog niet, niet helemaal,' bekende hij. 'Maar ik doe mijn uiterste best.'

'Doe dan maar wat meer je best.' Ze deed de deur dicht en Jake liep naar de stoeprand om op zijn taxi te wachten.

De gouverneur sliep al toen Darrell de voordeur opende, de code van het inbraakalarm intoetste, het licht in de hal aandeed en de trap naar de eerste verdieping op liep. Onderweg naar boven zette hij een tweede alarm in werking, een stil alarm, en op het nachtkastje naast het bed van de gouverneur begon een lampje fel te knipperen.

Goodman werd wakker en hoorde Darrell roepen: 'Ik ben het, Arlo!' Hij ging rechtop zitten en knipte de lamp op het nachtkastje aan. 'Kom maar binnen,' zei hij. 'Wat is er aan de hand?'

Darrell kwam de slaapkamer binnen. 'Sorry, het is belangrijk. Je moet weten waar ik mee bezig ben.'

'Wat dan?'

'We hebben een spoor dat naar de informatie leidt. Winter was in New York om met Madison Bowe te praten en we hebben het hele gesprek op tape. Ze moeten vrijwel recht onder het microfoontje hebben gezeten.'

'Waar leidt het spoor naartoe?'

'Bowe denkt dat het ene Alan Green kan zijn, in Madison, Wisconsin. We hadden zelf aan hem moeten denken, maar ik wist niet dat hij uit Wisconsin kwam. Hij heeft meegewerkt aan Bowes laatste campagne.'

'Grote genade.' Goodman sprong uit bed en begon door de slaapkamer te ijsberen. 'Dat is verdomme geweldig! Zorg dat je die informatie in handen krijgt, Darrell.'

'We gaan zo snel mogelijk naar Madison toe, George en ik. Winter gaat morgenochtend, en ik denk niet dat we hem te snel af kunnen zijn als hij daar al is. We hebben een regeringsvliegtuig geregeld – het papierwerk wordt op dit moment gedaan – maar we kunnen niet rechtstreeks naar Madison vliegen. Dat zou te veel opvallen. Dus vliegen we naar Chicago en doen de rest per auto. Het zal erom hangen.'

'Zorg dat je die informatie krijgt, oké?' zei Arlo. 'Daar ben je voor. Met die informatie sta ik met één been in het Witte Huis.'

Er vormde zich een vaag, duister glimlachje om Darrells mond. 'En als Winter die heeft, nemen we hem die dan af?'

Goodman dacht een ogenblik na en zei toen: 'Nee. Als je zeker weet dat hij er de hand op heeft gelegd, kunnen we het gerucht verspreiden dat de regering over belastende informatie beschikt en hen dwingen die openbaar te maken. Maar dan moeten we het wel zeker weten.'

'Nog iets anders,' zei Darrell. 'Bowe had een hersentumor. Er bestaat een goede kans dat hij zijn eigen dood heeft gepland, en dat Howard Barber het plan heeft uitgevoerd.'

Goodman floot. 'Hoe zeker is dat?'

'Vijfennegentig procent. Daarom stond het lichaam stijf van de pijnstillers. Als we onderzoek doen naar de mensen rondom Barber, kunnen we misschien de mensen vinden die met de ontvoering van Bowe hebben meegeholpen. Dan pakken we een van die gasten op, steken een batterij in zijn reet en krijgen genoeg informatie uit hem om Barber op te hangen.'

'Eerst de informatie,' zei Goodman. 'Barber komt wel. Was Madison Bowe erbij betrokken? Bij de moord?'

Darrell haalde zijn schouders op. 'Dat weten we nog niet.'

'Als we daarachter kunnen komen...'

'We pakken een van die gasten op en steken een batterij in zijn reet.'

Goodman raakte geïrriteerd. 'Daar ben je een beetje te snel mee, Darrell. We hebben het nu niet over katten. Als er mensen verdwijnen, worden er vragen gesteld.'

'Als een van die gasten verdwijnt, kunnen we Barber daar ook de schuld van geven. Een veeg bloed in de kofferbak van zijn auto...'

'Ga die informatie halen, Darrell.'

13

Jake was al vroeg op weg. De snelste manier van Washington naar de stad Madison was vliegen naar Milwaukee en vanaf daar honderdvijftig kilometer met de auto. Hij huurde er een bij Hertz en reed naar het westen, een rit van ongeveer anderhalf uur, inclusief de tijd die hij nodig had om de stad uit te komen. Hij was hier weer terug in het staartje van de winter, met bomen die in knop stonden, de wind uit het zuiden, warm en zacht, de voortekenen van de lente.

Het navigatiesysteem van de auto liet hem afslaan van de I-94 en voerde hem de stad in, naar Johnson Street, twee of drie straten voorbij het overheidscentrum van Wisconsin. Hij moest zich in de buurt van een universiteit bevinden, dacht Jake, want overal waar hij keek zag hij studenten met opgeschoren haar en boekentassen. Ongetwijfeld, dacht hij, met die afschuwelijke prulboeken van Ayn Rand en Newt Gingrich.

PollCats was gehuisvest in een grauw kantoorpand van twee verdiepingen baksteen en glas, zo te zien gebouwd in de jaren zeventig. Op het kleine parkeerterrein aan de achterkant stonden maar vier auto's en groeide er gras en onkruid uit de vele scheuren in het asfalt. Jake pakte zijn stok en koffertje, ging naar binnen via de achterdeur, kwam terecht in een lange, schemerige gang die naar kippensoep uit de magnetron rook, liep door naar de kleine, benauwde entree en zag daar dat Poll-Cats op de eerste verdieping was gevestigd.

Hij ging met de lift naar boven en kwam terecht in een schemerige gang met acht deuren en donkere vloerbedekking. Het kantoor van PollCats was helemaal achteraan. Het was stil in de gang. Naast twee van de deuren zat een bordje en naast de overige zes niet, en toen hij er door de ruitjes in de deur naar binnen keek, zag hij dat ze leegstonden.

Door het ruitje van PollCats zag hij een blonde secretaresse die de *Vanity Fair* zat te lezen. Jake pakte de deurknop vast en ging naar binnen. Toen de secretaresse hem hoorde, liet ze haar tijdschrift onmiddellijk in de bureaula vallen, ging rechtop zitten en glimlachte. Jake glimlachte ook en zei: 'Ik kom voor Alan Green.'

Ze was aantrekkelijk, had een lichte huid die aan perziken met slagroom deed denken, blauwe ogen en haar dat in een modieus Frans model was geknipt. 'Hebt u een afspraak?'

'Nee, die heb ik niet. Maar ik doe onderzoekswerk voor de regering en kom rechtstreeks uit Washington. Het is nogal belangrijk.'

Ze nam de hoorn van haar telefoon. 'Welke tak van de regering?'

'De uitvoerende,' zei Jake terwijl hij zijn legitimatiebewijs van het Witte Huis uit zijn portefeuille haalde en aan haar gaf. Ze keek ernaar, legde de hoorn weer neer en zei: 'Een ogenblikje.'

Ze stond op, opende de deur achter haar en was weg. Jake wachtte, tien seconden, vijftien seconden, en toen was ze weer terug. 'Hij is net klaar met bellen.'

Op dat moment hoorden ze allebei het zachte geruis van een wc die werd doorgetrokken en begon ze licht te blozen. 'Ik zou hetzelfde hebben gezegd,' zei Jake.

'Het leek me beter dan de waarheid,' zei ze, en na een korte stilte: 'Wanneer bent u voor het laatst in het Witte Huis geweest?'

'Gisteravond.'

'Hebt u de president toen gezien?'

'Nee, maar ik heb hem wel eens gezien en toen knikte hij naar me.'

'Dat moet u een enorm machtsgevoel hebben gegeven,' zei ze met een ironische glimlach.

'Ik laat geen mogelijkheid onbenut om het te vertellen,' zei Jake. 'Het heeft me al minstens vijf uitnodigingen voor party's opgeleverd.'

Ze waren nog aan het praten, het meisje een beetje flirtend, maar veel te jong – twintig, hooguit tweeëntwintig, dacht Jake – toen Alan Green de tussendeur opendeed. Green was vrij klein van stuk, kaal en potig, met brede schouders en een slanke taille, alsof hij in zijn studietijd aan worstelen of turnen had gedaan. Hij was gekleed in een kakibroek, een wit overhemd met om zijn dikke nek een gestreepte das waarvan hij de knoop had losgetrokken, en een corduroy jasje met leren stukken op de ellebogen. Hij glimlachte en zei: 'Meneer Winter? Wat kan ik voor u doen?'

'Ik wil u graag even onder vier ogen spreken,' zei Jake.

'Kunt u me vertellen waar het over gaat?'

'Over Lincoln Bowe.'

'Ik heb het nieuws gehoord,' zei Green. 'Een afschuwelijke zaak. Wat is uw betrokkenheid erbij?'

Jake keek even naar de secretaresse en zei toen: 'Dat kan ik u hier vertellen, of onder vier ogen. Als ik het hier doe, sleept u deze jongedame misschien mee in wat er te gebeuren staat.'

Greens glimlach verdween. 'Wat staat er dan te gebeuren?'

'Dat weet u net zo goed als ik, meneer Green. De... hm... informatie gaat binnenkort in de openbaarheid komen. Er zijn diverse mensen die er een motief voor de moord op Bowe in zien.'

Alle kleur trok weg uit Greens gezicht en Jake wist dat hij beet had. Jake keek naar de secretaresse, die verbaasd haar hoofd schudde, en Green zei: 'U kunt beter meekomen naar mijn kantoor. Katie, verbind geen telefoontjes door. Bel Terry en zeg dat ik onze afspraak niet ga halen. Ik zal hem straks bellen. Zeg maar dat ik een spoedgeval heb.'

Greens kantoor was ongeveer zes bij zes meter, met standaard grijze projectvloerbedekking waarop een goedkoop Perzisch tapijt lag, een paar leren stoelen, en foto's: zo'n vijftig politici; negenennegentig roof- dierenogen en één zwart ooglapje, gedragen door de voormalige gouver- neur van Colorado, allemaal gesigneerd. Plus nog een stuk of tien foto's van Green met twee presidenten en een aantal vooraanstaande politici uit Washington. En tot slot drie privéfoto's, alle drie met knappe, jonge mannen erop.

'Wat is dat met "die informatie"?' vroeg Green. Hij pakte een paar pa- pieren van zijn bureau, maakte er een keurig stapeltje van en legde het in zijn in-bakje.
'Er is mij een algemeen beeld geschetst van wat die inhoudt, over de deal met de snelweg,' zei Jake. 'Ik heb de informatie nog niet, maar het heeft er alle schijn van dat er ten minste één en mogelijk twee mensen voor zijn vermoord. Hoogstwaarschijnlijk twee. Ik werk samen met de leider van het onderzoek van de FBI in deze zaak, ene Chuck Novatny. U kunt hem bellen als u dat wilt.'
'Ik weet niks van die informatie,' zei Green.
Jake verborg zijn irritatie niet langer. 'Neem me niet in de maling, me- neer Green. Een van de hoofdrolspelers in deze zaak heeft me over u verteld. En als u er echt niks van weet, dan hadden we nog steeds in de hal staan praten.'
Green knipperde met zijn ogen. Hij besefte dat de val zich begon te slui- ten. Jake vervolgde: 'We kunnen dit als een politieke of als een strafrech- telijke zaak afhandelen. Als de informatie eenmaal boven water is, zal niemand veel interesse hebben in de weg die ze heeft afgelegd, maar wel wie degene was die heeft geprobeerd ze te verduisteren, of te bewa- ren, want daarin vinden we het meest waarschijnlijke motief voor de twee moorden.'
'Ik weet het niet... Welke moorden? Ik heb gehoord dat er vragen zijn over de doodsoorzaak van Lincoln Bowe.'
Jake schudde zijn hoofd. 'Er bestaat geen twijfel over de doodsoorzaak. Er zijn mensen die graag willen geloven dat het zelfmoord was, maar hij was in leven en zwaar gedrogeerd toen hem een kogel in het hart is ge-

schoten, en dat maakt het wel degelijk tot een moord. De daders wilden iemand uit Virginia voor de moord laten opdraaien, en die man wordt vermist en wij hebben het sterke vermoeden dat hij ook dood is. U speelt met vuur. U zit diep in de problemen, niet alleen met de wet en de FBI, maar ook met mensen die er niet voor terugdeinzen om wapens te gebruiken... tenzij u zelf ook tot die groep behoort, of met hen samenwerkt.'

'Doe niet zo belachelijk,' snauwde Green. Ze bleven elkaar even aankijken en toen zei Green: 'Er is nog iemand geweest die naar de informatie vroeg. Ik heb gezegd dat ik geen idee had waar die kan zijn.'

'Wie was dat?'

Hij schudde zijn hoofd. 'Dat ga ik u niet vertellen, als u het al niet weet.'

'Dat denk ik wel, maar er zijn diverse mogelijkheden,' zei Jake.

'Een zwarte heer.'

'Ja, die ken ik. Een goede vriend van Lincoln Bowe, en misschien ook wel van u.' Jake liet zijn blik naar de foto's met de jonge mannen gaan en keek toen Green weer aan. 'Die zwarte heer heeft dezelfde culturele... interesses... als u.'

Green zei niets.

'Dus hij had de informatie niet?' vroeg Jake.

'Blijkbaar niet. In elk geval niet toen hij hier was.'

'Meneer Green, ik weet zeker dat u uw kansen hebt berekend, zoals we dat allemaal doen. Ik weet dat u graag wilt dat de informatie pas in de loop van dit jaar in de openbaarheid komt. Dat gaat niet gebeuren. Het kan me niet schelen hóé de informatie boven water komt, alleen dat dat heel binnenkort gebeurt. Zodat we eerlijke verkiezingen kunnen houden. Als ik hier zonder de informatie vertrek, dan ga ik straks in mijn auto zitten, bel mijn contact bij de FBI en vertel hem alles over u. Dan weet ik vrijwel zeker dat u vanavond nog in de gevangenis zit en weet ik ook dat u er voorlopig niet meer uit zult komen.'

'Jezus christus,' zei Green. Hij trok een tissue uit de doos op zijn bureau en bette het zweet van zijn kale schedel. 'U windt er geen doekjes om, hè?'

'Daar heb ik geen tijd voor,' zei Jake. 'Daar ís gewoon geen tijd voor. Er is een stel uiterst gewelddadige mensen op zoek naar deze informatie, en er zullen vast meer mensen de dood vinden terwijl ze ernaar aan het zoeken zijn.'

'Die stomme vrouw,' zei Green. 'Als zij dat pakket niet had samengesteld...'

'Welke vrouw?'

Green haalde zijn mobiele telefoon uit de zak van zijn jasje en toetste met zijn duim een nummer in. Terwijl hij daarmee bezig was, zei hij: 'Meneer Winter, ik heb die informatie niet. Ik weet ervan. Ik heb die zelfs doorgelezen. Goed dan, ik zal u vertellen wie de informatie heeft, maar ik moet eerst met haar praten. Ik kan niet toestaan dat u ineens voor haar deur staat... ik bedoel, stel dat u degene met het pistool bent? Ik ken u niet, ik heb u nooit eerder gezien. En misschien is het wel het beste als ze rechtstreeks naar de FBI stapt. Ik heb tijd nodig. Ik wil er eerst over nadenken.'

Jake keek op zijn horloge. 'Hoeveel tijd?'

'Ik weet niet of ik haar kan bereiken. Als ze weg is... ze heeft geen mobiele telefoon. Die had ze in elk geval niet toen ik haar voor het laatst sprak.'

'Bel haar dan,' zei Jake.

'Niet waar u bij zit. Misschien moeten we over delicate zaken praten...'

'Dan kom ik over een uur terug,' zei Jake. 'Zorg dat u haar te pakken krijgt.'

'Ik kan u nu al zeggen dat ze hoopte dat ze er iets voor terug zou krijgen,' zei Green. 'Linc had iets gezegd over een behoorlijke baan, als de informatie op het juiste moment naar buiten zou komen. Misschien kan ik haar...?'

'Wij zorgen goed voor onze vrienden,' zei Jake. 'Niet op een illegale of onethische manier, maar ze krijgen de aandacht die ze verdienen. Vaak krijgen ze een goede baan, met goede arbeidsvoorwaarden en een goed pensioen.'

'Oké... ik zal kijken of ik haar te spreken kan krijgen,' zei Green. Hij keek naar de display van zijn telefoon, legde het toestel op zijn bureau, trok nog een tissue uit de doos en bette opnieuw zijn schedel. 'Jezus christus.'

Jake stond op, liep naar de deur en zei: 'Tot over een uur.'

'Hebt u het FBI-rapport over Linc gezien?' riep Green hem na.

'Ik heb het niet gelezen, maar ik spreek de leider van het onderzoek elke dag.'

'Er gingen geruchten... prikkeldraad, geen hoofd... zo te horen is hij gemarteld,' zei Green.

'Ik wil liever niet dat u daarover praat...'

'Nee, nee, natuurlijk niet.'

'We denken dat zijn vrienden – uw vrienden – op die manier meer publiciteit wilden trekken,' zei Jake. 'Ik kan u niet precies vertellen waarop die verdenking is gebaseerd, en bovendien weet u er misschien wel meer van dan ik...'

'Dat is niet waar,' protesteerde Green.

'... maar het staat vast dat hij dood was voordat hij onthoofd en verbrand is. Dat verbranden schijnt gedaan te zijn om te suggereren dat
de burgerwacht er op de een of andere manier bij betrokken is geweest...
dat het geënsceneerd is om de indruk te wekken dat de burgerwacht te
vergelijken is met de nazi's, of de Ku-Klux-Klan, die mensen vermoorden en in brand steken om een voorbeeld te stellen.'
'Doen ze dat dan niet? Die Mexicaanse jongen...?'
Jake stak zijn handen op om Green tot zwijgen te brengen. 'Dat is een
politiek argument waar ik nu niet op inga. Voor zover ik weet ís het een
stel nazi's. Maar waar het om gaat is dat de plaats delict geënsceneerd is,
onder leiding van Lincoln Bowes vrienden. Dat denken we.'

Green zat nog steeds naar zijn mobiele telefoon te staren toen Jake het
kantoor uit liep. Zijn secretaresse liet de *Vanity Fair* weer in haar la vallen en stond op. 'Zijn jullie klaar met jullie geheime praatjes?'
'Nee. Ik kom straks terug. Waar kan ik hier ergens een broodje eten en
een boek kopen?'
Ze pakte een vel papier uit de printer en tekende een routebeschrijving
die hem naar de universiteit en de campusboekhandel in State Street
verwees. Toen ze hem uitlegde hoe hij er moest komen, legde ze haar
hand op zijn arm, om hem even aan te raken, meende Jake. Ze was een
en al vriendelijkheid en glimlachte toen hij vertrok. Als hij vijftien jaar
jonger was geweest, zou zijn hart sneller geklopt hebben.
Misschien klopte het ook wel iets sneller.
Maar natuurlijk was Madison er ook nog. Madison, die hem een keer
had gekust. En de keer daarna niet. Daar dacht hij aan toen hij op de
routebeschrijving keek en op weg ging naar de universiteit.

De routebeschrijving die het meisje had getekend klopte heel aardig,
maar gaf geen goede indruk van de afstanden. Jake moest meer dan anderhalve kilometer lopen en schrok even toen er een grote GMC-sport
met zwarte ruiten naast hem kwam rijden. Hij moest denken aan de afranseling die hij had gehad. God wilde hem toch niet op de proef stellen
door die gasten opnieuw achter hem aan te sturen?
De gedachte bracht een glimlach op zijn gezicht.
Het was een mooie dag, het werd al wat warmer, en de universiteitsmeis-
jes waren uit hun wintercocon gekropen en gingen gekleed in strakke
spijkerbroeken en dito topjes waar hun jonge vormen mooi in uitkwa-
men. Prachtig.
Misschien kan ik een boek kopen, dacht Jake. Hij had onlangs het eerste
deel van een serie over Britse piloten in de Eerste Wereldoorlog gelezen,

door Derek Robinson, en zou graag deel twee willen hebben. En natuurlijk waren universiteitsboekhandels de uitgelezen plek om zijn eigen boeken aan te treffen; zoals de meeste auteurs controleerde hij dat altijd. Het was een goede boekhandel. Hij vond *The Goshawk Squadron* van Derek Robinson en zijn beide eigen boeken, hoewel van allebei slechts één exemplaar, en op een – vond hij – weinig opvallende plek. Toen hij er zeker van was dat er niemand keek, schoof hij de andere boeken op de plank een stukje achteruit en trok hij de zijne naar voren, zodat de ruggen goed zichtbaar waren. De plank zat nog wel wat laag naar zijn idee, maar daar kon hij niets aan veranderen.

Maar toch, allebei zijn boeken. Met een tevreden gevoel liep hij naar buiten, hij stak de straat over, kocht een broodje met roomkaas, ging op een bankje in de zon zitten en begon over de Goshawks te lezen...

Madison Bowe keek door het ruitje in de voordeur en zag Howard Barber uit zijn auto stappen, zijn das rechttrekken, op zijn zakken kloppen alsof hij wilde checken of hij zijn sleutels bij zich had, en het pad naar de veranda op komen. Hij was gekleed in zijn donkere pak en had de halfronde zonnebril op die hij altijd ophad. Zijn hand ging naar de bel toen ze de deur opendeed.

Hij kwam binnen, zette zijn zonnebril af en vroeg: 'Maddy, wat is er gebeurd? Je klonk zo...'

Ze sloeg hem, hard. Niet met de vlakke hand, maar een stomp met gebalde vuist, op zijn kaak, zo hard als ze kon. Maar ze was niet zo groot en niet gewend om te slaan, en Barber draaide zijn hoofd weg voordat de vuist hem raakte, waardoor de stomp minder hard aankwam.

Ze haalde nog een keer naar hem uit, maar nu was hij erop voorbereid en weerde de stomp af. 'Hé, hé, wat krijgen we nou?'

Ze schreeuwde naar hem: 'Jij hebt Linc vermoord en je hebt Schmidt vermoord en nu krijgen wij overal de schuld van!'

'Nee, nee, dat is niet waar...' Hij hield zijn handen voor zijn gezicht en deed een stap naar achteren.

Ze praatte heel snel en er kwamen druppels speeksel uit haar mond, zo boos was ze. 'Lieg niet tegen me, Howard. Ik weet alles, van de hersentumor, van de verdoving. Ik ben de hele nacht op geweest en heb gezocht naar andere verklaringen, maar die zijn er niet. Je hebt Linc vermoord en je hebt Schmidt vermoord. Jake Winter weet van de informatie en hij is er nu naar op zoek.'

'O, jezus,' zei Barber, en hij liet zijn handen zakken. Ze deed weer een stap naar hem toe en hij zei: 'Maddy, niet meer slaan, toe. Dat doet pijn. Luister even naar me, oké?'

'Howard...'

'Linc is gestorven... in het huis van een vriend. Hij had het zelf gepland, alles, ook dat van Schmidt. We hebben hem naar de kelder gebracht en hem daar doodgeschoten. We hebben dat zo gedaan dat de kogel in zijn lijk is blijven zitten, en daarna hebben we het pistool in Schmidts huis verstopt.'

'En toen hebben jullie Schmidt vermoord,' schreeuwde Madison, maar op een toon alsof ze om een ontkenning smeekte.

Die kreeg ze. 'We hebben Schmidt niet vermoord. Schmidt is in Thailand, ligt daar meisjes van twaalf te neuken. Wij zouden nooit een onschuldig iemand vermoorden.'

'In Thailand?'

'Schmidt is verslaafd aan hoertjes,' zei Barber. 'Aan jonge, Aziatische hoertjes. En hij heeft banden met Goodman. Ze zijn op dezelfde basis in Latakia gelegerd geweest, in dezelfde periode, en Schmidt wilde graag bij de burgerwacht komen. En hij is gek op vuurwapens.'

'Wapens...'

'Ja, wapens. Bovendien had hij dringend geld nodig. We hebben tegen hem gezegd dat we een baan in Thailand voor hem hadden, als barkeeper in een Amerikaanse bar ten zuiden van Bangkok. Hij zei meteen ja. We hebben die baan geregeld via een vriend van me... we moesten zelf zijn salaris betalen, dus in principe heeft de Thaise eigenaar van die tent een paar maanden lang een gratis Amerikaanse barkeeper.'

Ze wist niet of ze hem moest geloven of niet, maar ze bleef doorvragen. 'Lincoln was al dood?'

'Ik heb naast hem gezeten totdat hij niet meer ademhaalde. Hij had een overdosis Rinolat genomen.'

'En Schmidt?'

'Schmidt zit in een of ander klein klotedorpje aan de kust,' zei Barber. 'We hebben tegen hem gezegd dat hij wordt betaald om de rol te spelen van een oude uitgeweken Amerikaan die zich jarenlang in China heeft verstopt. Hij heeft zijn baard laten staan, schenkt drankjes in en schijnt het voor het eerst in zijn leven heel aardig te doen.'

'Waarom weten ze dit niet? Waarom weet de politie dit niet?'

Barber haalde zijn schouders op. 'Je hoeft het niet te melden als je Amerika uit gaat. Alleen als je het land in komt. Wij hebben zijn vliegticket geregeld, dus er zijn geen financiële gegevens over hem.'

'Howard, als je liegt...'

'Ik lieg niet,' zei Barber. 'Schmidt heeft geen idee wie we zijn, wie zijn ticket heeft betaald, of wat de bedoeling erachter is. Iemand in een bar heeft hem een goed aanbod gedaan en hij is erop ingegaan, dat is alles.'

Als ze echt denken dat wij hem hebben vermoord, als daar strafrechte-lijke vragen over komen... wordt hij in Thailand "herkend" door een Amerikaanse toerist.'

'Jezus, Howard, hoe heb je dit allemaal stil kunnen houden? Er zijn zo-veel mensen bij betrokken!'

'Dezelfde mensen die jarenlang hun mond hebben gehouden over Linc en zijn vrienden.'

Madison deed een stap naar achteren en dacht na; ze duizelde van deze overdosis informatie.

'Vertel me nu over Winter,' zei Barber. 'Hoe is hij achter het bestaan van die informatie gekomen?'

'Ik weet niet hoe hij het heeft gedaan, maar hij is een spoor naar Tony Patterson gevolgd en Tony heeft hem erover verteld,' zei Madison. 'Hij weet niet waar de informatie is, of wie die heeft. Hij weet niet eens of de informatie wel echt is. Ik heb hem verteld over Al Green in Wisconsin. Een wilde gok van me. Ik heb hem op jacht gestuurd, voornamelijk om hem hier uit de buurt te houden. Uit jóúw buurt. Want jullie zijn dege-nen die hem in elkaar hebben geslagen, hè? Jullie hadden hem wel dood kunnen slaan...'

'Luister nou, luister nou... Hij gaat Green opzoeken en dat geeft ons weer één of twee dagen tijd. Misschien kan ik met een paar mensen pra-ten en kunnen we een rookgordijn optrekken, hem in een andere rich-ting sturen.'

'Je hebt geen antwoord op mijn vraag gegeven. Hebben jouw mensen hem in elkaar geslagen?'

Barber wendde zijn blik af; ze wist genoeg. Met gebalde vuisten stormde ze op hem af, maar hij deed een stap opzij, deed zijn arm omhoog om haar stomp af te weren en vroeg: 'Is hij degene die jou over de hersentu-mor heeft verteld?'

'Ja, hij...' Ze wilde hem over Rosenquist vertellen, maar aarzelde toen, wist opeens niet meer of ze dat eigenlijk wel wilde. Ze was nog steeds niet overtuigd van Schmidt, van wat Barber mogelijk met hem had gedaan. En haar gevoelens jegens Jake brachten haar in de war. Was hij de vijand? Of niet? 'Hij heeft blijkbaar op internet een medisch dossier ge-vonden. Hij heeft toegang tot allerlei databases, van inlichtingendien-sten, van de FBI...'

'Dat lijkt me sterk,' zei Barber.

'Dat heeft hij me verteld.'

'Je moet die man een beetje sturen, Maddy,' zei Barber streng. 'Met jou praat hij en jou komt hij opzoeken, dus jij moet hem sturen.'

'Ik doe mijn best. Daarom heb ik hem naar Wisconsin gestuurd.'

Barber knikte. 'Dat was heel slim van je. Als ik Green niet zelf op de pijnbank had gelegd, zou ik geloven dat hij ervan wist...'

'Laten we hopen dat dat niet zo is,' zei Madison. 'Dat hij je niet voor de gek heeft gehouden.'

'Nee, dat geloof ik niet. Hij zou het me verteld hebben. Hij wist het van Linc en mij...'

'Maar waar is het dan? Waarom kunnen jullie het niet vinden?'

'We zijn nog steeds op zoek, maar als we het niet kunnen vinden, wachten we tot na het partijcongres en verspreiden het gerucht dat we iets hebben. We hebben een paar mensen op het project van de snelweg gezet. Straks hebben we genoeg details om de informatie te reconstrueren, en misschien kunnen we degene die de informatie nu heeft op die manier zover krijgen dat hij die openbaar maakt.'

Madison drukte haar vingertoppen tegen haar voorhoofd. 'Hoe is dit ooit begonnen? Hoe hebben Lincoln en jij... ik bedoel, is het dit allemaal waard?'

Barber keek haar even aan alsof haar vraag hem verbaasde, en toen zei hij: 'We hebben het over het presidentschap, Maddy. Sterker nog, misschien kunnen we de geschiedenis van de Verenigde Staten wel veranderen. Als mensen als Goodman hun zin krijgen, gaat het hele land naar de knoppen, zoals vroeger het oude Rome. Over honderd jaar, of tweehonderd jaar, als de mensen dan terugkijken...'

'Doe me een lol,' zei Madison. 'Ik heb geen behoefte aan een geschiedkundige analyse. Ik wil terug naar de ranch. Ik moet nodig weer eens paardrijden. Ik wil hier weg.'

'Hou vol, meisje. We zijn er bijna. Hou nog even vol.'

Het hele plan was in het honderd gelopen en Darrell Goodman wist niet goed hoe hij zich eruit moest redden. George en hij waren met een regeringsvliegtuig naar Chicago gevlogen, in opdracht van de burgerwacht. Op O'Hare hadden ze een busje gehuurd, een Dodge, de onopvallendste auto die je kon bedenken, en waren op weg naar de stad Madison gegaan. De rit had langer geduurd dan hij had verwacht. George en hij waren allebei moe geweest van de nachtelijke vlucht en de stress, en Darrell had zich kapot geërgerd aan George, want hij had talloze keren moeten stoppen, bij benzinestations of langs de weg, omdat George steeds moest plassen.

George had vroeger voor de CIA gewerkt, op contractbasis, maar hij was niet de helderste ster aan het firmament. Arlo Goodman had een keer tegen Darrell gezegd: 'Zelfs de CIA heeft loopjongens nodig. Dat is het werk wat George deed.'

Darrell had gereden en George had zwijgend naast hem gezeten, half slapend en ongeveer om het uur wakker wordend om te vragen of ze ergens konden stoppen. George dacht dat hij een blaasontsteking had en Darrell dacht dat het misschien zijn prostaat kon zijn, maar wat het ook was, George kon nog geen half blikje cola drinken zonder naar de wc te moeten.

Het vervelende was dat dit simpele probleem Darrell van de wijs had gebracht. En je liet geen belangrijke missie mislukken omdat er iemand moest plassen. Zo werkten profs niet.

Ze waren later in Madison aangekomen dan ze hadden gehoopt, en toen ze het kantoor van PollCats hadden gevonden, zagen ze Winter net naar buiten komen. 'Ik wist wel dat hij ons voor zou zijn,' zei Darrell. Ze zagen Winter met zijn stok weglopen van het gebouw en George, met de slaap nog in zijn ogen, vroeg: 'Pakken we hem?'

'Nee, verdomme, nee. We zoeken uit of hij de informatie heeft en als dat niet zo is, wie die wel heeft, en dan gaan we die daar halen.'

Ze wachtten totdat Winter uit het zicht was verdwenen en reden het parkeerterrein achter het kantoor op. Van het parkeerterrein tot aan de ingang ging alles prima. Ze zagen niemand en hoorden niets. 'Het lijkt wel een spookstad,' zei George.

Toen gingen ze naar binnen en liep alles uit de hand.

Even later stond de jonge, blonde secretaresse met haar rug tegen de muur, met grote angstogen, en hield George, helemaal in het zwart gekleed als een of andere schurk in een Batman-film, haar in bedwang. Darrell, die zwartleren handschoenen aanhad, wees dreigend naar Alan Green en riep: 'Als je me verdomme die informatie niet geeft, vuile klootzak, draai ik je kop van je romp!'

Hij wist meteen dat dit de verkeerde aanpak was. Hij had het veel professioneler moeten doen, beschaafder, met een onderliggende dreiging en sluwe overtuiging, maar in plaats daarvan was hij recht op zijn doel af gegaan en nu...

En hij was zo stom om Green met zijn wijsvinger in zijn borst te porren. Green zag er niet alleen uit als een worstelaar, hij was er ook een geweest, op de universiteit van Wisconsin, twintig jaar daarvoor. Hij was bang, boos en oersterk. Hij pakte Darrells arm vast en maakte een draaiende beweging, zo snel dat Darrell, die toch een goede sportman was, uit zijn evenwicht raakte toen zijn arm in een houdgreep werd geklemd, op zijn rug werd gedraaid en hij zich moest beheersen om geen kreet van pijn te slaken. 'Ik zou je verdomme...' begon Green.

Niemand zou ooit te weten komen wat hij met Darrell zou doen, want George trok in een snelle, soepele beweging een .22 met geluiddemper uit zijn schouderholster en schoot Green in zijn achterhoofd. Het pistool maakte een spugend geluid, gevolgd door een droge tik van het mechanisme, en Green sloeg als een stuk spek tegen de grond.

'Jezus christus,' zei Darrell geschrokken terwijl hij eerst naar George en toen naar Green keek. De blonde secretaresse keek beide mannen aan, zag de blik in Darrells ogen en wist dat ze er was geweest. Ze wierp zich bovenop hem, met haar nagels als wapens, haalde naar hem uit, net zo snel als Green was geweest, en haalde Darrells hals en onderarmen open. 'Jezus, jezus,' riep Darrell terwijl hij haar probeerde af te weren, maar toen klonk weer het spugende geluid, sloeg het blonde meisje tegen de grond, kwam op haar rug terecht, stuitte een keer op en bleef toen met levenloze blauwe ogen naar het plafond staren.

Darrell hapte naar adem, was verbaasd, verbijsterd, keek George aan en stamelde: 'Godverdomme, we moeten hier weg.' Hij liep al naar de deur en zei: 'Stop verdomme dat pistool weg. We moeten hier weg.' Hij was in paniek, verzette zich ertegen, en toen waren ze buiten en ging de deur achter hen dicht...

Jake had een tijdje in *The Goshawk Squadron* zitten lezen, keek op zijn horloge en schrok toen hij zag dat het al over enen was. Hij stopte het boek in zijn koffertje, stond op en ging weer op weg naar het kantoor van PollCats.

Hij liep op Johnson, keek naar het achterste van een lange, slanke blondine, en toen ze zich omdraaide dacht hij: lieve hemel, je loopt naar de billen van een kind te gluren! Ze bleef bij de stoeprand staan om over te steken, zag hem kijken, en er kwam een vage glimlach op haar gezicht... die zeker niet van een kind was.

In het oude kantoorgebouw, met de muffe vloerbedekking en de afgebladderde verf ging hij naar de eerste verdieping en liep door de gang naar de deur van PollCats. Die zat op slot. Jake rammelde met de deurknop en klopte hard op de deur. Geen reactie. En hij dacht: o, nee.

Ze waren ervandoor, en hij had het niet voorzien. Hij rammelde nog een keer aan de deur en slaakte een zucht van wanhoop. Tijd was de essentiële factor, en Green moest dat geweten hebben. Het enige wat hij had hoeven doen, was een beetje tijd rekken...

Jake wilde zich omdraaien en weglopen toen hij de schoen in de deuropening van Greens kantoor zag. Hij kon niet de hele schoen zien, alleen de hiel en een deel van de instap. Het was een vrouwenschoen, die ondersteboven lag, met de korte hak in de lucht, en ernaast, in de uiterste hoek, een ovale vorm die een grote teen in een nylonkous kon zijn. Jake deinsde achteruit van de deur. Hij vroeg zich af wat hij had aangeraakt. Hij dacht: misschien is het niet wat het lijkt, en als ze nog niet dood zijn, kan ik dan hun leven redden door de politie te bellen? Dacht: die grote GMC met de geblindeerde ruiten?

Daarna: wat een onzin; er rijden honderden van die auto's in Madison rond...

Maar hij wist wat hij in het kantoor zou aantreffen. Het was net alsof er een zak ijs op zijn hart lag.

Hij liep terug door de gang, keek naar de randen van het plafond en luisterde of hij stemmen hoorde. Hij hoorde niets, maar in een van de kantoren zag hij een vrouw met een potlood in haar hand over een stapel papieren gebogen zitten. Geen camera's. Maar hij had geen enkele moeite gedaan om ongezien binnen te komen. Als iemand hem had gezien, met zijn wandelstok, zijn koffertje en zijn onbedekte hoofd, zouden ze het zich zeker herinneren. En hij was er zeker van dat hij de armleuning van de stoel in Greens kantoor had vastgepakt.

'Shit, shit, shit, shit.' Hij liep terug naar het kantoor van PollCats, klopte weer op de deur, klopte nog een keer en rammelde met de deurknop. Niets. De schoen lag er nog steeds. 'Verdomme.'

Hij gebruikte de stalen handgreep van zijn wandelstok om het glazen paneeltje naast de deur in te slaan. Hij maakte het gat groot genoeg om zijn hand erdoorheen te steken, deed niet bijzonder zijn best om het zachtjes te doen, maar eigenlijk viel het lawaai best mee.

Hij ging naar binnen en liep door naar Greens kantoor.

De blonde secretaresse lag op haar rug, met een bloedplasje ter grootte van een hand naast haar hoofd. Green lag ook op zijn rug, ook met een plasje bloed dat in de vloerbedekking onder zijn hoofd was getrokken. Er zaten bloedspetters op een paar van de foto's aan de muur.

Jake stond nog even naar de twee te staren, haalde toen zijn mobiele telefoon tevoorschijn en toetste een nummer in. Novatny kwam aan de lijn. 'Ja?'

'Chuck, met Jake Winter. We zitten met een reusachtig probleem. Jezus, Chuck, we... ah, jezus...'

'Jake? Jake...?'

Novatny zei dat hij het kantoor uit moest lopen, op de gang moest wachten en niemand moest binnenlaten. 'Ik zorg dat er binnen vijf minuten iemand bij je is. Wie dat is, weet ik nog niet.'

Jake stak de telefoon in zijn zak en deed een stap naar de deur. Hij aarzelde en liep terug naar Green. Hij voelde in de zakken van zijn jasje en vond zijn mobiele telefoon. Hij stopte de telefoon in zijn koffertje. Daarna ging zijn blik naar de telefoon op Greens bureau. Hij aarzelde even, trok een tissue uit de doos Kleenex, nam de hoorn van het toestel en drukte op de herhaalknop. Na één keer overgaan zei een mannenstem: 'Domino's.' Niets... tenzij Domino's Pizza de leverancier van de informatie was.

Jake hing op, deed weer een stap naar de deur, maar bleef bij het lijk van de secretaresse staan. Hij zag de blik in haar dode, halfopen ogen en voelde woede in zich oplaaien. Dezelfde woede die hij had gevoeld in Afghanistan, toen ze daar waren gestuit op de in stukken gehakte lijken van burgers, vermoord door dissidenten om een of ander vaag punt duidelijk te maken. De secretaresse was nog maar een meisje geweest. Waarschijnlijk had ze over een paar jaar willen trouwen. Ze had haar hele leven nog voor zich gehad. Nu niet meer. Voor haar was het allemaal voorbij.

Jakes handen trilden van woede toen hij over haar heen stapte en de gang op liep.

Een agent van het FBI-regiokantoor in Madison arriveerde één minuut eerder dan de plaatselijke politie.

14

De FBI-man keek naar binnen, deed een stap naar achteren, richtte zijn wijsvinger op Jake en zei: 'Staan blijven.'

De agenten van de plaatselijke politie kwamen aan, keken in het kantoor, kwamen weer de gang op en deden de deur van PollCats dicht. Vervolgens zetten ze Jake met zijn gezicht tegen de gangmuur, fouilleerden hem op wapens, lazen hem zijn rechten voor en zetten hem een eindje verderop in de gang neer, op een stoel die ze uit een van de ongebruikte kantoren hadden gehaald.

Jake zei dat hij geen behoefte aan een advocaat had, dat hij Novatny onder vier ogen wilde spreken en dat hij aan niemand anders een verklaring zou afleggen. De FBI-man ging weg, kwam na enige tijd weer terug en zei: 'Agent Novatny is over ongeveer drie uur hier. Hij komt met het vliegtuig uit Washington.'

De rechercheurs Moordzaken van de plaatselijke politie, die tien minuten later arriveerden, hadden de pest in, hoewel de inspecteur, die Martin Wirth heette, toegaf dat het onwaarschijnlijk was dat Jake de dader was, aangezien hij de misdaad had gemeld. 'Maar hij weet er wel iets van, en ik wil weten wat dat is,' zei Wirth tegen de FBI-man. 'Dit is míjn stad en míjn moord, en de hele verdomde FBI kan mijn rug op. Deze jongen gaat nergens naartoe totdat ik het zeg.'

De FBI-man zette zijn zonnebril op, keek de inspecteur aan en zei: 'Zo.'

Wirth vroeg aan Jake: 'Hoe kom je aan die snee in je hoofd?'

'Ik ben overvallen, in Washington.'

'Ja, ja.'

'Ik heb een kopie van het politierapport in mijn koffertje,' zei Jake.

'Weet je, intussen gaan de daders ervandoor...'

'Hoor eens, met wat ik weet pak je die niet,' zei Jake. 'Ik heb alleen achtergrondinformatie. Ik heb niks meer gezien dan jij. Ik weet niet wie dit gedaan kan hebben.'

'Waarom wil je dan geen verklaring afleggen?'

'Ik kan je niet vertellen waarom ik geen verklaring kan afleggen,' zei Jake, 'omdat je dan iets weet waarvan ik niet zeker weet of ik het je mag vertellen, snap je?'

'Shit, nee.'

'Ik zal aan agent Novatny een verklaring afleggen,' zei Jake. 'Als agent

Novatny vindt dat ik een verklaring aan jou moet afleggen, zal ik dat doen. En als hij vindt dat ik dat niet moet doen, om redenen van nationale veiligheid, doe ik het niet. Daarmee red ik je waarschijnlijk het leven. Als ik je nu zou vertellen wat ik wist, moeten de mensen van de FBI, die straks komen, jullie misschien wel allemaal doodschieten.'

'Je bluft,' zei Wirth. 'We houden in Madison niet van bluffers.'

'Marty,' zei de FBI-man, 'Madison is de bluffershoofdstad van de Verenigde Staten. Waar heb je het in godsnaam over?'

De politie liet Jake op de gang zitten terwijl hun technische mensen bezig waren en de rechercheurs met iedereen in het gebouw praatten, maar niemand had rond het tijdstip van de moorden verdachte mensen zien komen of gaan. En niemand had de schoten gehoord. Het gebouw, zo bleek, stond voor meer dan de helft leeg en de bedrijfjes die er waren gevestigd, zaten voornamelijk in de dienstverlenende sector, die weinig bezoek ontvingen: twee boekhouders, een agent van Staatsbosbeheer, een klein verzekeringskantoor en een bedrijfje dat de verwerking van medisch afval regelde.

Uiteindelijk, om de plaatselijke politie tevreden te stellen, ging Jake mee naar het hoofdbureau, waar hij in een vergaderkamer werd neergezet. Het was net alsof hij weer op school zat en in de hoek stond, met een hoge puntmuts op en zijn gezicht naar de muur. Anderzijds waren de agenten heel vriendelijk voor hem en kreeg hij koffie, broodjes en tijdschriften.

Vier uur nadat Jake hem had gebeld kwam Novatny binnen, met Parker in zijn kielzog. Wirth had nog steeds de pest in en grijnsde vals naar Jake toen hij de twee FBI-mannen uit Washington de vergaderkamer binnenliet. 'Ik wacht op de gang,' zei hij.

Parker knikte naar hem en deed de deur dicht.

'Wat is er gebeurd?' vroeg Novatny terwijl hij aan de andere kant van de tafel plaatsnam en Parker op één bil in het raamkozijn ging zitten.

'Ik volgde een mogelijk spoor van Bowe,' zei Jake. 'Alleen om de eindjes aan elkaar te knopen. Ik dacht zelf dat het nogal mager was, en dan gebeurt er dít. Of het heeft niets met onze zaak te maken, óf iemand heeft Alan Green vermoord om hem de mond te snoeren.'

'Ga door.'

'Bowe was homo,' zei Jake. 'En hij had niet lang meer te leven, want hij had een hersentumor. Daarom stond hij stijf van de pijnstillers. Ik denk – maar ik weet het nog niet zeker – dat Bowe en een groepje van zijn homovrienden met elkaar hebben samengezworen om zijn dood op een

moord te laten lijken en om Arlo Goodman er de schuld van te geven.'
Ze bleven hem allebei enige tijd aankijken en Parker, met gefronst voorhoofd, vroeg: 'Waarom?'
'Omdat ze denken dat Goodman de frontman is van een of andere fascistische of populistische politieke beweging. Pro-gezin en kerk, semisocialistisch, antihomo, intolerant, autoritair enzovoort. Ze hebben Schmidt gebruikt om de klap op te vangen, omdat hij oude banden met Goodman had. Vervolgens – denk ik – hebben ze Schmidt vermoord. Maar ook dat weet ik niet zeker. Ik zeg nu alleen wat ik denk.'
'En Green zat ook in het complot? Ik heb de foto's in zijn kantoor gezien...'
'Green was homo, heeft ooit een relatie met Bowe gehad. Ik had hem bijna zover dat hij wilde praten. Ik had hem met Schmidt geconfronteerd, hem verteld dat Schmidt was verdwenen, en toen werd hij bang. Ik had het gevoel dat hij de dood van Bowe tot dan toe als een of andere gecompliceerde politieke grap zag. Dat hij nooit had gedacht dat er sprake was geweest van moord... Hoe dan ook, ik wilde er met Green over praten en heb hem de stuipen op het lijf gejaagd. Hij zei dat hij eerst met een paar vrienden moest praten over wat hij me kon vertellen, dus toen heb ik hem even alleen gelaten, ben naar een boekhandel gewandeld, heb een boek gekocht, een broodje gegeten, en toen ik terugkwam... lagen ze daar.'
'Verdomme,' zei Parker.
'Hoe lang weet je dit al, Jake?' vroeg Novatny. 'Dat Bowe homo was? Dat de hele zaak mogelijk geënsceneerd is? Waarom heb je dat verdomme niet eerder verteld?'
'Ik weet pas een paar dagen dat Bowe homo was. Madison Bowe heeft het me verteld, en me gevraagd het niet aan de grote klok te hangen zolang het niet nodig was, maar ze heeft het aan mijn discretie overgelaten. Ze was bang dat als het zou uitlekken – en dat zou zeker gebeurd zijn – het onderzoek dan gestaakt zou worden. Omdat iedereen zou denken dat het om een passionele homomoord ging. Ze gelooft nog steeds dat haar man is vermoord en dat Arlo Goodman er iets mee te maken heeft. Ik vond dat niet onredelijk.'
'Maar nu...'
'Nu is de situatie veranderd,' zei Jake. 'Ik geloofde niet dat het om een homomoord ging. Ik vond dat te vergezocht en daarom heb ik je er niks over verteld. Niemand maakt zich nog druk om homo's... en Bowe was niet eens meer in functie. Ik heb toen van Madison Bowe toestemming gekregen om naar New York te gaan en hun flat te doorzoeken. Ik heb daar een leeg medicijnflesje gevonden – het ligt er nog steeds – en zo ben

ik bij Bowes huisarts terechtgekomen, die me heeft verteld van de hersentumor.'

'En toen dacht je...'

'Ik vond het allemaal een beetje te veel van het goede. Niemand heeft nog kunnen uitvinden waar Bowe naartoe is gegaan toen hij verdween. Maar hij glimlachte toen hij in die auto stapte. Vervolgens wordt zijn lijk gevonden, in een spectaculaire setting en met een pijl die rechtstreeks naar Schmidt wijst. Waarom heeft Schmidt alle wapens gedumpt die hij in huis had, behalve dat ene pistool dat hem als de dader van de moord op Bowe aanwees? Ik vond dat verdacht. Vanaf dat moment begon ik te denken dat het hele gebeuren geregisseerd was. En ik durf te wedden dat als jullie Schmidt onder de loep nemen, jullie een of andere connectie met Arlo Goodman zullen vinden. Een connectie waar Goodman misschien niet eens van weet, maar die hem wel verdacht maakt als iemand het gerucht verspreidt.'

'Dus het is allemaal nep, de moord op Bowe,' zei Parker.

'Ja. Daarna ging ik denken dat het in principe zelfmoord geweest kon zijn, en dat, als dat zo was, zijn vrienden erbij betrokken moesten zijn. Mensen die hij voor honderd procent vertrouwde, en dat wees in de richting van het groepje homomannen met wie hij ooit een relatie had gehad, mensen die dat al die jaren geheim hadden gehouden. En die een reden hadden om bang te zijn van Goodman.'

Novatny en Parker keken elkaar aan, Novatny wreef met zijn handen over zijn gezicht en zei: 'Weet je, onderweg heb ik wel twintig redenen bedacht waarom jij hier was, waarom er doden waren gevallen en hoe dat met Bowe in verband kon staan. Maar geen van de twintig was zo absurd als de reden die jij nu noemt.'

'Is Madison Bowe erbij betrokken?' vroeg Parker.

'Nee.' Jake schudde zijn hoofd. 'Zij en Lincoln Bowe waren al jaren niet meer samen. Ze was alleen nog een soort dekmantel voor hem. Zij wil juist dat het onderzoek wordt voortgezet. Zij heeft me over Green verteld en me hiernaartoe gestuurd. Ze heeft me de sleutel van haar flat gegeven en me op die manier bij de huisarts gebracht. Ik denk dat Lincoln Bowe haar met opzet in het ongewisse heeft gelaten. Misschien omdat ze er niet in mee wilde gaan, of misschien omdat hij haar in bescherming wilde nemen.'

Novatny was niet overtuigd. 'En je hebt geen idee wie de daders zouden kunnen zijn?'

'Bowes homovrienden. Je kunt eens informeren, kijken wat je over hen te weten kunt komen. Madison denkt nog steeds dat Goodman erbij betrokken is. Zij vindt het idee dat een stel van Bowes vrienden heeft sa-

175

mengezworen om een eind aan zijn leven te maken ronduit belachelijk. Ik weet het niet; zeg jij het maar.'

'Aangenomen dat je de waarheid spreekt – en dat denk ik wel, hoewel je me niet alles vertelt – zou de dader hier in Madison moeten wonen,' zei Parker. 'Als het hem lukt om binnen een uur bij Green te komen.'

Jake ging met zijn handen door zijn haar en zei: 'Dat doet vreemd aan. Ik kan het haast niet geloven. Maar zo is het wel gebeurd.'

'Weten jullie al wat zich precies in Greens kantoor heeft afgespeeld?' vroeg Jake.

Novatny fronste zijn wenkbrauwen. 'We denken dat het profs zijn geweest. Niemand heeft de schoten gehoord, en vermoedelijk zijn die met een .22 afgevuurd. Zo stil zijn die niet, dus er moet een geluiddemper op hebben gezeten.'

'Hoe weet je dat het een .22 was?'

'We hebben een kogel uit de muur gehaald,' zei Parker. 'De basis was nog intact en die ziet eruit als van een .22.'

'Het kan een .22 Magnum zijn geweest,' zei Novatny. 'De schade was vrij groot.'

'Dus ze zijn geëxecuteerd,' zei Jake.

Novatny's gezicht klaarde op. 'Niet helemaal. Het lijkt erop dat de secretaresse zich heeft verzet, heeft teruggevochten. We hebben huiddeeltjes en een beetje bloed onder haar nagels gevonden, dus we hebben het DNA van de dader. Als we hem kunnen vinden, hebben we bewijs.'

'En Green...'

'Green is wel geëxecuteerd, in zijn achterhoofd geschoten. De secretaresse heeft zich verzet en iemand met haar nagels bewerkt – daardoor is ze vermoedelijk haar schoen kwijtgeraakt – maar Green stond daar en *beng*!'

'En nu?' vroeg Jake.

Novatny liet een taperecorder komen, las Jake zijn rechten voor en liet hem opnieuw zijn verklaring afleggen. Jake deed dat, maar benadrukte dat het merendeel van wat hij had gezegd, met uitzondering van zijn opmerking over Bowes seksuele geaardheid en de vaststelling dat hij een hersentumor had, uit speculatie bestond. 'En nu wil ik hier weg,' zei Jake. 'Ik ben onderzoeker, geen politieman. Ik wil hier weg.'

Novatny praatte met de korpschef, maar Jake kreeg niet te horen wat dat had opgeleverd. Om zeven uur mocht hij vertrekken. 'Ga je terug naar Washington?' vroeg Novatny.

'Ja, maar eerst ga ik een hotel zoeken en zorgen dat ik wat slaap krijg,' zei Jake. 'Ik ben hartstikke moe.'

'Nog één ding,' zei Novatny. 'Blijf uit de buurt van Madison Bowe. Ze kan een belangrijke getuige worden. Laat haar met rust.'

'Geloof me, het enige wat ik wil, is hier weg,' zei Jake.

Jake liep naar State Street, sloeg een paar smalle straatjes in, ging een pizzeria binnen en verliet die weer via de achterdeur, ontdekte een telefoon bij de wc's achter in een sportkroeg en belde Johnson Black, Madisons advocaat. Hij had geluk, kreeg hem aan de lijn, praatte even met Black, bestelde een biertje aan de bar en ging bij de telefoon staan wachten. Twintig minuten later belde Madison, vanuit een broodjeszaak in M Street. 'Luister naar me,' zei Jake. 'Er is een ramp gebeurd.'

Hij vertelde haar wat er gebeurd was en vervolgde: 'Dus je krijgt de FBI op bezoek. Je bevestigt dat Lincoln homoseksueel was en vertelt hun waarom je niet wilde dat dat openbaar werd, dat je Goodman van de moord verdacht en bang was dat het homoseksuele element een eind aan het onderzoek zou maken. Je zegt dat Lincolns seksuele geaardheid een puur persoonlijke zaak was en dat je geen reden had om te geloven dat die iets met zijn dood te maken heeft gehad. En je zegt dat je geen idee had dat zijn dood in scène is gezet...'

'Dat heb ik ook nooit geloofd,' zei ze. 'Maar nu vertel jij me dat ik... op de een of andere manier de dood van dat meisje heb veroorzaakt. Als ik jou niet daarheen had gestuurd...'

'Je hebt haar dood niet veroorzaakt,' zei Jake. 'Dat heeft iemand anders gedaan. Je kunt niet de eventuele gevolgen van alles wat je doet overzien; als je dat probeert, word je gek. Iemand anders heeft die twee vermoord, niet jij.'

'Maar als ik je niet had gestuurd...'

'Madison, haal je geen dingen in je hoofd. Als je je per se schuldig wilt voelen, doe dat dan om iets wat je echt hebt gedaan.'

'Maar je weet niet wat...'

'Vertel het me een andere keer,' zei Jake. 'Niet over de telefoon... Is er daar iets gebeurd wat ik zou moeten weten? Ben je door iemand lastiggevallen?'

'Eén ding, maar... o, jezus, ik kan dat meisje niet uit mijn hoofd zetten.'

'Concentreer je, verdorie! Wat is er gebeurd?'

'Ik heb Howard gesproken en hem met de verdenkingen geconfronteerd. Hij heeft Linc gedood, maar het was in principe zelfmoord, want Linc had al een overdosis medicijnen genomen. Hij beweert dat Schmidt in Thailand zit, dat hij daar als barkeeper werkt. Dat Schmidt verslaafd is aan jonge, Aziatische hoertjes. Dat zijn Howards woorden. Hij zegt dat ze hem eenvoudig kunnen terughalen wanneer het nodig is.'

'Ah, shit. Hoor eens, kijk uit voor Barber. Blijf uit zijn buurt. Hij staat op het punt om het oog van de orkaan te worden. Misschien is hij betrokken bij wat er hier is gebeurd...'

'Jake...'

'Spreek de waarheid, maar vertel hun niks over de informatie,' zei Jake. 'Nog niet. Doe maar alsof je nergens van weet. Vertel hun niet wat Barber je heeft gezegd. En vertel hun niet van dit telefoontje. Ons gesprek heeft nooit plaatsgevonden.'

'Wat ga jij nu doen?'

'Ik moet nadenken. Bel me morgen, op mijn mobiel, met een openbare telefoon. Om twaalf uur 's middags. Als er iets gebeurd is, kan ik je inlichten. Ik kan jou niet bellen, want als er een officieel onderzoek komt, vragen ze de telefoongegevens op om na te gaan wie met wie heeft gesproken.'

Na het telefoontje wandelde Jake terug naar zijn auto, ging naar een Sheraton-hotel, nam een kamer en haalde Greens mobiele telefoon tevoorschijn. Green had het over een vrouw gehad die de informatie zou hebben, en vervolgens had hij automatisch zijn mobiele telefoon uit zijn zak gehaald, alsof haar nummer erin zou staan.

Jake kende het model telefoon niet, maar het kostte hem maar een minuut om uit te vinden hoe het menu werkte. Nadat Jake was weggegaan was er één telefoongesprek gevoerd, dat vierentwintig minuten had geduurd, naar regiocode 715.

Jake vond een gouden gids in de kast en zocht de regiocode op. Die bestreek een groot deel van het noorden van Wisconsin. Dus moest hij aan de slag met de drie cijfers die op de regiocode volgden.

Hij logde in op internet met de draadloze verbinding van het hotel en zocht de lijst met netnummers voor Wisconsin op. Het driecijferige netnummer was van Eau Claire. Jake opende de kaart van Wisconsin en zag dat Eau Claire ongeveer drie uur rijden met de auto was. Als de daders wisten hoe ze heette, zou die persoon in Eau Claire waarschijnlijk al dood zijn. Sterker nog, als de daders óf het telefoonnummer hadden, óf wisten hoe ze heette, was het vrijwel zeker dat ze inmiddels dood was...

Jake wilde niet de database van de FBI gebruiken om de naam bij het nummer te zoeken, want dan creëerde hij een spoor dat naar hem leidde. Maar...

Hij ging op het bed liggen, legde zijn arm over zijn ogen en dacht na. Als de daders Green en zijn secretaresse hadden bedreigd om te weten te komen waar de informatie was, had dat dan resultaat opgeleverd en hadden ze hen toen pas vermoord? Had het meisje daarom teruggevochten, het met haar nagels opgenomen tegen een pistool? Misschien had ze geweten dat ze doodgeschoten zou worden...

Maar als ze de secretaresse hadden doodgeschoten om Green tot praten te dwingen, had het geen enkele zin gehad om het hun te vertellen, want dan moest Green geweten hebben dat hij er ook aan zou gaan.

Dus misschien wisten ze niet hoe ze heette...

Hij moest weten wie Green had gebeld zonder sporen achter te laten. Hij moest opeens aan iets denken: de openbare bibliotheek. Kon het zo simpel zijn? Hij zocht het adres op van de openbare bibliotheek in Eau Claire, logde in op de website van de bibliotheek en vond daar het online telefoonboek van Eau Claire. Hij opende het menu, nam de lijst met nummers door en vond het telefoonnummer. Het was van ene Sarah Levine. Hij keek in een andere directory en vond het bijbehorende adres. Hij moest weer aan iets denken en sprak haar naam hardop uit: 'Sarah Levine, Sarah Levine...'

Lion Nerve, het anagram. Jake pakte een pen en streepte de letters van 'Levine' door. Hij hield er drie over: O, N, R. Ron Levine.

Jake gebruikte zijn speciale wachtwoord om in de database van de Sociale Verzekeringen te komen, typte Ronald Levine en item in en had onmiddellijk beet. Ronald Levine had zeventien jaar bij item gewerkt, was gepensioneerd en had een uitkering van de Sociale Verzekeringen gekregen totdat de 'situatie was gewijzigd'. Jake keek na wat die wijziging inhield: Levine was overleden.

Oké. Hij wist nu wie de informatie had: Sarah, de weduwe van Ron Levine... als ze nog leefde.

Als degene die Green had doodgeschoten dat had gedaan om te weten te komen wie de informatie had, en als hij Sarah Levines naam van Green had losgekregen, dan was ze hoogstwaarschijnlijk dood. Ze hadden meer dan acht uur de tijd gehad om haar te doden. Maar als dat niet zo was, wat dan? Dan, dacht Jake, wisten ze niets over haar en kon het zijn dat ze hém in de gaten hielden. Om hem te overmeesteren en meer te weten te komen?

Het vliegveld van Dane County had een Hertz-autoverhuur die dag en nacht open was. Jake belde, gaf de gegevens van zijn auto door en zei dat er iets vreemds mee aan de hand was, dat de motor, als die warm was geworden, haperde bij het terugschakelen. Of hij een andere kon krijgen. Geen punt. Jake zei dat hij de volgende ochtend vroeg zou langskomen.

Hij ging slapen. Hij sliep vierenhalf uur, maar het was een rusteloze slaap, alsof hij verwachtte dat er elk moment iets kon gebeuren. Om halfdrie was hij wakker en op. Hij douchte, pakte zijn spullen in, keek nog snel even op internet en vlak daarna liep hij met zijn reistas en koffertje naar de auto. Hij liep snel. Als ze hem wilden overmeesteren, zouden ze dat moeten doen in de dertig meter tussen het hotel en de auto, en om drie uur 's nachts bestond de kans dat ze nog wat traag waren.

Op het parkeerterrein was niemand, maar toen hij achteruit de parkeerhaven uit reed, voelde hij toch een rilling over zijn rug lopen. Hij redde het naar het vliegveld van Dane County, vulde de formulieren in, ruilde de auto in voor een Ford suv en zag niemand die er verdacht uitzag. Terwijl hij wachtte totdat de man van Hertz de papieren klaar had, moest hij aan iets anders denken. Als zijn achtervolgers goed en getraind waren, zóú hij niemand zien.

Maar hij reed nu tenminste niet meer in de auto waarin hij gezien zou kunnen zijn, of die ze van een zendertje hadden kunnen voorzien, dus misschien zou de ruil hen van de wijs brengen.

Op de snelweg, in noordelijke richting, reed hij net iets te langzaam en zocht hij in zijn spiegels naar koplampen die achter hem bleven hangen. Op de eerstvolgende kruising sloeg hij af, hield de koplampen achter hem in de gaten en zag één auto hetzelfde doen. Hij maakte een bocht naar links, daarna nog een, wachtte en reed de snelweg weer op. Als ze in een team werkten, konden ze nog steeds achter hem zitten. En als ze over een helikopter beschikten, zouden ze ook weten waar hij was.

Maar hij kon nog veel vaker afslaan, secundaire wegen nemen en zelfs in de straten van Eau Claire een achtervolgingsteam herkennen. Hoe dan ook, hij moest zijn hoofd er goed bij houden.

Gedurende de hele rit naar het noorden, elke keer dat het licht van zijn koplampen op een groepje bomen viel en het leek alsof in een donkere bioscoopzaal de film begon, zag hij het gezicht van de doodgeschoten secretaresse voor zich. Dat beeld zou hem wel een tijdje bijblijven, vermoedde hij. Het was wreed, maar hij betrapte zichzelf erop dat hij wenste dat ze voorover was gevallen, zodat hij haar gezicht niet had hoeven zien.

Darrell Goodman, die moe en angstig uit zijn ogen keek, bracht zijn wijsvinger naar zijn lippen, pakte Arlo Goodmans arm vast en trok hem mee naar het trappenhuis. Arlo Goodman liep met hem mee de trap af, tot in de betonnen tunnel die naar de kelder leidde.

'We hebben een groot probleem in Wisconsin,' fluisterde Darrell.

'Als het maar niet té groot is,' zei Arlo.

'Dat is het wel. Die Green vloog me aan en George heeft hem doodgeschoten. Zijn secretaresse... nou ja, we hadden niet veel keus. We hadden echt geen keus.'

Goodman staarde zijn broer aan alsof hij gek was geworden. 'Jullie hebben hen toch niet allebei vermoord?'

'We konden niet anders,' protesteerde Darrell.

'Godallejezus.' Arlo bleef zijn broer aanstaren terwijl hij de informatie tot zich liet doordringen. 'Ik had je moeten wurgen toen je een kleuter was.'

'Luister nou, niemand weet ervan,' zei Darrell. 'We hebben de auto in Chicago gehuurd. We hebben modder op de nummerplaten gesmeerd, zodat ze onleesbaar waren voor camera's, als die er waren. We hadden de auto op het parkeerterrein achter het kantoor neergezet, en daar was verder niks, alleen een blinde muur met een deur. We zijn naar boven gegaan, niemand heeft ons gezien. Camera's waren er niet, dat hebben we gecontroleerd. We zijn naar binnen gegaan, hadden onze wapens getrokken om hen een beetje bang te maken, ik heb Green een paar klappen gegeven... en toen vloog hij me opeens aan. En die griet ook. Maar we zijn goed weggekomen. Er is geen enkele aanwijzing dat iemand ons heeft gezien. We zijn rechtstreeks teruggereden naar Chicago, zo snel als we konden, hebben onderweg de wapens gedumpt, de auto teruggebracht en gemaakt dat we daar wegkwamen. Ik breek in in de computer van de administratie, wis onze namen van de vlucht en niemand zal er ooit iets van weten.'

'Stomme klootzak,' snauwde Goodman. 'Geen wapens, had ik gezegd. Waarom hebben jullie verdomme wapens meegenomen? Jezus christus, jullie zouden hem alleen onder druk zetten.'

'Hij vloog me aan, man. En toen heeft George...'

Goodman stak zijn hand op. 'Waar is George?'

'Die zit in mijn kantoor.'

'George moet weg,' zei Goodman.

Darrells tong ging langs zijn onderlip. 'Dat kan gebeuren.'

'Zorg dat het snel gebeurt. Binnen een paar dagen. Ik wil hem niet meer zien.'

'Maak je daar maar geen zorgen over...'

Goodman haalde uit met zijn goede hand en gaf zijn broer een pets tegen zijn hoofd. 'Dit kan het voor ons voorgoed verprutsen, stommeling. En je hebt zeker geen idee waar de informatie kan zijn?'

'Nee, maar Green wist er wel iets van, volgens mij. Misschien hadden we een kans gehad, totdat hij me ineens aanvloog. De zaak is gewoon uit de hand gelopen, snap je?'

'Hè, shit...' zei Goodman.

'Er is nog iets anders... goed nieuws,' zei Darrell. 'We hebben de tapes

nog eens afgeluisterd. Howard Barber heeft aan Madison Bowe bekend dat hij Lincoln heeft doodgeschoten.'
'Hè?'
'Ik heb het net gehoord. Ik weet niet wat er nu in Madison gebeurt, maar misschien kunnen we een manier bedenken om de politie in de richting van Jake Winter te sturen. We weten dat hij daar vanochtend is geweest. En als we vervolgens laten uitlekken dat Bowe homo was, en dan Barbers rol aan de FBI laten uitlekken...'
'De FBI kan de pest krijgen. Het enige wat jij altijd wilt, is iemand een batterij in zijn reet steken. Oké, zoek uit wie Barbers drie beste vrienden zijn. Kies een van de drie uit en als hij het bevestigt, pakken we Barber zelf. Dan nagelen wíj hem aan het kruis. Misschien kunnen we een manier bedenken om Madison Bowe tegelijkertijd te pakken.'
'Ik geloof niet dat ze iets weet.'
'Wat kan ons dat schelen?' zei Goodman. 'Ze weet nu toch iets? Ze belemmert de rechtsgang door het niet aan de FBI te vertellen. Ga jij nu maar eerst uitzoeken wie Barbers vrienden waren. Als we hem kunnen pakken, maalt niemand meer over een paar doodgeschoten mensen in Wisconsin... of ze zullen denken dat Barber het heeft gedaan.'

Jake ging naar een benzinestation iets ten zuiden van Eau Claire voor een kop koffie en om het adres van Sarah Levine in het navigatiesysteem van de auto te toetsen. Nadat hij nog een paar keer plotseling was afgeslagen, enkele rondjes had gereden en niets verdachts had gezien, volgde hij de route naar haar huis, dat achter de countryclub van Eau Claire stond. Het was nog geen zeven uur. Hij hoopte van harte dat ze thuis was. Hij keek naar de lucht, zocht naar helikopters.
Ik ben paranoïde, dacht hij.

Sarah Levine was thuis. Ze deed open in een kamerjas, een kleine hoekige vrouw met een hoekig gezicht, blauwgroene ogen, spierwit haar en zorgenrimpels in haar voorhoofd. Jake vermoedde dat ze begin zeventig was. Ze deed de glazen schermdeur open, keek hem met haar bijziende ogen aan en vroeg: 'Ja?'
Jake liet haar zijn legitimatiebewijs van het Witte Huis zien. 'Mevrouw Levine, ik werk als onderzoeksmedewerker voor het Witte Huis. Ik wil met u praten over een pakket informatie over mogelijke corruptie bij de aanleg van een snelweg. Het is een heel ernstige zaak. Er zijn al diverse afschuwelijke dingen gebeurd, hoogstwaarschijnlijk vanwege deze informatie.'
Ze deed haar mond open en weer dicht, keek naar links en naar rechts de

straat in alsof ze zocht naar iemand die haar kon helpen, en vroeg: 'Wat voor afschuwelijke dingen?'

'Hebt u het gehoord van de dubbele moord in Madison?'

'O, lieve hemel,' zei ze. 'Wie?'

'Allan Green en zijn secretaresse. Ze zijn gisteren doodgeschoten, vermoedelijk door de mensen die naar de informatie op zoek zijn. Ik kan het niet met zekerheid zeggen, maar de kans bestaat dat u zelf ook gevaar loopt. Ik moet u dringend spreken. Maar ik wil graag dat u eerst mijn identiteit vaststelt. Dat ik echt voor het Witte Huis werk.'

Jake probeerde er hulpeloos uit te zien. Hij zag haar aarzelen, zag haar naar zijn wandelstok kijken. Hij leunde er wat zwaarder op.

'Is Allan dood?' vroeg ze. 'Ik heb hem gisteren nog gesproken.'

'Ja, hij is doodgeschoten. De FBI onderzoekt de zaak.'

'Komen ze ook hier?' vroeg ze.

'Uiteindelijk zult u wel met hen moeten praten, als is vastgesteld dat de informatie ermee te maken heeft. Maar... mevrouw Levine, ik wil de informatie graag zien, alvorens ik met mijn superieuren in Washington overleg.'

Toen ze naar binnen waren gegaan, leek zijn aanwezigheid haar nerveuzer te maken. Jake haalde zijn mobiele telefoon tevoorschijn en belde Danzigs kantoor. Gina nam op. 'Met Jake. Ik moet de baas spreken.'

'Ik dacht dat je hier helemaal klaar was?'

'Ben ik ook. Maar er is iets tussen gekomen en het is nogal dringend.'

Een minuut later was Danzig aan de lijn. Zijn stem klonk behoedzaam.

'Jake? Ik heb geruchten over Madison gehoord...'

'De stad of de vrouw?'

'De stad...'

'Ja, ik ben daar geweest. De situatie is ernstig. Maar ik heb contact gelegd met het pakketje in kwestie. Het is noodzakelijk dat u mijn identiteit bevestigt aan de dame die hier woont... Het is belangrijk.' Jake keek naar Sarah Levine en glimlachte naar haar. 'Ze vertrouwt het niet helemaal en gezien de omstandigheden heeft ze daar volkomen gelijk in. Ik laat haar het Witte Huis bellen en dan wil ik graag dat ze wordt doorverbonden met uw kantoor, zodat u even met haar kunt praten.'

'Is dat echt nodig?' Hij wilde het niet.

'Dat denk ik wel, meneer. We zullen straks ook met de FBI moeten praten. Want er is nog een kopie, in Madison.'

Het bleef even stil en toen zei Danzig: 'Goed dan, laat haar maar bellen.'

'Kunt u dat, het Witte Huis bellen?' vroeg Sarah Levine ongelovig.

'Jazeker,' zei Jake. 'Eigenlijk is het Witte Huis niet meer dan een kantoor met een groot grasveld eromheen. En het is de enige manier om u ervan te overtuigen dat ik ben wie ik zeg dat ik ben.'

Ze belde inlichtingen in Washington, kreeg het nummer van het Witte Huis, belde het en gaf haar volledige naam, zoals Jake haar had opgedragen. 'U spreekt met Sarah MacLaughlin Levine. Ik wil meneer Danzig graag spreken.'

Ze moest een minuutje wachten en zei toen: 'Ja... ja.' Na een paar seconden zei ze: 'Ja, ja, dat zal ik doen.' Ze keek Jake aan. 'Goed, dank u wel. Ik zal met hem praten. Oké, bedankt.'

'Ze zeggen dat u officieel bent.' Ze leek nu zekerder van haar zaak. 'En dat u samenwerkt met de FBI.'

'Dat klopt... maar voordat we die weg inslaan, moeten we eerst de inhoud van het informatiepakket vaststellen. We willen niet bij een fraudezaak betrokken raken, dus we moeten ons ervan overtuigen dat alles legitiem is, dat de informatie echt is.'

'Nog één ding,' zei ze. 'Dit gaat over... jullie vicepresident. Hoe weet ik dat jullie de informatie niet in de rivier dumpen?'

Jake keek haar zo rechtschapen mogelijk aan. 'Mevrouw Levine, deze informatie gaat vroeg of laat hoe dan ook in de openbaarheid komen. Er bestaan kopieën van. Als ik de informatie eenmaal heb, is het absoluut uitgesloten dat ik die onder het tapijt kan vegen. Als ik dat zou doen, zou ik de gevangenis in gaan. Maar we moeten er zeker van zijn dat de informatie echt is.'

'Die is echt,' mompelde ze. 'Landers is corrupter dan een Zuid-Amerikaanse dictator. Het hele stel daar is corrupt.'

De informatie zat in een kartonnen Xerox-doos waarin ooit vijfduizend vel 92-grams wit printerpapier had gezeten. In de doos zaten een paar dossiers, een stapeltje notitieboekjes en een afsluitbaar diepvrieszakje met drie dvd's.

'We hoopten...' begon Sarah Levine aarzelend toen Jake een van de dossiers opensloeg. 'Weet u, mijn man is drie jaar geleden overleden. Aan een hartinfarct. Ik had gehoopt dat, omdat ik meehelp, u weet wel, misschien hulp kon krijgen bij het vinden van een baan. Ze hebben het pensioen van mijn man stopgezet, die mensen van ITEM, de hoge heren, omdat hij in een vroeg stadium meer geld uitgekeerd wilde krijgen, of zoiets.'

'Over hulp valt te praten,' zei Jake. 'Ik denk dat het allemaal wel goed komt met u. Bent u al naar de instanties toegegaan?'

'Nou en of ik dat heb gedaan,' zei ze. 'Ik kende Al van toen hij fondsen wierf voor verkiezingscampagnes. Ik wist dat hij goede connecties met

Washington had. Ik dacht dat hij de beste tussenpersoon was om dit bij de juiste mensen te krijgen.'

Ze liet Jake alleen in de woonkamer om het materiaal door te nemen, en kwam hem na enige tijd een schaaltje koekjes en een glas sinaasappelsap brengen.

De informatie beschreef een standaardcorruptiegeval dat opviel door de arrogantie waarmee de vicepresident en zijn vrienden te werk waren gegaan, en de omvang van het bedrag dat ze in hun zak hadden gestoken. Het project betrof de verbreding van Highway 65 in de staat Wisconsin, over een lengte van ongeveer honderdvijftig kilometer, vanaf de kruising met de Interstate 94, een paar kilometer ten oosten van de staatsgrens met Minnesota, tot aan het stadje Hayward in het bosrijke noorden.

'Highway 65 is de belangrijkste route van de Twin Cities naar de vakantieparken van Hayward Lakes,' zei Sarah Levine. 'Mijn man heeft zes jaar aan het project gewerkt, en het was een heel belangrijk project, reken maar.' Ze liep naar de keuken, kwam terug met een wegenkaart van de staat Wisconsin en wees hem het desbetreffende stuk weg aan. 'Het was een goed plan, dat veel banen heeft gered... het was pas later, bij de uitvoering, dat de problemen begonnen. Mijn man werkte als boekhoudkundig controleur aan het project, en van meet af aan waren er problemen met de apparatuur en machines. Dat staat allemaal op de eerste dvd, de boeken.'

De hoofdaannemer, ITEM, had het project opgedeeld in twintig deelcontracten bij particuliere bedrijfjes en onafhankelijke bureaus, om de planning te doen, milieutechnisch onderzoek, de levering van machines en materialen, het afgraven en asfalteren...

De truc zat in de zware machines. Een van de bedrijven, Cor-Nine, had het zware materieel aan ITEM geleverd, voornamelijk zware vrachtwagens en bulldozers, op leasebasis, voor een periode van vier jaar en een totaalbedrag van zeven komma drie miljoen dollar. En Cor-Nine had ook nog eens tweehonderdtienduizend dollar in rekening gebracht voor het onderhoud van het materieel.

'Ik moest wel lachen toen Ron het me vertelde,' zei Sarah, 'van dat onderhoud.'

'Was dat te veel, of te weinig?' vroeg Jake.

'Je zou kunnen zeggen dat het nogal veel was, aangezien het materieel helemaal niet bestond,' zei ze.

'Het bestond niet.'

'Nee, het bestond niet. Ron zei dat het nooit zichtbaar was, ook niet tijdens de werkzaamheden. Het kon namelijk altijd ergens anders aan het werk zijn... als je het hebt over één machine per stuk weg van ongeveer acht kilometer, waar het ook een komen en gaan van talloze onderaannemers was. Alleen ITEM wist wie wat deed, verder niemand.'

'Hebben ze die hele snelweg in één keer aangelegd? Niet in fases van vijftien kilometer per keer?'

'Normaliter wordt zo'n project in een aantal stappen verdeeld, verspreid over een periode van ongeveer vijftien jaar. Om echter het meeste resultaat te boeken, moesten ze het hele project afronden binnen de ambtsperiode van Landers, die toen gouverneur was. Er was al een tweebaansweg naar het noorden, dus legden ze er nog twee banen naast, aan weerszijden, en in één keer. Toen ze dat hadden gedaan, hebben ze de oude en de nieuwe weg in een aantal stappen aan elkaar geplakt, in principe, en daarna hoefden ze alleen nog de op- en afritten aan te passen en de rommel op te ruimen. Allemaal volmaakt legitiem. Op die manier was de hinder voor het zakenverkeer en...' Ze tikte op de kaart. '... de financiële schade voor de bedrijven in de stadjes langs de route het kleinst.'

'En Cor-Nine was van Landers en zijn kornuiten.'

'Nee, nee. Cor-Nine was van mensen van wie niemand ooit had gehoord. Van een stel Fransen.'

'Fransen?'

'Ja,' zei Sarah. 'Een in Frankrijk gevestigd leasekantoor dat, als je het naar Frankrijk volgde, je doorstuurde naar de Bahama's en vervolgens verdween. Als er vragen over werden gesteld, kon ITEM zeggen dat zij, voor zover ze wisten, het materieel voor een goede prijs hadden geleaset. Als het geld verdwenen was, moest dat een Franse poging tot belastingontduiking zijn, die ITEM niet kwalijk genomen kon worden.'

'U weet er heel veel van,' merkte Jake op.

'Ik ben zelf boekhouder geweest, voordat ik trouwde,' zei ze. 'Ik weet van financiën.'

'Maar hoe is het geld bij Landers terechtgekomen?'

'Via zijn broer Sam.'

'De man in Texas,' zei Jake. De kleurrijke broer van de vicepresident, met zijn grote cowboyhoed en puntlaarzen, en zijn lichtgroene Cadillac met vergulde stierenhorens op de motorkap.

'Ja, die. Sam Landers trekt naar Texas, een uitstekende markt voor onroerend goed voor gepensioneerden – geen staatsinkomstenbelasting, warm weer – en zet daar een projectontwikkelingsmaatschappij op. De vicepresident en zijn vrienden zijn er voor driekwart eigenaar van en de rest is van Sam. Waar het echter om gaat, is de financiering. De familie Landers had geen eigen geld, maar Sam slaagt erin zijn Padre Island-appartementenproject te laten financieren door...'

'Een bank op de Bahama's,' zei Jake.

'Precies. Hij laat de appartementen bouwen – die heel mooi zijn, heb ik gehoord – betaalt de bouwkosten en houdt er een leuke winst aan over. Een heel leuke winst. De winst is vooral leuk omdat het geld van de Bahama's in de bouwkosten zit. Voor het geld dat hij er ogenschijnlijk in stopt, bouwt hij appartementen die vierhonderdvijftigduizend dollar moeten kosten, maar omdat hij de leningen niet terugbetaalt, kan hij appartementen bouwen die vijfhonderdvijftigduizend dollar waard zijn. Geen van zijn concurrenten kan tegen hem op. En ze gaan als warme broodjes over de toonbank naar de gepensioneerden, die niet blind zijn voor de mooie deal die ze aangeboden krijgen, maar die op papier volkomen onzichtbaar is. Hij betaalt zijn belasting – maar geen staatsinkomstenbelasting in Texas, weet u nog? – en het geld is weer terug in de Verenigde Staten, helemaal wit en er wordt keurig belasting over betaald.'

'Dus ze verliezen veertig procent aan de federale belasting.'

'Niet echt. Na aftrek van de bouwkosten hebben ze er tussen de vijf en zes miljoen dollar aan overgehouden. Daarna zijn ze, als goed, degelijk bedrijf met enige ervaring en een goede achtergrond, meer projectontwikkelingswerk gaan doen. Sindsdien hebben ze zich helemaal scheel verdiend. De vicepresident is waarschijnlijk goed voor vijftien miljoen. Misschien wel twintig.'

'Hoe is uw man het te weten gekomen van alle verschillende facetten van deze deal?'

'Hij was erbij toen die werd uitgedacht. Carson, Rons baas, heeft tegen Ron gezegd dat hij zich erbuiten moest houden. Dat dit soort dingen bij alle grote bouwprojecten gebeuren. Maar Ron wist dat er vroeg of laat problemen van zouden komen, en hij wilde niet degene zijn die naar de gevangenis werd gestuurd, dus heeft hij van alles kopieën gemaakt. Om zich te kunnen indekken. Carson is nog steeds een van de hoge bazen van ITEM. Hij heeft de hand van Sam Landers vastgehouden tijdens zijn eerste bouwprojecten. Hij hield de boeken bij, op de computer, weet u wel, en Ron heeft alles gekopieerd. Het staat allemaal op de dvd's.'

Een uurlang zaten ze samen op de bank in de woonkamer, papieren door te nemen, dvd's te bekijken nadat Jake ze in zijn laptop had geschoven, notities, verslagen, bankafschriften, bouwcontracten en belastingpapieren door te bladeren. Alles bij elkaar was de informatie net zo vernietigend als werd aangenomen. Als het allemaal waar was.

'Als het waar is,' zei Jake.

'Nou,' zei Sarah Levine, 'Allan Green heeft tegen me gezegd dat alles wordt bevestigd door openbare overheidsverslagen. Verslagen waar de gebroeders Landers onmogelijk onderuit kunnen. Het is allemaal te zien en te vinden, maar zonder inside information zal het niemand ooit lukken om het allemaal in elkaar te passen.'

Jake keek op zijn horloge. 'U moet hier weg.'

Nu begon ze weer nerveus te worden. 'Wat kan er dan gebeuren?'

'Na wat er in Madison is gebeurd, denk ik dat u beter een reisje kunt gaan maken,' zei Jake. 'Kunt u ergens naartoe? Naar vrienden, of familie die een flink eind uit de buurt woont? Iemand met een andere achternaam dan de uwe?'

'Mijn zus woont in Waukesha.'

'Is zij bereid u een paar dagen onderdak te verschaffen?'

'Dat weet ik wel zeker,' zei Sarah Levine.

'Ga dan naar haar toe. Nu meteen... ik wacht hier tot u klaar bent met pakken. Geef me een telefoonnummer en ik bel u daar op. Ik moet eerst met een paar mensen in Washington praten.'

'Met de president?'

'Eerlijk gezegd praat ik niet zo vaak met de president,' zei Jake. 'Maar ik zal met een paar mensen praten en kijken wat er voor u gedaan kan worden. Onder voorwaarde dat u eerlijk bent geweest.'

'Ik ben eerlijk geweest,' zei Sarah Levine. 'Ik wist dat er ellende van zou komen, maar... nu ze Rons pensioen hebben stopgezet, heb ik geen geld meer. Ik bedoel, we hadden nog wat spaargeld bij Fidelity, maar dat is bijna op. Ik moet echt een baan hebben. Ik kan niet bij de Wal-Mart gaan werken, dat is het enige wat ze hier hebben, verder zijn er geen banen. Straks moet ik mijn huis verkopen...'

De tranen liepen over haar wangen. Jake wilde haar bemoedigend op de schouder kloppen, maar hij wist niet goed hoe hij dat moest doen. 'We moeten er eerst voor zorgen dat u hier weggaat en dat de informatie in Washington komt, en dan verzinnen we wel iets. Het komt allemaal goed, hoe dan ook, dat beloof ik u.'

Het duurde een eeuwigheid voordat ze zich had aangekleed en haar spullen had gepakt. Ruim een uur, volgens Jakes horloge. Jake stelde voor dat ze haar zus pas zou bellen als ze het huis uit waren.

'Denkt u dat ik afgeluisterd word?'

'Ik wil geen enkel risico meer nemen,' zei Jake.

Toen ze klaar was, moest haar hondje, een nerveuze, grijze whippet, ook nog mee. Jake hielp haar het beest in een reismandje te stoppen, bracht het naar de overkapte garage en zette het op de voorbank van haar auto. Hij sjouwde nog drie koffers naar de auto en zei dat ze hem een week de tijd moest geven.

'Binnen een week hoort u iets van mij of van iemand van de federale overheid. We moeten de informatie eerst laten onderzoeken door deskundigen, dat begrijpt u, want dit is heel, heel gevoelig materiaal.'

Vervolgens telde hij duizend dollar uit van zijn geld en gaf die aan haar. 'Een persoonlijke lening,' zei hij. 'Betaal het maar terug als u het kunt missen.'

Hij reed achter haar aan naar de Wal-Mart waar ze niet wilde werken, keek van een afstand toe terwijl ze haar zus belde en wuifde haar gedag. De doos stond achter in de suv. Jake belde Gina en zei: 'Het zou me een hoop tijd schelen als je een vliegticket voor de terugreis voor me kon regelen. Vanuit Eau Claire, Madison, Milwaukee, of de Twin Cities.'

'Blijf waar je bent,' zei ze. 'We sturen een vliegtuig.'

15

Onderweg naar het vliegveld van Eau Claire ging Jake langs bij een Kinko-copyshop. Hij trok een halfuur uit om alle informatie te kopiëren en stuurde die met FedEx naar zichzelf in Washington. Vervolgens ging hij naar een OfficeMax, waar hij een goedkoop attachékoffertje kocht om de originele informatie uit de doos in te vervoeren. Zijn vliegtuig zou om kwart over twaalf landen en Madison belde stipt om twaalf uur. 'Ik heb vanochtend met de FBI gesproken,' zei ze. 'Met je vriend Novatny. Ik heb hem niet verteld dat Howard Linc heeft gedood. Dat durfde ik niet. Maar volgens mij weten ze het al. Ik heb hem over een paar mensen verteld, onder wie Howard Barber. Ik had Howard gisteravond gebeld, vanuit een telefooncel, nadat ik jou had gesproken, en hem verteld dat de FBI nog niet van de informatie weet.'
'Oké,' zei Jake. 'Hoor eens, ik weet niet wat er gaat gebeuren, maar ik heb nagedacht... Kun je vanavond naar mijn huis toe komen, met je spullen om te overnachten? Ik heb een logeerkamer.'
'Eh, nou... hoezo?'
'Het lijkt me geen goed idee dat je alleen in dat huis zit,' zei Jake, 'maar het zou wel handig zijn als je in de buurt van Washington bleef. Ik leg het je liever onder vier ogen uit. Dan kunnen we bepraten wat we het beste kunnen doen.'
'Oké, dan kom ik. Hoe laat?'
'Ik moet tussen zeven en acht thuis kunnen zijn, dus laten we om acht uur afspreken,' zei Jake. 'Als ik het niet haal, bel ik je. En, Madison, praat in je woonkamer niet over zaken die gevoelig liggen. En die telefoon in de gang, bij de keuken, gebruik die ook niet meer. Niet doen.'
'Wat? Denk je dat ik word afgeluisterd?'
'Dat is een reële mogelijkheid. Zorg dat je mensen om je heen houdt en niet geïsoleerd raakt. Als je me belt, doe dat dan met een openbare telefoon. En als je vanavond komt, rij dan door tot aan de poort aan de achterkant, net als de vorige keer, dan laat ik je daar binnen.'

De jet was van het ministerie van Nationale Veiligheid, geen luxe vliegtuig, maar Jake kon meteen aan boord. Tijdens de vlucht nam hij de informatie nog eens door om alvast een presentatie samen te stellen. Om de zoveel tijd keek hij uit het raampje naar het land dat onder hem voorbijschoof, en dan zag hij weer de ogen van Greens blonde secretaresse. Om vier uur 's middags landden ze op National en taxieden meteen door naar de hangar van de overheid. Daar werd Jake opgewacht door een chauffeur van het Witte Huis, die hem voorging naar een onopvallende Daimler-stationcar die naar uien en motorolie rook. Nog geen halfuur nadat het vliegtuig was geland, werd hij naar de Blauwe Kamer gebracht.

Een marineofficier ging hem voor naar Danzigs kantoor en Gina zei dat hij meteen kon doorlopen.

Danzig stond naast zijn bureau, met zijn handen in zijn zakken. Hij zag eruit alsof hij al een tijdje stond te wachten.

'Heb je het?' Danzig kon normaliter al een gespannen indruk maken, maar nu stond hij echt te vibreren.

Jake knikte, liet zich in een stoel vallen en legde het attachékoffertje op zijn schoot. Hij was moe. De stress van de afgelopen dag begon zijn tol te eisen. 'De vraag is alleen of het materiaal echt is. Ik weet bijna zeker van wel. Ik denk dat een onderzoek dat zal aantonen. Maar ik ben daar in een moordonderzoek verwikkeld geraakt, en om u de waarheid te zeggen was de verklaring die ik aan de FBI en de politie van Madison heb afgelegd verre van compleet.'

'Hoever van compleet?'

Jake klopte op het koffertje. 'Dit materiaal is de aanleiding tot de dubbele moord geweest. We moeten het zo snel mogelijk aan de FBI overdragen. We kunnen niet langer dan een paar dagen wachten. Ik voel een aanklacht voor obstructie van de rechtsgang al in de lucht hangen.'

'Als jij het aan de FBI overdraagt, kunnen ze hooguit zeggen dat je een beetje laat bent,' zei Danzig.

'Ja, ze bekijken het maar,' zei Jake. 'Als ze me willen hebben, kunnen ze me krijgen. Waar ik dus behoefte aan heb, is de warme adem van de president die iemand in de nek blaast en woorden als "nationale veiligheid" of "iemand gaat vreselijk voor de bijl" in het oor fluistert.'

Danzig vermeed Jakes blik en knikte. 'Hoe dan ook.'

'Ja.' Jake maakte het koffertje open en pakte het uit. 'Dit is het materiaal. Het werkt als volgt...'

Danzig wilde elk velletje papier bekijken en de boeken op de dvd's doornemen om te zien of hij inconsequenties kon ontdekken. Ze waren er twee uur mee bezig en Jake bedacht dat hij nog nooit zo lang in Danzigs kantoor was geweest. Ze vonden inconsequenties, maar die hadden meer weg van gewone menselijke vergissingen dan bewuste fouten die op bedrog zouden wijzen. Toen ze klaar waren stond Danzig op, liep op kousenvoeten een rondje door zijn kantoor, slaakte een zucht en zei: 'Shit.'

'Wat denkt u?' vroeg Jake.

'Dat het echt is. Ik heb dit soort materiaal eerder gezien en ik heb sterk het gevoel dat het echt is. Het totaalbeeld. Er ontbreken een paar stukken en dat is precies wat je zou verwachten als het echt is. De inconsequenties duiden juist op echtheid.'

'Dat ben ik met u eens. Misschien kunt u er iemand op zetten die het op specifieke punten vergelijkt met de openbare verslagen, om meer zekerheid te hebben.'

Danzig knikte. 'Natuurlijk. Daar beginnen we morgen mee. Of vanavond al, als het kan. Misschien staat een deel ervan wel op het net.'

'Ik heb liever het originele materiaal, op papier, als het bestaat...'

'Ik ook,' zei Danzig, en na een korte stilte: 'Oké, als je hier even wacht, ga ik de grote baas halen.'

'Er is nog iets anders wat mogelijk meespeelt,' zei Jake. 'En wat op het punt staat bekend te worden. Lincoln Bowe was homo. Zijn dood was een samenzwering die Bowe zelf heeft gepland en heeft laten uitvoeren door een goede vriend, of een paar goede vrienden, in een poging Goodman in diskrediet te brengen.'

Danzig bleef hem even wezenloos aankijken, alsof hij hem niet had verstaan. Toen zei hij: 'Godallemachtig.'

'Ik moest het wel aan de FBI vertellen. Ze doen nu onderzoek naar Bowes homovrienden. Binnen één of twee dagen zal het nieuws uitlekken en zal het hele onderzoek zich die kant op keren, met andere woorden: weg van de informatie. Maar niet definitief; ze zullen terugkomen.'

Danzig haalde zijn hand door zijn vette haar en zei: 'Je bent een kei van een onderzoeker, Jake. Ik hoop van harte dat je nooit onderzoek naar mij gaat doen.'

Danzig slofte het kantoor uit en kwam vijf minuten later terug, met de president in zijn kielzog, een rijzige man met grijs haar, geboren in Indiana, voormalig gouverneur en senator, een gematigd man die was uitgekozen om de kar te trekken toen de democraten hadden begrepen dat er iets van hen werd verlangd. Hij was gekleed in een donker pak en een wit overhemd, zonder das, en net als Danzig liep hij op kousenvoeten. Jake stond op toen hij binnenkwam.

'Hallo, Jake,' zei hij. Ze gaven elkaar een hand en de president vroeg: 'Wat heb je nu weer voor ons meegenomen?'

Ze praatten nog eens twintig minuten, namen het hele pakket informatie met elkaar door, en ten slotte zei de president tegen Danzig: 'Ik geloof het. Wat denk jij ervan?'

Danzig keek eerst naar Jake en keek toen de president aan. 'Ga je gang,' zei de president. 'Hij weet er meer van dan wij.'

'We moeten eerst een paar dingen verifiëren, en daarna kunnen we met Landers gaan praten,' zei Danzig. 'Hij is in de stad. We halen hem hiernaartoe en slaan hem ermee om de oren. Kijken of we tot een soort regeling kunnen komen.'

De president keek Jake aan. 'Je zei dat er nog een kopie was?'

'In elk geval één... waarschijnlijk in het bankkluisje van de vermoorde man,' zei Jake. 'De FBI zal die vroeg of laat wel vinden. Heel binnenkort, denk ik, want Novatny werkt aan de zaak.'

'Die ken ik niet,' zei de president.

'Hij is heel goed, meneer. Maar er zijn nog diverse andere mensen die van het bestaan van de informatie af weten, en die genoeg details kennen om problemen te veroorzaken, ook al hebben ze de informatie niet. Het is namelijk mogelijk de informatie te reconstrueren, in elk geval voor een deel, aan de hand van openbare gegevens. Als de republikeinen met *The L.A. Times* gaan praten en er een paar onderzoekers op zetten, is de kans groot dat ze de vicepresident aan het kruis kunnen nagelen, en ons misschien ernaast.'

'Juist,' zei de president, en tegen Danzig: 'Haal Delong en Henricks erbij, vanavond nog. We moeten dit meteen afhandelen, en ik wil dat alles voor het eind van deze week aan de FBI wordt overgedragen. Jake moet dat doen. Met rugdekking van ons.' Delong was de stafchef van Landers, en Henricks was de juridisch adviseur van de president.

'We hebben een hoop te bespreken,' zei Danzig tegen de president. Hij was gespannen, maar tegelijkertijd ook opgewekter dan hij gewoonlijk was. Hij was gek op grote problemen, bedacht Jake. En dit zou een prachtig hoofdstuk opleveren voor zijn autobiografie, over wat er 'echt was gebeurd', voor over vijf jaar, na het aftreden van de president.

'Dat hebben we zeker,' zei de president. 'Maar daar hoeft Jake niet bij te zijn.'

'Meneer de president, als ik nog één ding mag opmerken?' zei Jake. 'Als u hier de mogelijkheden gaat bespreken over hoe het nu verder moet, zou ik niet te veel tijd besteden aan de vraag of Arlo Goodman een geschikte plaatsvervanger voor de vicepresident zou zijn.'

De president knikte en vroeg toen: 'Waarom niet?'

'Omdat er over deze puinhoop talloze lijnen lopen waarvan een deel,

vermoed ik, naar Goodman leidt. Mogelijk zelfs naar de moorden in Wisconsin.'
'Ik zal het in mijn achterhoofd houden,' zei de president.

Jake liep de poort van het Witte Huis uit, bleef even op de stoep staan nadenken, liep toen door tot de volgende zijstraat, hield een taxi aan en liet zich naar huis brengen.
Om halfacht was hij thuis. Hij nam een douche, schoor zich nog een keer, alleen om zich wat frisser te voelen, poetste zijn tanden en trok een schone spijkerbroek, een zwart T-shirt en een sportief jasje aan. Hij ging naar beneden, liep door naar zijn werkkamer, trok een paar boeken van de plank en pakte het groene stoffen foedraal dat erachter lag. Hij haalde de .45 uit het foedraal, schoof een volle clip in de kolf en stak het pistool in de zijzak van zijn jasje.
Om tien voor acht deed hij de achterdeur open en ging hij buiten op het stoepje zitten. Om vijf over acht draaide er een auto het steegje in. Jake herkende de auto van Madison, deed de poort open en ze reed de tuin in. Ze stapte uit en vroeg: 'Alles oké met je?'
'Ja. Kom, laten we gauw naar binnen gaan.'
Jake deed de deur dicht en Madison vroeg: 'Is dat een pistool in je zak, of ben je blij me te zien?'
Ze had een nappaleren reistas en een attachékoffertje bij zich. Jake nam de reistas van haar over, liep de trap op en wees haar de logeerkamer.
'De badkamer is de volgende deur,' zei hij. 'Kom mee, ik schenk een glas wijn of een biertje voor je in en vertel je het hele verhaal.'
Ze wilde een biertje, nestelde zich in de fauteuil in de woonkamer en Jake ging tegenover haar op de bank zitten. 'Vertel op, vanwaar dat pistool?' zei ze.
'Die twee mensen die in Madison zijn gedood, zijn geëxecuteerd,' zei Jake. 'Ze zijn doodgeschoten in een kantoorgebouw en niemand heeft de schoten gehoord. Dus zat er een geluiddemper op het pistool en waren de daders vermoedelijk profs... of ze hebben het in elk geval eerder gedaan. De enige reden dat er niet meer slachtoffers zijn gevallen, is dat er gelukkig niemand op de gang was toen ze ervandoor gingen.'
'Waarom zijn ze niet achter jou aan gegaan?'
'Misschien omdat ik me onvoorspelbaar gedroeg,' zei Jake. 'Of misschien wisten ze niet dat ik daar al geweest was. Meteen nadat ik de lijken had ontdekt, heb ik de politie gebeld, en even daarna wemelde het van de politiemensen in het gebouw.'
'Daarom draag je een wapen,' zei ze. 'Je bent bang dat ze misschien hiernaartoe komen.'

'Ja, of naar jouw huis.'

'Je denkt dat mijn huis wordt afgeluisterd,' zei ze. 'Maar waarom zou dít huis niet ook afgeluisterd worden?'

'Omdat iemand me naar Wisconsin is gevolgd, misschien zelfs heeft geprobeerd daar eerder te zijn dan ik. We hebben daar in jóúw woonkamer over gepraat, en dat is de enige plek waar ik erover heb gepraat. Ik heb vanochtend namelijk het allereerste vliegtuig naar Milwaukee genomen, en het is uitgesloten dat ze eerder in Madison waren dan ik, tenzij ze over een eigen jet beschikten en rechtstreeks naar Madison zijn gevlogen. Maar dat zou veel te veel sporen achterlaten.'

'Als ze hiernaartoe komen, wat ga je dan doen? Op hen schieten?' Ze klonk ongelovig.

'Ik heb een goede alarminstallatie,' zei Jake. 'De vrouw die hier vroeger heeft gewoond, was bang dat ze elk moment verkracht en vermoord kon worden, dus alles is zwaar beveiligd. Als er iemand binnen wil komen, weten we dat meteen. Het pistool kan ons misschien net de tijd geven om de hulptroepen te laten aanrukken. Heel weinig tijd, maar toch...'

Madison deed haar schoenen uit, stopte haar benen onder zich en zei: 'Howard Barber heeft het niet gedaan, Jake. Ik ken hem goed genoeg om te kunnen zeggen dat hij geen onschuldige secretaresse zou doodschieten.'

'En Schmidt? Ik weet wat Barber je verteld heeft, maar ik zou het toch graag met mijn eigen ogen willen zien.'

Ze wendde haar blik af, liet haar tong langs haar onderlip gaan en zei: 'Zo komen we weer op het punt of je me vertrouwt of niet. Ik was niet zo aardig tegen je, die avond, toen ik je vroeg of je me vertrouwde en jij moest toegeven dat je dat niet helemaal deed.'

'Dat heeft me inderdaad een rotgevoel gegeven,' bekende Jake.

'Nou, je had gelijk... ik heb een beetje tegen je gelogen. Ik wist het niet van Linc. Dat was een schok voor me. Maar ik wist wel van de informatie. Ik kende de details niet, maar ik wist dat de informatie bestond en dat die de regering ten val kon brengen. Ik heb het voor je verzwegen toen het belangrijk was dat je het wist.'

Jake bleef haar even aankijken en reageerde niet meteen. Diep in zijn hart had hij geweten dat er iets niet klopte. Hij hád haar niet vertrouwd.

'Waarom heb je me dan naar Madison gestuurd?'

'Omdat ik dacht dat je daar niets zou vinden. Het spijt me. Howard had al met Allan Green gesproken en Green had ontkend dat hij van de informatie af wist. We wilden je gewoon een paar dagen uit de buurt hebben, in de hoop dat je de jacht op de informatie zou opgeven en wij meer tijd zouden hebben om die te vinden. We hadden min of meer verwacht dat al bekendgemaakt zou zijn dat Linc homo was...'

'Had je verwacht dat ík het aan de pers zou lekken?' Ze had verwacht dat hij iets zou verraden wat ze hem had toevertrouwd.

'Nou, ja. Het zou een deel van je problemen opgelost hebben.'

'Je wordt bedankt,' zei Jake op droge toon. Hij had het gevoel dat hij boos zou moeten zijn, maar dat was hij niet... nog niet.

'We wilden alleen... wat meer tijd,' zei Madison. Ze had haar handen in elkaar geklemd en zat ermee te draaien. 'We wilden dat de informatie in het najaar boven water zou komen. Of als dat niet kon, vlak voor het partijcongres, om dat te ruïneren. Maar Howard geloofde niet dat Green de informatie had. Green had hem gezworen dat hij die niet had.'

Jake bleef haar even aankijken en zei toen: 'Nú vertel je me de waarheid.'

'Ik wilde je niet misleiden,' zei ze. 'Echt niet. Maar jij werkte voor Danzig en wij werkten tegen hem.'

'Waarom vertel je het me nu wel?'

'Omdat ik er schoon genoeg van heb om nog langer tegen je te liegen,' zei ze. 'Het enige wat ik wil, is dat dit ophoudt. Dat dat meisje in Madison uit de dood opstaat. En ik wil niet langer... tegenover jou staan.'

Jake dacht erover na en zei: 'Als Howard Barber die mensen in Madison niet heeft gedood, moet het Goodman geweest zijn. Of iemand die namens hem optreedt.'

'Ja, ik kan ook niks anders bedenken. Tenzij er sprake is van een derde partij, waar niemand nog van weet. De CIA, of de DIA.'

'Nee, dat geloof ik niet. Afgezien van in films vermoorden die niet zo vaak mensen.'

'Ik heb nog meer slecht nieuws,' zei Madison. 'Ik wist niet dat Howard betrokken was geweest bij Lincs verdwijning, totdat jij het me vertelde. Ik heb hem ermee geconfronteerd, en hij heeft het toegegeven.'

'Dat is dan duidelijk.'

'Het punt is dat we in de woonkamer waren toen dat gebeurde. Die waarvan jij denkt dat hij wordt afgeluisterd.'

'Ah, shit.'

Ze dachten na over de gevolgen van haar gesprek met Barber toen de telefoon ging en Jake de gang op liep om op te nemen.

'Jake, met Chuck Novatny. Wanneer ben je teruggekomen?'

'Vanmiddag. Wat is er?'

'Heb jij, nadat we elkaar gisteren hebben ontmoet, Madison Bowe gezien of gesproken?'

'Ja, ze is hier. Ik zweer niet met haar samen, maar ik wil niet dat ze alleen

thuis is nu er een stel moordenaars rondloopt. Wil je haar spreken?'
'Verdomme, Jake.'
'Hé, vriend, als jij een paar FBI-lijfwachten kunt leveren, stuur ik haar terug naar huis. Maar ik laat haar daar verdomme niet als een wandelende schietschijf rondlopen terwijl de FBI zich alleen maar zorgen maakt over de vraag of de juiste procedures wel worden gevolgd.'
'Krijg de pest,' snauwde Novatny.
'Nou, krijg jij de pest dan ook maar.'
Het bleef even stil. Toen zei Novatny: 'Goed dan. Ik wil even met haar praten.'
Jake bracht de telefoon naar Madison en zei: 'Novatny.'
Haar wenkbrauwen gingen omhoog. Ze pakte het toestel aan en zei: 'Hallo? Ja, dat kan ik doen. Mag Johnson Black erbij zijn? Oké.'
Ze gaf de telefoon terug aan Jake. Novatny zei: 'We hebben haar morgen nodig om nog een verklaring af te leggen. En we moeten met haar praten over wie er nog meer in die homoclub zit...'
'Het is niet bepaald een club.'
'Je weet best wat ik bedoel,' zei Novatny.
'Ja, dat weet ik, maar ik zal je iets vertellen, Chuck. "Homoclub" klinkt slecht. Dat riekt naar roddelbladen in de supermarkt. Als ik jou was, zou ik mijn woorden iets zorgvuldiger kiezen. Deze zaak...'
'Ja, ja. Die begint aardig uit de hand te lopen. Officieel bevalt het me niet dat Madison Bowe bij jou thuis is. Officieus, pas goed op haar. Heb je een wapen?'
'Ja.'
'Goed dan. Ze heeft bakken met geld. Ik kan haar het nummer van een goed beveiligingsbedrijf geven, als ze daar behoefte aan heeft... allemaal voormalige jongens van de Geheime Dienst.'
'Ik zal het doorgeven,' zei Jake.
'En, Jake... veel succes.'
Jake moest er even over nadenken en zei toen: 'Nogmaals, krijg de pest.'
Novatny lachte en hing op.

Jake vertelde Madison over het beveiligingsbedrijf, stelde voor dat ze het een kans zou geven, en Madison zei dat ze erover zou nadenken. 'Het kan lastig zijn als al die mensen me voor de voeten lopen,' zei ze. 'Maar wat doen we met dat microfoontje, áls het er is?'
'Dat laten we nog even zitten. Ik heb een idee voor een dialoog.'
'Een wat?'
'Je weet wel, een toneelstukje,' zei Jake. 'Jij en ik gaan een toneelstukje opvoeren. Daar hebben we het microfoontje voor nodig.'

'Waar heb je het over?'

'Ik moet je kunnen vertrouwen als ik het je vertel,' zei hij.

'Dat weet ik. Jezus, Jake, je kunt me echt vertrouwen. Hiervoor niet, maar nu wel. Ik weet niet hoe ik het kan bewijzen.'

Ze zaten even zwijgend tegenover elkaar, totdat Jake een idee kreeg. 'Wacht even,' zei hij, en hij liep naar zijn werkkamer, zocht in zijn koffertje en vond het kamernummer van Cathy Ann Dorn in het ziekenhuis.

Ze nam op, zei: 'Hallo?' en toen Jake had verteld wie hij was, zei ze: 'Mijn vader heeft me verteld dat u had gebeld.'

'Hoe voel je je? Mag je al naar huis?'

'Nee. Ik ben flink toegetakeld. Niet ernstig gewond, maar mijn neus is gebroken...' Ze moest huilen, riep zichzelf tot de orde en zei: 'En ze hebben een paar tanden uit mijn mond geslagen. Ik lijk verdomme wel een of andere... een of andere... tandeloze boerin of weet ik veel...' En ze moest weer huilen.

'Mag ik bij je langskomen?'

'Ja. Ik zit hier maar met dat ding in mijn arm. Ik moet morgenochtend naar de chirurg, maar vroeg in de ochtend. En morgenmiddag komt er een tandarts...'

'Ik zou je graag onder vier ogen spreken. Is daar een mogelijkheid voor?'

'Mijn vader komt 's ochtends, voordat hij naar zijn werk gaat, en om tien voor halfeen komt hij weer, met mijn moeder, voor de lunch. Als u na tienen komt, is er waarschijnlijk niemand.'

'Oké, ik zal er zijn,' zei Jake.

'Als u maar niet raar naar me kijkt als u binnenkomt,' zei ze. 'Ik ben nu hartstikke lelijk, dus u moet niet schrikken.'

'Cathy, ik heb vroeger een vriend gehad die in zijn gezicht werd geraakt door een granaatscherf zo groot als een slagersmes. Bijna zijn hele gezicht lag eraf. We hebben het er weer op gelegd, hem naar het ziekenhuis gebracht, en hij heeft er één wit littekentje aan overgehouden. En zelfs dat zie je niet, tenzij hij te lang in de zon heeft gezeten. De artsen kunnen tegenwoordig alles. Over een paar maanden zie jij er weer fantastisch uit, en dan stel ik je voor aan de president.'

Een hikkend lachje, en ze vroeg: 'Echt waar?'

'Reken maar.'

'Nu moet ik je kunnen vertrouwen,' zei hij tegen Madison toen hij weer in de woonkamer was. 'Misschien heb ik een bron bij Goodman.'

Jake vertelde haar over Cathy Ann Dorn. 'Ik zou haar wat graag Good-

mans kantoor in sturen om de harde schijf van zijn computer te kopië-
ren.'
'Jake, denk na,' zei Madison. 'Ze hebben haar bijna doodgeslagen. Dat
is niet zomaar gebeurd. En jij wilt haar Goodmans kantoor in sturen?'
Jake fronste zijn wenkbrauwen. Cathy Ann was geen geheim agent.
'Oké, dat is niet zo'n goed idee. Maar ze ís een bron. Ik verzin wel iets
anders.'
'Interessante baan heb jij...'
Madison vroeg hoe het was gekomen dat hij voor de president werkte.
Jake vertelde het, over zijn jeugd op de ranch van zijn grootouders, over
de afstand tussen hemzelf en zijn ouders, en toen vroeg hij: 'Wil je nog
een biertje?'
'Graag. Ik lust er nog wel een.'
Ze kwam terug op zijn grootouders, en Jake vertelde haar over het werk
op de ranch en hoe zijn grootvader niet van paarden op tractoren over
had willen schakelen. 'Toen benijdde ik de jongens die rondreden op die
grote Honda's en Polarinen en met een wolk rook boven hun hoofd over
het platteland scheurden,' zei Jake. 'Ik zat op een oud paard en het
kostte me een kwartier om ergens te komen waar je met zo'n Honda in
een minuut naartoe reed. Nu ben ik er alleen maar dankbaar voor. Het
zou leuk geweest zijn als het gezin wat hechter was geweest, je weet wel,
de band met mijn ouders, maar al met al heb ik een prima jeugd gehad.
Hoewel ik dacht dat ik het niet zou overleven toen mijn grootmoeder
overleed...'
En Madison vertelde hem over haar jeugd, in Lexington en Richmond.
Haar vader was advocaat geweest, haar moeder huisvrouw. Haar vader
had zelfmoord gepleegd toen hij vijftig was.
'Ik heb hem gehaat omdat hij dat heeft gedaan,' zei ze, waarna ze opstond en met haar bierflesje in de hand door de kamer begon te ijsberen.
'Ik zat op de middelbare school en we hadden wat vader-dochterproble-
men, meningsverschillen en ruzies waarbij het er soms hard aan toeging,
ik heb tegen hem geschreeuwd en heb nooit de kans gekregen om het
goed te maken, want op een dag is hij de tuin in gelopen en heeft zich
door zijn hoofd geschoten.'
'Was er...? Weet je waarom?'
'Ja. Hij was depressief. Zwaar depressief. Hij vertikte het naar een psy-
chiater te gaan, want hij wilde nog steeds een gooi doen naar een belangrijke politieke functie... hij had twee keer in de gemeenteraad van Richmond gezeten. Hij wilde geen "mentale ziekte" op zijn lijstje vermeld
zien. Hij kreeg pillen van zijn huisarts, maar die hielpen niet... Dus op
een dag, een heel mooie dag, is hij de tuin in gelopen, heeft een tijdje

op de schommel gezeten en toen *beng*! Een van de buren hoorde het en is de tuin in komen rennen... Misschien ben ik daarom wel met een oudere man getrouwd. Misschien was ik wel op zoek naar een vaderfiguur.'

Ze ging weer zitten, maar nu naast Jake op de bank. Jake voelde zich als een tiener in de bioscoop en legde zijn linkerarm op de rugleuning, achter haar hoofd. Hij zat na te denken over zijn adem, of die wel fris rook, en wat hij had gegeten. Het bier zou het wel maskeren, hoopte hij.

Ze vertelde hem over paardrijden, verschoof haar billen en zat iets dichter bij hem. Jake dacht: jezus, man, ze zendt niet te negeren signalen naar je uit; doe er iets mee. En hij dacht aan Novatny en zijn 'veel succes'. Verbaasd over zijn eigen brutaliteit schoof hij zelf dichter naar haar toe, legde zijn hand op haar schouder, trok haar naar zich toe en kuste haar. Ze liet zich kussen, drukte zich tegen hem aan, zei: 'Hm', en toen hij zich van haar wilde losmaken, trok ze hem naar zich toe en kusten ze elkaar opnieuw.

Hun gesprek werd minder samenhangend.

Na een minuut of twee, terwijl Jake zijn hand over haar lichaam liet gaan, werd hun gesprek nog veel onsamenhangender. Jake wist dat hij na twee biertjes zeker naar de wc zou moeten, en gauw ook. Hij wist ook dat hij liever zijn beide benen zou laten amputeren dan dat hij nu van de bank zou opstaan.

Jake dacht: wat hebben vrouwen toch kleine hoofden, toen zijn hand achter haar hoofd lag, en even later, toen zijn hand van haar ene borst naar de andere ging, vatte ze dat verkeerd op en zei: 'Wacht, wacht even', en hielp ze hem met de knoopjes van haar blouse. Met twee vingers maakte hij de sluiting van haar beha los en Madison mompelde: 'Ik merk dat je de nodige ervaring met beha's hebt', en Jake zei: 'Nee, ik had gewoon geluk', en zij zei: 'Ja, ja...'

Daarna werd hun gesprek pas echt onzinnig, totdat ze, een beetje buiten adem, begon te lachen en zei: 'Jake, stop, hou op. Ik moet echt heel nodig naar de wc. Jake, laat me los, seksmaniak.'

Ze rende de trap naar de badkamer op de eerste verdieping op. Jake haastte zich naar de wc op de begane grond, trok twee seconden eerder door dan zij, waste zijn handen, droogde ze af, bekeek zijn haar in de spiegel, nam een slokje mondwater en gorgelde, voor de zekerheid, en stond met zijn handen in zijn zakken in de woonkamer toen ze de trap af kwam.

'Hoi.' Hij pakte haar hand, trok haar naar zich toe, gaf haar een kus op haar voorhoofd en zei: 'Dit werpt een ander licht op ons slaaparrangement.'

'Lieve hemel, Jake, moet ik nu echt al het zware werk doen?'

Hij sliep vierenhalf uur, zoals gewoonlijk. Hij werd wakker, voelde haar gewicht op het matras, herinnerde zich dat ze naast hem lag, luisterde naar haar ademhaling en dacht terug aan de afgelopen avond. Hij zou zich, dacht hij, moeten terugtrekken uit het onderzoek. Hij zou met Madison op vakantie moeten gaan, naar Londen of Parijs, van het leven genieten totdat de hele storm was overgewaaid. Daarna konden ze terugkomen en gaan waar hun relatie hen naartoe zou voeren.

Paardrijden.

Maar dat was niet wat hij ging doen.

Want hij hoefde zijn ogen maar te sluiten en hij zag het gezicht van het neergeschoten meisje in Madison weer. Een bloederige, ijskoude, wrede moord.

16

Ze ontbeten samen met Engelse toast, marmelade en koffie, en Jake zei: 'Je kunt óf met me meegaan, óf ik kan je onderbrengen bij een vriend van me. Ik ken een gepensioneerde docent van Georgetown en je zou in zijn huis volmaakt veilig zijn.'

'Gekke jongen,' zei ze. 'Ik ga met je mee.'

Jake belde Gina op het Witte Huis en vroeg: 'Hoe ziet mijn agenda eruit, als ik er een heb?'

'Jake, het is hier een chaos,' zei ze. Voor het eerst sinds Jake voor Danzig werkte, hoorde hij opwinding in haar stem. 'De baas wil je spreken, maar hij heeft nog geen tijd gehad. Ik zal even kijken of ik hem kan storen.'

Jake luisterde een minuut naar elektronisch geruis, daarna nog een minuut, en toen had hij Danzig opeens aan de lijn. 'Hou contact,' zei Danzig. 'Ik wil dat je binnen twee uur hier kunt zijn. Niet vandaag of morgen, maar misschien overmorgen... of de dag daarna. We willen dat jij met Novatny praat en dat je hem een verslag geeft van hoe je de informatie te pakken hebt gekregen.'

'Is de zaak aan het rollen?'

'Ja. We zouden die binnen achtenveertig uur afgehandeld moeten hebben. Of zestig uur, hooguit.' En weg was Danzig.

Ze namen Jakes auto, nadat ze die van Madison in de garage hadden gezet, voegden zich in het drukke verkeer richting Virginia, moesten knokken voor elke centimeter wegdek, reden de brug over, en pas na een uur kregen ze de ruimte om een beetje gas te geven.

Even na tienen reden ze Richmond binnen en gebruikte Jake het navigatiesysteem om het ziekenhuis te vinden. Toen het in zicht kwam, zei Jake: 'Het is misschien beter als ze jou niet ziet. Als je een halfuurtje wilt gaan winkelen, of even bij je moeder langs wilt...'

Madison schudde haar hoofd. 'Dan kom ik de eerstvolgende vier uur de deur niet meer uit. Geef mij de auto, dan ga ik op zoek naar een boekhandel.'

Jake wist het kamernummer van Cathy Ann Dorn, nam de lift naar de tweede verdieping en liep meteen door naar de afdeling Chirurgie. Hij had zelf lange tijd in ziekenhuizen gelegen en de geur die hij opsnoof bracht de herinneringen terug. Alles, van hoe ze hem naar de Medische Dienst hadden gesjouwd, de vlucht naar Duitsland, het ziekenhuis in Bethesda, tot en met de kleinere dingen: het geluid uit de luidsprekers in het plafond, het piepen van de monitors, de holle klank van de stemmen in de gang, en de laden... er werden altijd overal laden open- en dichtgedaan.

Cathy werd net in een rolstoel haar kamer in gereden toen Jake de gang in kwam. Ze stak haar hand naar hem op en zei: 'Meneer Winter, één minuutje.'

'We moeten haar eerst in bed leggen,' zei de verpleegster.

'Ze is bang dat u mijn billen ziet,' zei Cathy.

De verpleegster reed haar de kamer binnen, kwam twee minuten later weer de gang op en zei: 'Ze is niet op haar mondje gevallen.'

'Nee...'

Cathy zat rechtop in bed, met een flesje water met een rietje in haar hand, en het zonlicht, dat schuin door het raam naar binnen kwam, viel op het bed, tot aan haar bedekte voeten. 'Hallo,' zei Jake, en hij bekeek haar, liet haar zien dat hij haar bekeek. Haar gezicht was een lappendeken van zwarte, blauwe en gele plekken, waar donkere, geheelde sneetjes doorheen liepen. Haar boventanden waren ernstig beschadigd: twee waren er afgebroken en één ontbrak helemaal.

'De chirurg zei vanochtend dat ze mijn neus waarschijnlijk wel konden herstellen,' zei ze, 'hoewel misschien niet helemaal perfect.'

'Hm,' zei Jake. 'En de rest?'

'Ik ben flink hard getrapt en ze waren bang voor een leverbeschadiging, maar ze zeiden dat ze er niet in hoefden.' Ze had het jargon van de chirurgen overgenomen.

'Dus je zult genezen,' zei Jake terwijl hij een stoel naar het bed trok. Hij ging zitten en vervolgde: 'Als de tandheelkundig chirurg met je klaar is, ziet je gebit er beter uit dan ooit. Je kunt zelfs de tint wit uitkiezen. En als ze je neus doen, zou je tegen hen moeten zeggen dat ze niet moeten overdrijven. Dat ze een licht bobbeltje moeten laten zitten.'

'Wat?' Dat idee verbaasde haar.

'Je bent een heel mooi meisje, maar perfectie – als ik het zeggen mag – is zo saai. Ik zie je voor me, met een heel licht bobbeltje op je neus, en dan zie je er goddelijk uit. Kun je zo mee op televisie.'

Er fonkelde een lichtje in haar ogen. 'Denk je dat?'

'Dat weet ik zeker. En ik zou het helemaal niet erg hebben gevonden als ik je blote achterste had gezien... want van wat ik me herinner toen we elkaar voor het eerst ontmoetten en ik je nakeek in de gang, zag dat er ook fantastisch uit. Kun je ook zo mee op televisie.'

'Het kan er zeker mee door,' zei ze. 'Ik heb eraan gewerkt.'
Ze zaten even zwijgend bij elkaar en toen vroeg Jake: 'Wat denk je dat er gebeurd is? Een straatroof?'
Ze sloeg haar ogen ten hemel. 'Het was geen beroving, Jake. Arlo heeft het gedaan. En die verdomde broer van hem, Darrell. Iemand heeft hun verteld dat ik met jou heb gepraat, en toen jij die Carl V. Schmidt bent gaan opzoeken, moeten ze geweten hebben dat ik het heb verteld, dus hebben ze me opgewacht en me in elkaar geslagen. Arlo is op bezoek geweest, heeft mijn hand vastgepakt en gezegd dat ze me missen.'
'Heb je dat aan je vader verteld? Dat je denkt dat Goodman het heeft gedaan?'
'Nee... ik twijfel nog steeds over wat ik moet doen.'
'Zeg tegen niemand iets,' zei Jake. 'Ik ben net terug uit Madison, Wisconsin. Je zult het nieuws in de komende dagen waarschijnlijk wel horen...' Hij vertelde haar over de executies in Madison. 'De zaak is ernstig uit de hand gelopen, Cathy Ann. Op dit moment ben je in veiligheid. Maar ik zou geen ruzie met Goodman zoeken, en je vader kan dat beter ook niet doen. En de naam Darrell Goodman kun je helemaal beter voor je houden.'
'Dus ze gaan gewoon vrijuit?' Ze was verbijsterd, op die verontwaardigde manier waarop jonge mensen dat wel vaker toonden.
'Ze gaan vrijuit omdat jij niemand kunt identificeren, en die mensen in Madison zijn dood,' zei Jake. 'Je weet dat hij het gedaan heeft, maar bewijs dat maar eens. Aan de andere kant kunnen we de informatie uitspelen aan de juiste mensen en hen naaien zoals ze nog nooit zijn genaaid. Daarna zal het hen niet eens meer lukken om Goodman als hondenvanger genomineerd te krijgen.'
Ze keek hem onderzoekend aan en zei: 'Je bent hier met een reden. Niet alleen om me op te vrolijken.'
'Je had gezegd dat je slim was,' zei Jake.
'Ben ik ook.'
Jake vond dat hij het beste gewoon eerlijk tegen haar kon zijn. 'Ik zou graag iets uit Goodmans kantoor willen hebben. Ik wil de harde schijf van zijn computer kopiëren. Dat hoeft maar tien tot vijftien minuten te duren. Ik had gehoopt dat jij iemand kende die dat kon doen, of een manier wist waarop wij het kunnen doen.'
Ze schudde haar hoofd. 'Ik zou het zelf kunnen doen, maar ze willen me niet terug. Arlo zei dat ik het een tijdje rustig aan moest doen en moest teruggaan naar school om mijn studie af te maken. En zelfs als ik daar terug was, dan is er ook nog Dixie, zijn secretaresse, die alles in de gaten houdt.'

'Verdomme.' Jake krabde op zijn hoofd. Wat nu?

'Wat denk je dat er op die harde schijf staat?' vroeg Cathy Ann.

'Dat weet ik niet,' zei Jake. 'Maar er moet volgens mij een hoop e-mail op staan, zowel ontvangen als verzonden, en die zou ik dolgraag willen zien. Ik wil graag weten met wie hij contact heeft, zodat we misschien een paar van die mensen in hun kraag kunnen pakken en zover kunnen krijgen dat ze over Goodman willen praten.'

'Dat zou toch verboden zijn? Je kunt zijn harde schijf toch niet kopiëren en dan als bewijs tegen hem gebruiken?'

'Nee, maar als je iets zeker weet en de details kent, is het een stuk gemakkelijker om bewijs buiten de oorspronkelijke bron om te verzamelen,' zei Jake. 'Als ik dat voor elkaar krijg, kan ik dat bewijs aan een vriend van me bij de FBI geven.'

Ze dacht even na, glimlachte toen en zei: 'Er is een ondergrondse gang tussen het gouverneurshuis en het stadhuis. Ik ging er wel eens met een vriendin naartoe om een sigaretje te roken. Maar... nee, dat kan niet. Er zijn bewakers en er is een alarminstallatie die ook het huis beveiligt. We mochten daar voor een bepaalde tijd niet in, omdat anders het alarm zou afgaan.'

'En zijn kantoor is onmogelijk?'

Ze knikte. 'Ja, absoluut onmogelijk. Er staan buiten bewakers, van de burgerwacht, er zijn binnen bewakers, en er is het alarm. Ik bedoel, hij is tenslotte de gouverneur. En sinds ik er niet meer ben, is alleen zijn secretaresse er nog, en die is smoorverliefd op hem.'

'Oké.'

'Zou je er een probleem mee hebben om in een politiewagen in te breken?'

'Een politiewagen?'

'Arlo laat zich rondrijden door een verkeersagent. Door diverse agenten zelfs. Ze hebben zo'n grote, zwarte Mercury. Hij gaat bijna elke dag lunchen in Westboro's, om even na twaalf uur.' Ze keken allebei naar de klok aan de muur. Halfelf. 'Dat is het restaurant waar veel politici naartoe gaan. Hij ontmoet daar mensen, ze lunchen er en bespreken hun politieke zaken. Hij neemt zijn attachékoffertje met zijn laptop altijd met zich mee, maar laat het meestal in de auto achter, op de vloer onder de achterbank. En de agent zet de auto altijd in de parkeergarage. Het is daar vrij donker.'

'Wil je zeggen dat...'

'Je zou in de auto kunnen inbreken en er met het koffertje vandoor kunnen gaan. Maar dan kun je niet zijn harde schijf kopiëren zonder dat hij het weet.'

'En die agent? Waar blijft die?'

'In het restaurant,' zei ze. 'Die treedt ook op als lijfwacht, dus hij eet daar ook, aan een tafeltje in de buurt van Goodman. Ik heb een paar keer met hem meegegeten. Met de agent.'

Jake dacht er enige tijd over na. 'Het is nogal riskant.'

'Het is het enige wat ik kan bedenken,' zei ze. 'Het spijt me.'

Jake gaf een klap op zijn dijbeen en zei: 'Nou ja, dan schakelen we over op plan B.'

'Wat dan?'

'Dat wil je niet weten. En nog iets anders, zeg tegen niemand dat ik hier ben geweest. Jij zorgt ervoor dat je beter wordt, blijft uit de buurt van Arlo, gaat terug naar school en maakt braaf je studie af, en als dit allemaal voorbij is, bel je me en ga ik iets leuks voor je regelen.'

'Beloof je dat?' De lichtjes fonkelden weer in haar ogen, net als toen hij tegen haar zei dat ze er weer goddelijk uit zou zien.

'Wij zorgen goed voor onze mensen,' zei Jake.

In de auto vroeg Madison: 'Heb je wat je nodig had?'

'Misschien wel.' Jake dacht er nog eens over na en vroeg toen: 'Ken jij een tent die Westboro's heet? Een restaurant?'

'Natuurlijk. Iedereen in Richmond kent Westboro's. Een soort clubhuis voor politici.'

'Kunnen we ernaartoe rijden?' vroeg Jake. 'Ik wil de parkeergarage bekijken.'

'Wie ga je daar ontmoeten?'

'Niemand, hoop ik.'

Hij vertelde haar over de laptop. 'Het is nogal riskant,' zei Madison, precies zoals hij het zelf had gezegd.

'We zitten hartstikke vast,' zei Jake. 'We moeten iets doen om de zaak open te breken.'

'Jake, ze hebben vast een autoalarm...'

'Het komt allemaal aan op timing,' zei Jake, en hij dacht weer aan het pakket informatie. 'Alles draait om timing.'

'Ja, nou...' zei ze. 'Hoe we het ook doen, het zal verdomd snel moeten gebeuren.'

Westboro's was gevestigd in een pand van rode baksteen, vier straten van het stadhuis, met een luifel vol ouderwetse gloeilampen boven de ingang, en daaronder, in rode neonletters: DE BESTE STEAKS, LAMSKOTELET- JES EN VIS VAN DE HOOFDSTAD. De parkeergarage was een lelijke klomp beton waarvan de ingang vijftig meter verderop was. Jake keek op zijn horloge: bijna elf uur.

Hij stopte bij de parkeergarage, bekeek de ingang maar zag geen hek of slagbomen. 'Hoe betaal je hier?' vroeg hij.

'Er zijn binnen parkeermeters. En een parkeerwachter, die de meters bijhoudt.'

'Uitstekend.'

Hij reed naar binnen. Zoals Cathy Ann Dorn had gezegd, was het er vrij donker. Jake zag nergens camera's. Er was een dubbele rijbaan, dus je reed naar buiten zoals je naar binnen was gereden. De eerste verdieping stond vol met auto's, en de tweede, nadat ze de bocht naar boven om waren gereden, was maar voor de helft bezet. Er kwam een man langs hun auto lopen, de bocht om, en naar buiten. Jake reed nog eens vier bochten om, totdat hij helemaal boven was, keerde daar en reed weer naar beneden. Aan beide kanten was een trappenhuis.

Hij parkeerde de auto, liet de motor draaien, liep naar een van de trappenhuizen, daalde twee trappen af en ging naar buiten. Hij kwam terecht in een zijstraat, minder druk dan de straat waar de ingang was, maar er reden wel auto's langs.

Jake ging weer naar binnen, liep de trappen op, stapte in de auto en reed de garage uit. 'En?' vroeg Madison.

'Het is te doen,' zei hij.

'Als we gepakt worden, stopt Goodman ons in de gevangenis,' zei Madison. 'Als die agent je niet heeft doodgeschoten.'

'Misschien praat ik me daar met een beetje chantage wel uit, als de agent me niet heeft doodgeschoten.'

'Luister nou...'

Jake legde haar zijn plan voor en Madison zei: 'Als iemand je naar binnen ziet gaan, zullen ze tegen de politie zeggen dat het een man was die hinkte. Dan weten ze meteen dat jij het was.'

'Als ik met mijn linkerbeen op mijn voorvoet steun, hink ik niet. Ik kan het niet zolang volhouden, maar een paar honderd meter moet wel lukken.'

'En wat doe ik in de tussentijd?' vroeg ze. 'Bij mijn moeder wachten totdat ik hoor dat je doodgeschoten bent?'

'Dat is de pessimistische versie,' zei Jake.

'Geen gelul, ik rij.'

Hij glimlachte naar haar. 'Ik hoopte al dat je dat zou zeggen.'

Bij een Home Depot in Broad Street kocht Jake een pinhamer en een paar katoenen werkhandschoenen. Ze reden terug naar Westboro's en parkeerden een eindje verderop, op een plek waar ze de ingang van de parkeergarage goed konden zien.

'Even voor twaalf uur kan het hier aardig druk zijn,' zei Madison. 'Mensen die niet gereserveerd hebben en nog een tafeltje willen bemachtigen.'
Jake keek op zijn horloge en geeuwde van de spanning. Madison zag het en geeuwde ook. 'We kunnen een tijdje vrijen,' stelde hij voor.
'Daar ben ik te bang voor.'
'Je hóéft niet te rijden...'
'Nee, nee, ik heb het gezegd, dus doe ik het ook,' zei ze. 'Maar ik ben wel bang.'
'Goed zo. Bang zijn is realistisch. Als je maar niet verkrampt en me op straat laat staan.'
Ze knikte. 'Misschien leer je me ooit te vertrouwen.'
Ze praatten wat met elkaar terwijl de politici en hun volgelingen Westboro's binnenstroomden. 'Was het Howard Barber die me heeft laten aftuigen?'
'Dat hoop ik niet,' zei ze.
'Ik vraag niet wat je hoopt, ik vraag wat je denkt,' zei Jake. 'Goodman had namelijk geen reden om me tegen te houden. Jullie wel.'
'Dat brengt het aantal verdachten aanzienlijk terug.' Ze perste haar lippen op elkaar, keek naar buiten en zei: 'Ik heb het hem gevraagd. Hij zei niet "ja", maar hij heeft het ook niet echt ontkend. Hij ontweek de vraag. En hij kent zeker mensen die ertoe in staat zijn. Je hebt hem bang gemaakt. Hij wilde dat je wat gas terugnam.'
'Ik hoop dat ik hen nog een keer tegenkom, die mensen van hem. Eén per keer. Als ik mijn stok bij me heb.'
'Ik zou het leuk vinden als je nog een nachtje bleef,' zei Jake. Hij geeuwde weer en Madison geeuwde ook. Ze waren allebei nerveus. De wijzers van het autoklokje waren niet vooruit te branden. 'Je weet wel, omdat... gewoon, omdat ik het leuk vind.'
'Dan kunnen we het over de rol van de NAVO binnen het nieuwe Europa hebben,' zei ze.
'Ja, ja... maar ik wil dat je morgen weer naar huis gaat. Dat je je normaal gedraagt, geen gekke dingen doet en geen spelletjes speelt met het afluistermicrofoontje, als dat er is. Doe gewoon wat je altijd doet. Er zijn een hoop dingen waar nog over gepraat moet worden. Heel binnenkort zal de vlam in de pan slaan.'
'En wat ga jij doen?'
'Overal in het rond rennen,' zei Jake.
'Als je maar niet weer gewond raakt.'
'Dat is niet de bedoeling.'
'Misschien moet ik met je meerennen.'
'Dat zou niet... hé, daar komt een Mercury aanrijden.'

Cathy Ann Dorn zou een goede spion geweest zijn, bedacht Jake. De Mercury was precies op tijd, zes minuten over twaalf. De auto reed de garage in en vier minuten later kwam Arlo Goodman naar buiten, met in zijn kielzog een grote man in een donker pak en met een zonnebril op. Allebei met lege handen.

'De bodem van mijn maag is er zonet uitgevallen,' zei Madison. Ze startte de auto.

'Laat me niet op straat staan.'

'Doe wat je moet doen en kom zo gauw mogelijk weer naar buiten,' zei ze. 'Maar... als ze nu een of andere boobytrap hebben ingebouwd?'

'Zelfs de auto van de president heeft geen boobytraps,' zei Jake.

'Of als er een camera of zoiets is?'

'Daar geloof ik niks van...' Maar hij draaide zich om en pakte de pet van de Atlanta Braves, die hij in Atlanta had gekocht, van de achterbank. Hij zette hem op en deed het portier open.

'Wacht,' zei Madison. 'Wacht nog vijf minuten, zodat we zeker weten dat Goodman zijn lijfwacht niet heeft teruggestuurd om iets uit de auto te halen.'

Ze bleven nog drie minuten zitten en toen deed Jake het portier weer open. 'Ik ga. Hou je telefoonlijn vrij.'

'Wacht.' Ze zocht in haar tas, haalde er een zijden sjaaltje uit en zei: 'Hier, doe dit voor je gezicht. Voor het geval er toch een camera is.'

'Jezus.' Maar hij pakte het sjaaltje van haar aan. 'Mijn grootste zorg is dat er een andere auto komt binnenrijden...'

'Zoveel hebben we er nog niet gezien...' zei ze bezorgd.

'Ik ga.'

Deze keer ging hij echt, steunend op zijn linkervoorvoet. Hij was tien meter van de ingang toen er een auto afsloeg en de garage binnen reed. 'Shit.' Jake bleef staan en liep toen door, langs de ingang, langs Madison, veertig, vijftig meter, keerde toen om en liep weer terug naar de garage. Twee mannen kwamen het zonlicht in lopen, keerden hem de rug toe en liepen richting Westboro's. Jake naderde de ingang, was er nog twintig meter vandaan en voelde dat zijn linkervoet vermoeid begon te raken toen de twee het restaurant binnen gingen.

Een minuut later was hij binnen, liep de eerste bocht om en voelde het gewicht van de hamer in zijn zak. Hij keek achterom om te zien of er geen andere auto was binnengekomen. Hij moest nu opschieten. Hij kwam op de eerste verdieping, dacht aan de sjaal, dacht: krijg de pest, haalde hem toch uit zijn zak, bond hem snel om de onderste kant van zijn gezicht en trok de handschoenen aan. Tussen de sjaal en de pet waren alleen nog zijn ogen te zien. En het was donker.

Hij haalde zijn mobiele telefoon tevoorschijn, drukte op een knop en hoorde Madisons toestel overgaan. Het teken om naar de afgesproken plek te rijden.

Jake haalde een keer diep adem, luisterde of hij een auto hoorde, hoorde niets en begon langzaam te tellen: 'Eenentwintig, tweeëntwintig...' Hij haastte zich naar de Mercury, haalde de hamer uit zijn zak en sloeg de achterruit in. Het glas brak, viel naar binnen en het autoalarm ging af. Snel sloeg hij de rest van het glas eruit, stak terwijl het alarm afging zijn hand door de opening, deed het achterportier open, zag het koffertje op de vloer liggen, pakte het en zette het op een lopen.

Naar de deur van het trappenhuis. Hij keek om zich heen, niemand te zien. Rende de trap af en telde door: 'Achtentwintig, negenentwintig...' Bij de deur bleef hij staan, trok de sjaal los, propte die in zijn overhemd en ging naar buiten. Madison kwam net aanrijden. Ze minderde vaart, Jake stapte in en telde nog steeds door, hardop nu: 'Vierendertig, vijfendertig...'

Hij draaide zich om en keek door de achterruit.

Bij de deur van de parkeergarage was niets te zien. Ze reden de hoek om en waren weg.

'Ik zat aan iets te denken,' zei Madison. Ze was cool en beheerst, maar ze had ook een blosje op haar wangen. 'Als Arlo hierover nadenkt en hij denkt: Jake Winter, en laat de verkeerspolitie naar ons uitkijken? Laat ons aanhouden, zogenaamd op verdenking van drugsbezit, en de auto doorzoeken?'

'Eh, tja...' Jake dacht er even over na en zei: 'Dat risico kunnen we niet nemen. Rij naar het vliegveld. Ik huur daar een andere auto en jij rijdt in deze achter me aan. Als je ziet dat ik word aangehouden, kun jij doorrijden.'

'Ik ben zo bang dat ik het bijna in mijn broek doe,' zei Madison.

'Ik weet niet of je het weet, maar deze leren autostoelen hebben me een fortuin gekost,' zei Jake. Ze moest lachen, en hij ook. 'Ik zweet zelf als een otter. Laten we verdomme maken dat we Virginia uit komen.'

17

Russell Barnes had geen onderbenen meer, had een enorme bos rood haar dat met een wit lintje in een paardenstaart was geknoopt en een lange rode baard die in een vlassige punt op zijn legergroene T-shirt hing. Hij had de voordeur opengedaan, bleef enige tijd naar Madison kijken en zei: 'Jake, leuk je weer te zien. Hoe is het met je been?' 'Niet slecht. En met jouw pijn?'
'Ik ben zo verslaafd aan die medicijnen dat als ik ooit van de pijn af kom, ik er wel een drugsprobleem aan overhoud,' zei Barnes. 'En of ik daar ooit van afkom, is nog maar de vraag.'
Ze liepen met hem mee naar binnen, hij in zijn rolstoel, door de scheme-rige gang, naar wat ooit de woonkamer was geweest, maar die nu vol computerapparatuur stond. Een drie meter brede werktafel, bezaaid met allerlei elektronische testapparatuur, drie toetsenborden en zes mo-nitors in diverse formaten stond tegen de ene muur, onder een foto van een man in een legeruniform, die poseerde als het Heilige Hart van Jezus. De werktafel was laag, aangepast aan iemand in een rolstoel, en het rook naar tomatensoep in de kamer.
'Wat heb je voor me?' vroeg Barnes.
'Een laptop,' zei Jake, en hij deed het koffertje open. 'Beschermd met een wachtwoord.'
Hij gaf de laptop aan Barnes, die hem aanpakte, aansloot op een stek-kerdoos op de werktafel en opstartte. 'Het kan een paar minuten duren.'
Ze konden nergens naartoe en nergens zitten, dus Jake en Madison ble-ven bij de werktafel staan en keken toe terwijl Barnes met de laptop aan de slag ging. 'Een commercieel wachtwoordprogramma,' zei hij. 'Dat is niet goed.'
'Kun je er niet omheen?'
'Ik kan wel om het wachtwoord heen, maar ik denk dat een groot deel van wat erop staat gecodeerd zal zijn. Codering is een onderdeel van het programma.'
'Kun je die dan niet kraken?' vroeg Madison.
'Jawel, als ik een computer zo groot als een melkwegstelsel heb en vijf of zes miljard jaar de tijd... We zullen de harde schijf eens gaan bekijken.'
Hij draaide de laptop om, schroefde de achterkant los en haalde hem uit elkaar. Daarna pakte hij een zwart doosje van zijn werktafel, sloot een

paar kabels aan op het inwendige van de laptop en zette een schakelaar om. Een van de monitors lichtte op en gaf weer dat er een programma liep. Barnes keek er even naar, typte op een van de toetsenborden een commando in en onmiddellijk liep er ongecodeerde Engelse tekst over de monitor.

'Wat we hier hebben, is een klein deel gecodeerd spul, zoals e-mail, en een veel groter deel ongecodeerd spul. Het gecodeerde spul is alleen toegankelijk als je me het wachtwoord kunt leveren. Het ongecodeerde spul kan ik voor je printen, als je wilt. Maar het meeste ziet eruit als rommel. Het maakt deel uit van de programma's die hij gebruikt... je weet wel, illustraties van Word, dat soort dingen.'

'En de gecodeerde e-mail... zijn de adressen ook gecodeerd? Waar ze zijn verstuurd?'

'Nee. Ik kan zien waar de inkomende berichten vandaan komen en waar de uitgaande naartoe zijn gegaan.'

'Dat zou mooi zijn. Waar wij naar op zoek zijn, zijn e-mails, brieven en alle tekstbestanden die je kunt vinden.'

'Het kan even duren,' zei Barnes. 'Ik heb een snelle printer, maar er zit nogal wat in. Dan hebben we het over – pak 'm beet – achthonderd tot duizend pagina's.'

'We wachten wel,' zei Jake.

Madison ging met de auto koffie en iets te eten halen terwijl Jake en Barnes de stapel papier uit de printer dikker en dikker zagen worden en praatten over Afghanistan, ziekenhuizen, pijnstillers en oude vrienden, van wie er diverse niet meer in leven waren.

'Die vriendin van je,' vroeg Barnes, 'is dat serieus?'

'Moeilijk te zeggen,' zei Jake. 'Ze liegt soms tegen me.'

'Zij is toch Madison Bowe?'

'Nee,' zei Jake. 'Ze lijkt alleen maar op haar.'

Madison kwam terug en zei tegen Jake: 'CNN heeft het nieuws bekendgemaakt dat Linc homo was. Ik heb het net in Starbucks gezien.'

'O, jee. Wie zou dat hebben laten uitlekken?'

'Waar hebben jullie het over?' vroeg Barnes.

Jake legde het in het kort uit, vertelde hem alleen dat Lincoln Bowe connecties met de homoscene had gehad. Barnes schudde zijn hoofd, glimlachte naar Madison en zei: 'Ze zullen op je afkomen als vliegen op stront. De media.'

'Ja, dat weet ik wel zeker.'

'Zit dat je niet dwars?'

'De kans dat mensen het zouden ontdekken en dat het in het nieuws zou komen, bestond al een tijdje. Lincoln en ik hebben het erover gehad, over hoe ik ermee om moest gaan. Ik red me wel.'

Een uur later verlieten ze Barnes' huis met duizend vel papier en de weer in elkaar geschroefde laptop, knipperend met hun ogen vanwege het felle zonlicht. Barnes had de harde schijf gekopieerd en zou kijken of hij er nog meer vanaf kon halen. 'Wat gaan we nu doen?' vroeg Madison.

'Weer naar mijn huis. We gaan al dit materiaal lezen en uitzoeken wat jij moet gaan doen.'

'Ik ga Kitty Machela van cbs bellen. Volgende week, denk ik. Om een afspraak te maken voor een van haar beroemde interviews.'

'Van vrouw tot vrouw.'

'Sober decor, nette kleren en een sympathieke aanpak,' zei Madison. 'Ze zou Adolf Hitler nog sympathiek aanpakken als ze hem voor een exclusief interview kon strikken, maar het zal de angel uit het verhaal halen. Die van mijn aandeel, in elk geval.'

In Jakes huis installeerden ze zich in de werkkamer en begonnen het geprinte materiaal door te nemen terwijl de televisie op de achtergrond als een voortwoekerende schimmel bleef doorzeuren over het feit dat Lincoln Bowe homoseksueel was geweest. Er waren beelden van de voorkant van Madisons huis en verslaggevers die bij haar aanbelden.

'Elke nieuwszender laat zijn eigen verslaggever aanbellen,' zei Madison, 'ook al weten ze allang dat er niemand open zal doen.'

'Blijf lezen,' zei Jake.

In de duizend bladzijden zat één clou en het was Madison die hem vond. 'Die moorden die in Madison zijn gepleegd... ik heb hier een... hm... een afschrift van een goedkeuringsbewijs voor een privévliegtuig van Charlottesville naar Chicago, voor twee personen, op kosten van de staat, een vroege vlucht, om vijf uur 's ochtends, en een vlucht terug naar Richmond om negen uur 's avonds. Ik vraag me af waarom dat afschrift naar Goodman is gestuurd.'

Jake nam de bladzij van haar over, las de tekst en keek op. 'Omdat Goodman het toestel heeft gereserveerd, of heeft laten reserveren. Daar moest iemand voor tekenen en blijkbaar was hij dat. Er zijn dus twee mensen naar Chicago gevlogen, waarvandaan het drie à vier uur rijden naar de stad Madison is, op de ochtend dat Green en zijn secretaresse zijn vermoord, en ze zijn 's avonds weer teruggegaan.'

'Maar waarom met een regeringsvliegtuig? Dan moest er een bemanning geregeld worden en zou er van alles op papier staan.'

'Omdat je op een commerciële vlucht geen wapens kunt meenemen zonder die te laten registreren,' zei Jake. 'En ze wilden vast geen pistolen met geluiddempers laten registreren, of wel soms?'

'Waarom zijn ze niet gewoon naar Madison gevlogen?'

'Omdat de naam dan misschien zou opduiken in een onderzoek, als bijvoorbeeld de FBI alle vluchten naar Madison of Milwaukee, of ergens anders in Wisconsin zou nagaan. Ze moesten een risico nemen, maar hebben dat zo veel mogelijk beperkt door naar Chicago te vliegen. Zonder dit... zou het absoluut onmogelijk zijn om deze informatie uit het papierwerk op te diepen, geloof me. Dit zit ergens in een computer verstopt, op een plek waar niemand er ook nog naar zal kijken als niemand ernaar vraagt. Maar wij weten er nu van, dus aan ons kunnen ze niet ontsnappen. Want wij hebben het zwart op wit.'

'Maar ze zullen ondertussen heus wel een reden hebben bedacht voor wat die twee in Chicago te zoeken hadden,' zei Madison.

'Waarschijnlijk wel. Maar dit is het belangrijkste stukje van de puzzel, want het vertelt míj iets. Het zegt me dat jouw vriend Barber hoogstwaarschijnlijk niet de dader is.'

Ze bleven elkaar even aankijken, Madison alsof ze wilde zeggen: ik heb je al gezegd dat Howard het niet heeft gedaan. Vertrouw je me nog steeds niet? Maar ze hield haar mond.

'Ik vertrouw je genoeg om samen met jou een moord te plannen,' zei Jake. 'Dat zou ik niet eens met Russell Barnes aandurven.'

'Wat voor moord?' vroeg ze.

'Wacht even,' zei Jake. 'Ik moet eerst Russell bellen.'

Jake liep naar de telefoon en belde. 'Russell, kijk eens bij het gecodeerde materiaal, de gecodeerde e-mail. Kijk eens bij eergisteren, naar een e-mail die vanuit Chicago of ergens anders in Illinois of Wisconsin is verstuurd.'

'Wacht, even het bestand openen.'

Na vier minuten kwam Barnes weer aan de lijn. 'Ik heb er hier een die is verstuurd uit Chicago, om acht uur 's ochtends, een heel kort bericht. En er is er nog een, uit Madison, Wisconsin, van twee uur 's middags, die is nog korter.'

'Ze hebben het gedaan,' zei Madison. 'Denk je dat zijn broer...?'

'Ja. Darrell.'

'Is hij degene die we gaan vermoorden?'

'Ik zal je eerst vertellen over mijn plan,' zei Jake. 'Mijn plan voor het toneelstukje, onze dialoog...'

'Daar heb je het over gehad, maar je hebt niet gezegd wat de bedoeling ervan was.'

'Dat was voordat je de chauffeur van onze vluchtauto was,' zei Jake.
Jake legde haar uit wat hij met zijn toneelstukje in haar woonkamer van plan was.

'Als we dit doen,' zei Madison, 'en ik zeg niet dat we het niet moeten doen, moeten we het stap voor stap uitdenken, als een schaakpartij, tot aan de allerlaatste zet. En een reserveverhaal achter de hand houden voor het geval er iets misgaat...'

'Maar je zegt dus geen "nee"?' vroeg Jake. 'Vind je het niet te ver gaan?'

'Nee, dat vind ik niet,' zei ze. 'Soms is gerechtigheid niet genoeg. Dan wil je gewoon wraak.'

'Dus je doet het?'

'Ja.'

Ze bleven elkaar weer even aankijken en toen zei Jake: 'Bel Johnson Black en zeg dat hij je hier komt ophalen. Als je thuis bent, ga je op de veranda staan en leg je een korte verklaring af over het feit dat Lincoln homoseksueel was. Daarna ga je naar binnen en praat je met Black over wat je maar wilt. Als de persmensen naar huis zijn, waarschijnlijk na het avondnieuws, bel je me. Dan kom ik naar je toe en doen we ons toneelstukje.'

Ze knikte. 'Nu word ik weer bang. Dat is al de tweede keer vandaag.'

'We zitten diep in de problemen, Maddy,' zei Jake. 'Het is een buitengewoon gecompliceerde zaak geworden. Maar als er een afluistermicrofoontje in jouw huis zit – en dat zit er; dat durf ik te wedden – dan weet Goodman dat jij weet wat Barber met jouw man heeft gedaan. Als hij een manier kan verzinnen om die opnames openbaar te maken, kun je de gevangenis in gaan. Misschien wel voor lange tijd. Je weet hoe rechters met beroemde mensen omgaan, al was het alleen maar om te laten zien dat ze niet boven de wet staan... En als ik de informatie niet gauw aan de FBI doorspeel, kan ik zelf in de problemen raken door die executies in Madison. Ons toneelstukje kan dat voorkomen.'

'Maar we gaan wel iemand vermoorden. We zetten een val voor iemand.'

'Ja.' Opnieuw bleven ze elkaar weer even aankijken, totdat Jake zei: 'Luister, we zitten met een gigantisch probleem, want er zit een of andere psychopaat achter ons aan, of achter jou in elk geval. Ik kan de dans misschien wel ontspringen. Maar aan jou zullen ze vroeg of laat iets moeten doen. De nieuwe vicepresident kan geen problemen gebruiken, kan zich niet veroorloven dat iemand hem van een of ander schandaal beschuldigt. Als zij denken dat Goodman het gaat worden en jij loopt overal rond te schreeuwen dat Goodman een moordenaar en een nazi is, is de kans groot dat ze voor iemand anders zullen kiezen. Daar-

om wil Arlo Goodman jou uit de weg hebben, dat je in diskrediet wordt gebracht of in het openbaar vernederd wordt. En ze beschikken over een psychotische moordenaar om het vuile werk te doen.'
'Maar er zit een zwakke plek in je plan. Een foutje in de opzet.'
'O, ja?'
'Ja. Hoe wilde je dat met die andere auto doen?'
Jake knipperde met zijn ogen. 'God, wat een idioot ben ik.'
'Je bent geen idioot. Je hebt alleen iemand nodig die met je meegaat. Je hebt weer een chauffeur nodig.'
Hij knipperde weer met zijn ogen. 'O, nee. Nee, nee, nee...'
'O, ja. Het is de enige manier.'

Ze bleven nog even ruziën, welles nietes, welles nietes, en ten slotte zei Madison: 'Ik ga mee en daarmee basta. Of ik ga mee, of jij gaat niet.' Daarna belde ze Johnson Black. Die arriveerde een uur later en nam haar mee.
Tien minuten daarna zag Jake op CNN hoe Madison op de veranda van haar huis haar persverklaring aflegde. Ze zei dat ze ervan uit was gegaan dat de seksuele voorkeur van wijlen haar man een privézaak was, maar dat de FBI ervan op de hoogte was en dat die deel uitmaakte van hun onderzoek. Ze zei ook dat ze erg van streek was omdat de pers haar achtervolgde en op haar deur stond te bonken, en dat dit in elk geval niét de manier was om informatie van haar los te krijgen.
Ze zou geen enkele vraag aan de deur beantwoorden en de sensatiebeluste verslaggevers zouden zich moeten schamen voor hun opdringerigheid. Binnenkort zou er meer informatie worden vrijgegeven.
'Wanneer?' riep een stel verslaggevers, maar Madison gaf geen antwoord en ging naar binnen. Vervolgens pakte een hooggeplaatste ambtenaar van de politie van Washington de microfoon en zei dat eenieder die zonder toestemming nog een voet in mevrouw Bowes tuin of in die van haar buren zette, gearresteerd zou worden. Dat alle televisiebusjes en trucks een obstakel vormden voor de hulpdiensten en dus de straat uit moesten. Dat zij die dat niet deden bekeurd zouden worden, dat de voertuigen weggesleept zouden worden en pas weer vrijgegeven als de bekeuring was betaald. Dat de kosten van het wegslepen van een truck konden oplopen tot tweeduizend dollar. Hij voegde eraan toe dat, wanneer de sleepwagen eenmaal was gearriveerd, het te laat zou zijn om nog van gedachten te veranderen en de voertuigen zonder pardon zouden worden weggesleept.
Er werden mobiele telefoons tevoorschijn gehaald om overleg te plegen, en even daarna vertrokken er al wagens. Een uur na de persverklaring

op de veranda stond er nog één verslaggever op de stoep, van *The Washington Post*, van zijn ene voet op de andere te wippen.
Een uur daarna was er niemand meer.

18

Darrell Goodman kwam het kantoor van de gouverneur binnen toen de dienstmeisjes net weggingen. Het ene meisje droeg een dienblad met een zilveren koffiestel en het andere een mand met broodjes, overgebleven van een bespreking met de stafleden van het stadhuis en de Senaat. Darrell pakte snel een broodje uit het mandje en zei tegen zijn broer: 'Status heeft zijn voordelen. Gratis brood en banket.'

Arlo Goodman maakte een wuivend gebaar naar de deur. Darrell deed hem dicht en Arlo hield zijn handen op alsof hij wilde zeggen: wat is er?

Darrell stak zijn wijsvinger op en zei: 'Ik heb John Patricia gesproken en het aantal leden van de burgerwacht is deze maand flink toegenomen. We beginnen een afdeling in Washington.'

'Geweldig,' zei Arlo. 'Er is nu ook een afdeling in Californië, zag ik net op internet.'

'Ja. De groepsleider daar, in Washington, kan in Syrië hebben gezeten in dezelfde periode dat jij daar was...' Ze praatten nog wat over de burgerwacht terwijl Darrell zijn koffertje opende, er een opgevouwen velletje papier uit haalde en het op Arlo's bureau neerlegde. Arlo vouwde het open en keek ernaar. Een pagina uit een laserprinter, een brief.

Het spijt me zo. Ik wist niet waar ik aan begon. Ik was een van de vier mensen die hebben meegewerkt aan de verdwijning van Lincoln Bowe. De andere drie zijn Howard Barber, Donald S. Creasey en Roald M. Sands. Ik dacht dat het ging om een gecompliceerde politieke grap om Arlo Goodman te pakken te nemen. We moesten ons voordoen als Goodmans huurmoordenaars. Ik wist niet dat ze van plan waren Linc dood te schieten. Nu lees ik in de krant dat hij nog leefde toen hij werd doodgeschoten. Dat wist ik niet. Er was ons verteld dat hij zelfmoord zou plegen, niet dat hij zou worden doodgeschoten. Ik weet niet wat er met zijn hoofd is gebeurd. Howard Barber zal dat wel weten. Barber heeft alles uitgedacht. Hij is verantwoordelijk. Roald en Don weten ook niks. Nu is alles in het honderd gelopen. Het spijt me heel erg, maar ik kan de gedachte aan de gevangenis niet verdragen. Ik weet wat daar met me zal gebeuren.

Dan White

Arlo was klaar met lezen en trok zijn wenkbrauwen op. Darrell boog zich over het bureau en fluisterde in zijn broers oor: 'Hij heeft zelfmoord gepleegd, met zijn eigen pistool, nadat hij dit heeft geschreven. Het origineel is met zijn eigen pen ondertekend. De pen zat in de zak van zijn jasje. Er is een anoniem telefoontje binnengekomen bij de politie van Fairfax, Clayton Bell is ook anoniem gebeld, vermoedelijk door iemand van de politie van Fairfax, en hij is daar nu. Bell zal ons vrijwel zeker bellen. Hij zal willen weten wat hij moet doen.'

Arlo knikte, trok het hoofd van zijn broer omlaag en fluisterde: 'Niemand anders weet hiervan?'

'George was bij me... dat regel ik volgende week.'

'Hij mag niks vermoeden,' fluisterde Arlo. 'Ik wil niet dat hij ergens een envelop achterlaat.'

'Maak je geen zorgen,' fluisterde Darrell. 'Als ik met hem heb afgerekend, zoek ik al zijn spullen na, voor de zekerheid. Maar er zal niks te vinden zijn. George is uiterst loyaal.'

Arlo zuchtte. 'Uitstekend.'

Inspecteur Clayton Bell van de politie van Virginia, die de leiding van het onderzoek naar de dood van Bowe had, las de brief – door het plastic van de zak waar de mensen van de Technische Recherche hem in hadden gedaan – voor de derde keer.

'Ik heb behoefte aan advies, over hoe we verder moeten,' zei hij tegen de hoofdinspecteur van de politie van Annandale. 'Ik vind dat we hen alle drie moeten oppakken en apart moeten verhoren, om te zien of hun verhalen kloppen. Maar eerst bel ik het OM. En misschien... ik weet het nog niet... misschien de gouverneur.'

'Die beslissing is aan jou, Clay. Het is geen misdaad, dus we kunnen weinig doen. Als jij het verder wilt afhandelen...'

Bell knikte. 'Ja, wij handelen het af. Ik zal de Technische Recherche ernaartoe sturen, voor de zekerheid. Als jullie de plaats delict kunnen verzegelen, zou ik dat zeer op prijs stellen.'

'Doen we.'

Roald Sands belde Howard Barber op zijn mobiele telefoon.

'Ja, met Barber.'

'Howard, Howard,' schreeuwde Sands. 'Ik rij net langs Dans huis en het wemelt er van de politie. Een busje van de Technische Recherche, wagens van de staatspolitie, de plaatselijke politie... Er is iets gebeurd!'

'Ho, ho, rustig aan.' Maar al terwijl hij het zei, wist hij hoe laat het was. 'Waar ben je nu?'

'Onderweg naar huis. Ik ben bang dat ze daar ook zijn, de politie. Ik denk dat ze het weten.'

'Hoe ver ben je van huis?'

'Vijf minuten rijden,' zei Sands.

'Bel me vlak voordat je daar aankomt. Laat me weten of de politie er al is. Ik zit op dit nummer, dus druk gewoon op de herhaalknop. Als ze er zijn, denk dan aan het verhaal dat we hebben afgesproken. Dat hij vrijwillig is meegegaan en dat jullie hem alleen bij mij hebben gebracht, als een soort bodyguards. Schuif de rest maar op mij. Ik handel het wel af.'

'Oké, oké... Jezus christus, Howard, ik ben doodsbang.'

'Rustig aan, man, rustig aan. Bel me over vijf minuten.'

Barber zocht in de namenlijst van zijn mobiele telefoon naar Don Creasey en drukte de knop in. Creaseys secretaresse nam op en Barber zei: 'Met Howard Barber. Ik wil Don graag spreken, als dat kan.'

'Eh, hij is op het ogenblik niet beschikbaar...'

'Bedoel je dat hij op de wc zit?'

'Nee, ik bedoel... eh... ik weet niet goed wat ik moet zeggen, meneer Barber. Er zijn hier zojuist problemen geweest. Ik denk niet dat ik er-over mag praten.'

'O... nou, goed dan. Ik bel hem nog wel.'

Hij schoof zijn stoel naar achteren, legde zijn handen achter zijn hoofd, vlocht de vingers ineen en dacht na. De politie had de zaak op de een of andere manier ontmanteld. Hij had geweten dat dit kon gebeuren. Hij had alle mogelijke voorzorgsmaatregelen genomen, maar ondanks dat was het hen gelukt. Hij lachte en keek om zich heen. Het was een leuk kantoor geweest, zolang het duurde.

Sands belde terug en zei: 'Er staan auto's in de straat, met mensen erin. Ik kan hen vanhier af zien. Ze kijken naar me.'

'Denk aan je verhaal, Roald. Vertel gewoon je verhaal.'

Hij hing op, dacht er nog wat meer over na, draaide de jaloezieën open en keek omlaag naar het parkeerterrein. Nog niets te zien. Hij ging de mogelijke variaties op het verhaal na: dat Lincoln Bowe bang was ge-weest van Arlo Goodman en dat hij, Barber, de andere mannen naar hem toe had gestuurd om als zijn lijfwachten op te treden, dat ze hem naar Barbers kantoor in het noorden hadden gebracht, dat Barber hem in het geheim naar New York had gereden en dat hij daar was ver-dwenen...

Maar dat zou nooit standhouden, wist hij. Te veel dingen die nooit had-den plaatsgevonden, vragen die hij niet kon beantwoorden... in wat voor auto ze hadden gereden, waar ze hadden getankt, of ze ergens iets hadden gegeten... Hij dacht terug aan de laatste keer dat hij bij Rapid Oil had getankt en ze een kilometersticker op de voorruit hadden geplakt, met een datum erop. Misschien kon hij terugrekenen... Nee. Ook daar zouden ze uiteindelijk wel doorheen prikken. Dan zouden ze hem alsnog pakken. Shit.

En als hij werd gepakt, zou hij Madison Bowe waarschijnlijk met zich mee de afgrond in trekken. De gebroeders Goodman waren er op de een of andere manier bij betrokken, en als zij de politie zover konden krijgen dat die Madison tegen hem zou uitspelen, zou dat voor allebei veel ellende kunnen veroorzaken. En wat er dan ook zou gebeuren, Madison verdiende het niet om de gevangenis in te gaan.

Barber liep terug naar het raam, trok de jaloezieën omhoog en liep naar de deur van zijn kantoor. Zijn secretaresse zat op haar werkplek in het grote kantoorvertrek, waar nog vier vrouwen en twee mannen in hun afgeschermde ruimte aan het telefoneren of met hun computer in de weer waren, als moderne muizen in een hightechdoolhof. 'Jean,' zei hij tegen zijn secretaresse, 'je moet even een boodschap voor me doen. Kun je naar Macy's rijden en daar een overhemd voor me kopen, wit of blauw? Ik geef je geld mee...'

'Nu meteen, bedoelt u?'

'Als het kan,' zei Barber. 'Ik heb het hartstikke druk en ik moet vanavond de stad uit...' Hij haalde een paar honderd dollar uit zijn portefeuille en gaf die aan haar.

'Maar u hebt morgen om tien uur een vergadering met de managers van Project 31.'

'Dan ben ik allang weer terug,' zei hij. 'Ga jij dat overhemd nu maar kopen, oké? En als je in tijdnood komt, schrijf je je overuren maar op; ik zal ze graag aan je betalen.'

'Dat is niet nodig...' mompelde ze, en ze ging haar vest en haar tas pakken.

Barber liep zijn kantoor weer in en was net op tijd bij het raam om de politie te zien arriveren. Ze waren met twee auto's, allebei van de staatspolitie. Geen FBI. Mensen van Goodman, dat was zeker.

Hij kon zich laten meenemen en aan zijn verhaal vasthouden. Iemand anders zou Lincoln Bowe komen ophalen, dus hij had hem alleen maar afgeleverd... maar de andere drie, Creasy, Sands en White, kenden allemaal stukjes van het verhaal, en de politie zou hen net zolang tegen elkaar uitspelen totdat een van de drie zou buigen.

Barber was altijd een buitenmens geweest, iemand die graag in beweging was. Een cel zo groot als een badkamer. Hij wreef met zijn handen over zijn gezicht en keek weer naar het parkeerterrein. Hij kreeg een idee en glimlachte. Hij had een gouden Rolex om zijn linkerpols. Hij trok zijn bureaula open, haalde er een paperclip uit, boog die open en haalde de scherpe punt langs de boven- en onderkant van het bandje van de Rolex totdat zijn pols ging bloeden. Daarna deed hij het horloge snel om zijn andere pols en deed daar hetzelfde.

Hij schoof de Rolex weer om zijn linkerpols toen hij de stemmen in het secretaressekantoor hoorde, politiemensen die vroegen waar hij was. Barber liep om zijn bureau heen en ging erachter zitten. Kalm. Meer dan kalm, koelbloedig en vastbesloten.

Een politieman in burger deed de deur open en vroeg: 'Meneer Barber?'

'Kom binnen en doe de deur dicht, alsjeblieft.'

Ze waren met z'n drieën. De laatste duwde met zijn voet de deur dicht.

'Meneer Barber,' zei de politieman in burger, 'ik ben inspecteur Clayton Bell van de politie van Virginia...'

Barber stond op.

In het secretaressekantoor stond Cheryl Pence, van de afdeling Verkoop, bij haar bureau toen ze hoorde schreeuwen. 'Nee, nee, niet doen! Niet doen! Help! Help...'

Er klonk een harde klap en gerinkel, en zonder erbij na te denken rende Cheryl naar Barbers kantoor en smeet de deur open terwijl de andere vijf medewerkers opstonden en toekeken. Toen ze het kantoor binnen kwam, stonden de drie mensen van de politie van Virginia door het kapotte raam naar buiten te kijken. 'Wat hebben jullie gedaan?' schreeuwde Cheryl. 'Wat hebben jullie met hem gedaan?'

Bell, doodsbleek en geschokt, draaide zich om en mompelde: 'Niks. We hebben niks gedaan.'

Hij sprak tegen dovemansoren. Cheryl Pence deinsde achteruit, draaide zich om, rende naar de buitendeur en de andere vijf gingen haar achterna. 'We hebben niks gedaan,' zei Bell tegen de twee agenten.

Buiten hadden drie televisieploegen, getipt door – dachten ze – de plaatselijke politie, staan wachten om de arrestatie te filmen. Ze hadden er echter niet op gerekend dat een ruit op de vierde verdieping uiteen zou spatten en iemand in een wolk van glasscherven naar beneden zou storten. Een van de cameramannen, die net zijn camera aan had gezet en op zijn schouder had gehesen, slaagde erin een shot te maken van de drie politiemannen die zich door het kapotte raam naar buiten bogen.

De drie verslaggevers keken met open mond toe, totdat een van hen zei:

'Grote genade.' Hij draaide zich om naar zijn cameraman en vroeg: 'Heb je dat? Vertel op, heb je het in beeld?'
'Ik heb de drie smerissen,' zei de cameraman.

Honderdvijftig kilometer verderop schreeuwde Arlo Goodman: 'Wat?! Wát is er gebeurd?'

19

Madison Bowe hoorde van Johnson Black over Howard Barbers dood, die het had gehoord van een televisieverslaggever die hem had gebeld om te vragen of Madison commentaar op de gebeurtenis mocht geven. Ze zette de televisie aan, keek er enige tijd naar, riep toen het dienstmeisje en zei: 'Harriet, ik moet even een boodschap doen. Ik ren even de heuvel af en ben over een halfuur weer terug.'

Bang dat er misschien al persmensen op de loer lagen, zette ze een hoed op, ging door de achterdeur naar buiten en sloop door de tuinen van zes buren totdat ze op straat was en, net niet rennend, op zoek ging naar een telefoon.

Jake zat het script voor hun toneelstukje van die avond te schrijven toen Madison belde. 'Ik ben in M Street. Heb je het gehoord van Howard?'

'Wat is er met Howard?'

'Hij is dood.' Haar stem klonk gedempt en gejaagd. 'Drie politiemensen van Goodman kwamen hem arresteren. Ze zijn blijkbaar te weten gekomen dat hij iets met Lincs verdwijning te maken heeft gehad. Maar er is iets gebeurd. Hij is door het raam van zijn kantoor gevallen, vier verdiepingen naar beneden gedonderd en nu is hij dood. Een paar mensen van zijn kantoor hebben op televisie gezegd dat hij om hulp riep en dat ze daarna pas glasgerinkel hebben gehoord...'

Jake was verbijsterd en zocht naar woorden. 'Jezus. En wat zeggen die politiemensen?'

'Die blijven alle drie volhouden dat hij zichzelf naar buiten heeft geworpen, dwars door het dubbele glas. Ik weet niet wat ik moet geloven. Ik weet het gewoon niet. De FBI is er nu; ik neem aan dat die de zaak overneemt.'

'Ik zal Novatny bellen, kijken wat ik te weten kan komen.'

'Wat doen we met vanavond?'

'Dat gaat gewoon door, tenzij de politie je ophoudt... Ik kom naar je toe, we praten over Barber, ik vertel je alles wat ik weet en jij vertelt me wat jij hebt gehoord. Je zou nu eigenlijk een paar mensen moeten bellen om erover te praten, want dat zou een natuurlijke reactie zijn. Daarna beginnen we aan ons toneelstukje, waarin je gewoon mijn aanwijzingen volgt.'

'En als er geen microfoontje is?'
'Dan gebeurt er niets,' zei Jake.
'Moet ik niet een verklaring over Howard afleggen? Aan de pers? Ze gaan me zeker bellen. Ze hebben Johnnie Black al gebeld om te vragen of ik het zou doen.'
Jake krabde zich op zijn voorhoofd, dacht erover na en zei: 'Volgens mij... dat laat ik aan jou over. Het maakt geen verschil, of je het wel of niet doet, voor ons toneelstukje van vanavond. Maar er mag niemand anders in de woonkamer zijn als we het doen. We moeten met z'n tweeën zijn, anders gaat het niet door.'
'Oké. Ik zal tegen Johnnie zeggen dat ik misschien morgen een persverklaring afleg, maar dat ik nu even wil afwachten en kijken wat er gebeurt.'
'Wat denk jij van Barber? Kan het zelfmoord geweest zijn?'
Ze aarzelde even en zei toen: 'Zou kunnen. Hij was vaak depressief en maniakaal. Hij was ertoe in staat... Ik weet het niet.'
'Oké. Hou nog even vol en pas goed op jezelf. Ik zie je om negen uur.'

Jake belde Novatny, maar de FBI-man wilde niets zeggen. 'Je zit er te diep in, beste vriend.'
'Ik vraag niet naar een staatsgeheim... ik wil alleen weten of het zelfmoord was of niet.'
'De politie van Virginia zegt van wel.'
'Maar wat zeg jij?'
'Dat het daar nog te vroeg voor is.'
'Dank je.'
Jake belde Danzigs kantoor en praatte met Gina. 'Zeg tegen Bill dat er een nieuwsitem is over een man in Arlington, die uit het raam van zijn kantoor is gesprongen, gevallen, of gegooid. De politie was erbij en er zijn een paar getuigen die beweren dat hij eruit is gegooid. Waar het om gaat is dat deze figuur betrokken is geweest bij de verdwijning van Lincoln Bowe. Dit gaat een smet op Goodman werpen, in elk geval voor een tijdje.'
'Ik zal het doorgeven.'
'Zijn jullie bijna klaar daar?'
'Geen idee,' zei ze. 'Dat weet ik echt niet.'
Natuurlijk wist ze het wel. Gina wist alles. Ze namen een beetje afstand van hem, voor de zekerheid. 'Ik spreek je nog wel,' zei Jake.

Het eindspel in de zaak-Lincoln Bowe was begonnen; Jake voelde het. Over een week zou er alleen nog schoonmaakwerk te doen zijn. Dat

zou er hoogstwaarschijnlijk voor zorgen dat er een paar mensen de gevangenis in gingen, en wie dat zouden zijn, was afhankelijk van wie het
schoonmaakwerk zou doen.

Nu echter was er nog steeds wat bewegingsruimte.

Jake liep de trap op, ging naar zijn rommelkamer, opende de wapenkluis en haalde de Remington .243, een halfautomatische Beretta kali-
ber 20 en twee dozen patronen eruit. Hij had de .243 een halfjaar daarvoor voor het laatst gebruikt, toen hij in Wyoming op antilopenjacht
was. Toen hij uit Wyoming wegging, was hij in staat geweest om op
een afstand van honderd meter, toen ze op zandzakken schoten, drie kogels binnen een roos van tweeënhalve centimeter te krijgen. Op honderd
meter was de afwijking anderhalf tot tweeënhalve centimeter geweest,
dus hij had met zijn schoten over afstanden van nul tot tweehonderd
meter redelijk goed op zijn telescoopvizier kunnen vertrouwen.

Tenminste, zo was het in Wyoming geweest. Hoewel hij het geweer ver-
voerde in een koffer met een schuimrubber binnenwerk, was het niet
verstandig om aan te nemen dat de afstelling een halfjaar later en na
meer dan drieduizend kilometer gereden te hebben nog steeds dezelfde
was.

Jake keek op zijn horloge. Hij had nog net genoeg tijd om naar Merle's
te rijden en om negen uur bij Madison te zijn. Terwijl hij het refrein van
Eric Claptons *I Shot the Sheriff* floot, pakte hij de twee geweren in,
haalde zijn jachtuitrusting uit de slaapkamer, propte wat kleding en toi-
letartikelen in een reistas en zette alles in de auto.

Hij moest eerst langs bij een Wal-Mart.

Het eindspel kon beginnen.

Arlo Goodman zat in de salon van het gouverneurshuis, met zijn voeten
op een antiek tafeltje dat was geschonken door de Virginia Preservation
Society, te praten met Darrell. 'Kunnen we onszelf indekken? Dat is de
enige vraag die ertoe doet.'

'Zeker weten,' zei Darrell. 'Er is niks wat naar ons wijst. Helemaal niks.
Bell en de anderen zweren bij God dat Barber zelf uit het raam is gesprongen. Ik denk dat de FBI hen gelooft. Ten eerste zou zijn hele kantoor overhoop moeten liggen als ze iemand zo groot als Barber naar
buiten hadden gegooid. Die gast was verdomme gebouwd als een ge-
wichtheffer, en Bell is vijfenvijftig en vijfentwintig kilo te zwaar. Hij
zou Barber uit het raam gegooid moeten hebben? Hij heeft geluk gehad
dat Barber hém niet naar buiten heeft gegooid.'

'Het probleem is dat overtuiging voor tachtig procent uit beeldvorming
bestaat,' zei Arlo. 'En zij hebben het beeld dat ze willen. Wat ze willen is

een economische liberaal die zich inlaat met zowel godvrezende mensen als met mensen die actie niet schuwen. Op dit moment ben ik dat, maar er hoeft maar dít te gebeuren en ik ben Hermann Göring. Dan voldoe ik niet meer aan het beeld en is het afgelopen met mijn kwartiertje in de schijnwerpers.' Hij stond op, liep een rondje door de kamer, beet op zijn duimnagel, rukte er een randje van af en spuugde het op de vloerbedekking. 'Hoor eens. Wat wij nodig hebben is een lek. Een lek naar de pers. Een lek dat zegt dat de FBI gelooft dat Bowe door Barber is vermoord. Dáár hebben we behoefte aan, nu meteen. Dit is het moment dat er gehandeld moet worden...'

'Kan worden geregeld,' zei Darrell. 'Kan ík regelen.'

'Als we dat vóór morgen in de openbaarheid kunnen krijgen – ook al spreekt de FBI het tegen – zitten we goed. Als de mensen dit weten, zal het de zelfmoord aannemelijker maken. En het haalt de aandacht weg bij Bell en die andere prutsers, ongeacht wat ze hebben gedaan.'

'Ik ga aan de slag,' zei Darrell gretig. '*The Washington Post*, *The New York Times*, drie of vier nieuwszenders... ik zal met John Patricia praten. Die heeft overal contacten. Die heeft alle telefoonnummers. We kunnen hier onze slag slaan, Arlo. Ze zullen geen andere man benoemen totdat Landers is vertrokken, en dat kan nog wel even duren. We zitten nog steeds goed.'

Merle's was gevestigd in een laag, crèmekleurig betonnen gebouw in een rij pakhuizen onder een van de aanvliegroutes van Dulles International. Naast de deur zat een houten bord, onverlicht, waar in verbleekte rode letters MERLE'S op stond, verder niets.

Jake parkeerde, liep met zijn geweerkoffer naar de deur, duwde die open en werd getroffen door de niet onaangename geur van verbrand kruit. De schietbanen bevonden zich achter in het lage gebouw; in de eerste vijf meter vanaf de voordeur was de verkoopruimte, van de schietbanen gescheiden door een dubbele betonnen muur met enkele ruiten van dubbel isolatieglas. Je kon het schieten wel horen, maar in de verte.

Merle Haines stond over de toonbank geleund en bladerde een nummer van *American Rifleman* door terwijl uit een luidspreker in het plafond *I Feel Like Hank Williams Tonight* van Jerry Jeff Walker klonk. Haines knikte naar Jake, die al jaren een vaste klant was, en vroeg: 'Hoe gaat het?' Jake knikte ook en zei: 'Ik moet mijn .243 afstellen.' Hij legde zijn autosleutels op de toonbank, Haines hing ze aan het bord en zei: 'Baan negen.'

'En twee dozen Federal Vital-Shok, 100 grams Sierra, als je die in huis hebt, en twee schietschijven.'

'Ga je jagen?' vroeg Merle. Hij pakte twee dozen Federals van de plank, haalde twee schietschijven onder de toonbank vandaan en schoof ze naar Jake toe. Jake rekende af, haalde zijn oorbeschermers uit zijn jaszak, zette ze op en duwde de deur naar de schietbanen open. De voorste acht banen waren voor pistolen en revolvers, en de achterste drie, die over schiettafels beschikten, waren voor geweren. Hij passeerde twee dikke mannen met revolvers, een derde man, die er fit en getraind uitzag, als een militair, die met een Beretta stond te schieten, en liep de trap naar baan negen tot en met elf af. Hij was alleen.

De ondergrondse schietbaan had een lengte van vijftig meter, wat niet al te lang was, maar lang genoeg om hem een idee te geven van hoe het geweer eraan toe was. Jake ging aan een tafel zitten, legde een paar zandzakken op elkaar, haalde het geweer uit de koffer, schoof de patronen in het magazijn en laadde door, zodat er een patroon in de loop zat.

De .243 was een prettig, nauwkeurig geweer dat de schouder ontzag, met als enige nadeel dat herladen wat tijd vergde. Hij loste vijf schoten, langzaam en zorgvuldig, rustig ademend tussen de schoten in, en draaide de schietschijf naar zich toe. Vier van de vijf schoten waren voltreffers, zaten tegen elkaar aan in de roos, waar ze moesten zitten. Het vijfde zat er een centimeter buiten, aan de rechterkant. Er was niets verschoven sinds Wyoming.

Hij loste nog vijf schoten op de tweede schietschijf en kreeg één rafelig gat met een doorsnede van twee centimeter aan de onderste rand van de roos. Jake pakte het geweer in, stopte de ongebruikte patronen terug in de doos en liep terug naar de verkoopruimte.

'Dat heb je snel gedaan,' zei Merle, en hij gaf Jake zijn autosleutels terug. 'Succes met de beestjes.'

Jake was onderweg naar Madison toen ze hem belde. 'Ik sta in de achtertuin,' zei ze. 'Johnnie Black is er; ik bel met zijn telefoon. We hadden het over Howard. Johnnie heeft een bron bij de FBI en die zegt dat hun technische mensen iets raars op Howards lijk hebben aangetroffen. Er zitten schrammen op zijn beide polsen, alsof hij handboeien om heeft gehad, en ze zijn naar die drie politiemensen gegaan en hebben hun boeien in beslag genomen.'

'Jezus! Dus hij is niet... Hoe hebben ze dat kunnen doen?'

'De theorie is dat ze hem hebben geboeid, dat hij zich niet heeft verzet, dat een van hen hem met iets zwaars op zijn achterhoofd heeft geslagen en dat ze hem toen door het raam hebben gegooid. Maar omdat hij op zijn achterhoofd terecht is gekomen, is dat niet te bewijzen. Maar dat is de theorie.'

'Denkt de FBI dat?'
'Nee, nee, dat zei Johnnie. Hij probeert uit te vinden wat er gebeurd is. Maar hij gaat wel met een paar van zijn vrienden bij de pers praten, om het gerucht te verspreiden. Morgen komt het in het nieuws... om Goodman onder de duim te houden.'
'Oké,' zei Jake. 'Maar ik betwijfel of het zo gebeurd is. Veel te bewerkelijk, vooral met al die getuigen in het kantoor ernaast.'
'Misschien wel... Hoor eens, ik wil je zien. Ik ben bang, verdrietig en in de war door alles wat er is gebeurd.'
'Ik wil jou ook zien,' zei Jake. 'Maar als je huis wordt afgeluisterd...'
'Als de slaapkamer wordt afgeluisterd, hebben ze het al eerder gehoord. Het kan me niet meer schelen, Jake. Ik stuur Johnnie nu naar huis. Ik wil bij jou zijn. Ik wil dat je nu meteen naar me toe komt.'
'Ik kom eraan,' zei Jake.
Hij parkeerde de auto één straat van haar huis, pakte zijn stok en tikte ermee op de stoep tijdens het lopen. Het was een heerlijke avond in april, nog zacht van de zon die overdag had geschenen, maar met een koel briesje en een luchtvochtigheid die alles heel aangenaam maakten. Er stond een auto voor Madisons huis en toen Jake halverwege het tuinpad was, stapte er een vrouw uit. 'Meneer, meneer,' riep ze. 'Kan ik u even spreken? Meneer, ik ben van *The New York Times*...'
'Sorry,' riep Jake terug, 'ik heb nu echt geen tijd.' Hij liep de veranda op en klopte op de deur terwijl de vrouw met een notitieboekje in haar hand het tuinpad op kwam lopen en weer: 'Meneer, meneer...' riep.
Madison deed open. '*The New York Times* is er snel bij,' zei Jake. Madison keek langs hem heen, grinnikte en zei: 'Kom binnen, meneer Smith. Leuk u weer te zien...'
'Het is een droevige dag,' zei Jake terwijl hij de deur dichtduwde. Zodra hij de deur in het slot hoorde vallen, duwde hij haar achteruit en zei: 'Niet zo dicht bij het raam...'
Toen sloeg ze haar armen om zijn nek, legde hij zijn handen op haar heupen en stuurde hij haar in de richting van de trap. Op de onderste trede maakte ze zich even van hem los en fluisterde: 'Het zou het wel extra spannend maken als we wisten dat Arlo Goodman meeluisterde, maar ik heb toch maar de logeerkamer klaargemaakt...'
'Nu maar hopen dat het bed het houdt,' zei Jake.

De vorige keer dat ze met elkaar naar bed gingen, was het zo'n typische 'eerste keer' geweest, waarin nieuwsgierigheid gepaard ging met onzekerheid en zelfs behoedzaamheid; een wederzijdse poging om elkaar te ontdekken en een zo gunstig mogelijke indruk achter te laten. Deze keer was het heel anders, rukte Jake haar de kleren van het lijf, scheurde Madison bijna zijn overhemd en lieten ze zich op het bed vallen. Geen voorspel, alleen maar seks, met Madison die kreunde en haar korte nagels in zijn schouderbladen perste toen hij in haar drong en haar tegen het matras drukte.

Toen ze klaar waren zei ze hijgend: 'God... zegene me.'

Jake zweette, hapte naar adem, zijn hart bonkte in zijn borstkas en hij wilde nog een keer, op dat moment, maar hij was tijdelijk uitgeschakeld. Hij rolde van haar af, stond op, schudde zijn spieren los, ging weer naast haar liggen, bracht zijn mond vlak bij haar oor en zei: 'Geen grapjes over microfoontjes.'

Madison zei hardop: 'Ik vraag me af of iemand het van ons weet. Toen we elkaar voor het eerst ontmoetten, was Johnnie Black erbij, en hij merkte wel dat er een vonk oversprong.'

'Dat kwam waarschijnlijk door mij,' zei Jake. Hij was op zijn rug gaan liggen en haar hoofd lag op zijn arm. 'Ik stelde je tientallen vragen maar het enige wat ik wilde, was boven op je springen.'

'Wat romantisch,' zei ze.

'Hé, het is de waarheid. De eerste reactie was puur seksueel. Pas later ben ik je gaan waarderen om je scherpzinnige geest en je grote kennis van de Arabische cultuur.'

Ze ging rechtop zitten. 'Mijn scherpzinnige geest... Mijn lekkere kontje zul je bedoelen.'

'Je hébt een fantastisch kontje,' zei Jake. 'Toen Danzig me naar jou toe stuurde, was jouw kontje een van de dingen waar hij het in de briefing over had. Het is me al eerder opgevallen dat vrouwen die veel paardrijden een fantastisch kontje hebben. Waarschijnlijk door al dat stuiteren. Hoe dan ook, ik denk dat ik je ga nomineren voor Miss Kontje. We kunnen een verkiezing organiseren in Atlantic City...'

'En die noemen we dan een "konttest"...'

'Je spelling laat te wensen over,' zei Jake. 'Maar wat dacht je van de Atlantic City Kontjesparade? Net zoiets als het bloemencorso in Pasadena, maar in plaats van praalwagens met bloemen...'

'Zo is het wel genoeg. Had Danzig het echt over mijn kontje?'

'Ja, en ook over je... borsten.'

'Alleen noemde hij ze "tieten".'

'Ja, dat klopt.' Jake draaide zich naar haar toe en liet zijn wijsvinger heel licht van de holte bij haar sleutelbeen naar haar navel en verder omlaag gaan. 'Het is raar. Met de meeste vrouwen die er goed uitzien, wil je ook een beetje spelen. Je weet wel, dat zij bovenop gaan, of... gewoon een beetje spelen. Met jou wil ik alleen maar ín je. En ik wil in je blijven, gewoon, om zo dicht mogelijk bij je te zijn.'

Na een tijdje zei ze: 'Dat is lief van je, geloof ik. Over een poosje ga je me waarschijnlijk pas waarderen om mijn scherpzinnige geest.'

'En je kennis van de Thaise cultuur.'

'Arabische.'

'Dat bedoel ik, Arabische cultuur.'

Ze deden het nog een keer, en na afloop sloeg ze haar armen om zijn nek en fluisterde: 'Weet je... misschien wordt het wel wat met ons.'

'Op mijn leeftijd durf ik daar bijna niet aan te denken,' zei Jake. 'Maar ik hoop het wel.'

Ze kwam overeind en steunde op haar ellebogen. 'We hebben een reusachtig ligbad in de grote badkamer.'

Ze lagen een halfuur in het ligbad, dat groot genoeg was om naast elkaar te drijven, kwamen er ten slotte uit, droogden zich af en zochten hun kleren op. Terwijl Jake zich aankleedde, trok Madison een spijkerbroek, laarzen en een geruit, flanellen shirt aan. Haar reistas had ze al ingepakt.

'Ben je klaar?' vroeg Jake.

'Ik ben er klaar voor.' Ze haalde haar hand door haar haar alsof het om een televisieoptreden ging. 'Kom, we gaan.'

'Weet je het zeker?'

'Ik moet nog steeds aan dat meisje in Madison denken. Je hebt haar iets te goed beschreven.'

'Ik kan voor die tweede auto wel iets anders verzinnen,' zei Jake.

'Nee, ik ga mee.'

Ze liepen de trap af en gingen naar de woonkamer. Madison opende het toneelstukje. 'Weet je zeker dat je niet nog een glas wijn wilt? Moet je echt gaan?'

'Ja, ik moet dit doen,' zei Jake. 'Ik zou wel een cola lusten. Het wordt een lange rit.'

Ze liepen naar de keuken, al pratend, Madison haalde twee flesjes cola uit de koelkast en zei: 'Neem er een mee voor onderweg.'

'Dank je.'

Ze gingen weer terug naar de woonkamer. Jake draaide de dop van het colaflesje en vroeg zich af of het geluid – *pfffttt* – op tape hoorbaar zou zijn.

'Ik begrijp niet waarom je het hier niet kunt bekijken,' zei Madison. 'Thuis, bedoel ik, in Washington.'

'Omdat ik bij die toestand in Wisconsin betrokken ben geweest. Als Novatny onraad ruikt, kan de FBI elk moment mijn huis komen binnen

stormen. En ze zijn in alle staten, nu Barber uit het raam is gegaan. Als ik met de informatie word gepakt, ben ik er geweest. Ik weet niet eens waar die uit bestaat. Het kan zijn dat ik het niet stil kan houden...'
'Je móét het stilhouden, Jake,' zei Madison, met de nodige dwang in haar stem. Niet slecht, dacht Jake. 'Je moet! Alles wordt zinloos als het nu in de openbaarheid komt. Het enige wat je hoeft te doen, is het bij je houden tot na het partijcongres. Of tot kort ervoor, dat is ook goed. Hou het nog een paar weken stil.'
'Ik zou niets liever willen, schat,' zei Jake. 'Maar ik moet weten waar die informatie uit bestaat. Het huisje heeft alles wat ik nodig heb: een computer, een internetaansluiting, en niemand weet waar het is. Ik heb Billy gebeld en hij zei dat er de hele week niemand is. De rest van de maand niet, mocht het nodig zijn.'
'Wanneer kom je terug? Ik kan je niet zo lang missen.'
'Ik jou ook niet.' Hij kuste haar, nam er de tijd voor, maar maakte zich toen van haar los, want hij raakte weer opgewonden. 'Ik moet nu echt gaan.'
'Hou het alsjeblieft stil,' zei ze op bijna smekende toon. 'Als Landers nu wordt gedumpt, zit Goodman in een mum van tijd op zijn post. Hij is degene die ze daar willen hebben. En aan Landers hebben ze dit jaar toch niks meer.'
'Ik zal mijn best doen.' Hij begon al een beetje gehaast te klinken. 'Ik zal mijn uiterste best doen om het stil te houden. Als er niks tussen zit wat meteen in de openbaarheid moet worden gebracht, stop ik alles in een privékluis, op een niet voor de hand liggende plek, en brengen we het in oktober pas naar buiten.'
'Waar ben je te bereiken? Geef me een telefoonnummer...'
'Je kunt me niet vanhier uit bellen, want als er problemen komen, volgen ze het spoor hiernaartoe en weten ze dat jij weet waar ik ben.'
'Alleen voor noodgevallen, en ik bel met een openbare telefoon.'
'Goed dan. Heb je een pen? Het nummer is 540-555-6475.'
'540-555-64...'
'6475. En je moet me ook niet met een mobiele telefoon bellen. We willen absoluut geen sporen die de FBI later misschien kan traceren. Om te beginnen wordt Billy er dan misschien bij betrokken, omdat ik zijn huisje mag gebruiken.'
'En als ik je bel en je bent er niet?'
'Ik blijf daar, of ik ben onderweg hiernaartoe. Maar ik ben van plan om vroeg op te staan en er de hele dag aan te werken; ik ga niet een eindje door het bos wandelen.'
In de deuropening gaf ze hem nog een kus en fluisterde: 'Hoe ging het?'

'Perfect.' Hoewel hij daar niet helemaal zeker van was, want sommige zinnen hadden geleken op dialogen uit een heel slecht boek.

Jake liet haar in de deuropening achter en liep tikkend met zijn stok het tuinpad af. Hij had een meter of zes gelopen toen hij de vrouwenstem weer achter zich hoorde. 'Meneer? Meneer, ik ben van *The New York Times*.'

Verdomme, dacht Jake, hij draaide zich om, haastte zich terug naar het huis en belde aan. Madison deed open en keek hem verbaasd aan. Jake deed een stap naar binnen, trok haar tegen zich aan en fluisterde: '*The Times* ligt nog steeds in hinderlaag. Ik laat de telefoon één keer overgaan als de kust veilig is.'

'Oké. Ik ga alvast de lichten uitdoen.'

Buiten, net buiten het tuinhekje, want ze mocht geen privéterrein betreden, wachtte de verslaggever van *The Times* hem op. Toen Jake kwam aanlopen, vroeg ze: 'Meneer, kunt u me vertellen wie u bent?'

'Ik doe het papierwerk voor mevrouw Bowe en haar advocatenkantoor. Als u iets wilt weten, moet u Johnson Black bellen. U hebt vast zijn nummer wel.'

'Als u...'

'Mevrouw, als ik nog één woord zeg, sta ik morgen op straat. Stelt u zich eens voor hoe schuldig u zich dan zou voelen.'

'Dat overleef ik wel, denk ik,' zei ze, maar ze glimlachte naar hem.

'Bel Johnson Black.' Jake keek om naar het huis. 'Mevrouw Bowe gaat nu naar bed. Als u van plan bent de hele nacht hier te blijven, hoop ik dat uw auto een goede verwarming heeft.'

In het huis werden de lichten uitgedaan.

20

Jake moest een halfuur door de buurt rondrijden voordat de verslaggever van *The Times* eindelijk vertrok. Hij zag haar de parkeerhaven uit rijden, bleef de achterlichten volgen totdat ze onderaan de heuvel links afsloeg, bij een verkeerslicht bleef staan en daarna lang genoeg doorreed om hem de zekerheid te geven dat ze die avond niet zou terugkomen. Toen ze uit het zicht verdwenen was, drukte hij de knop van Madisons nummer in, liet haar toestel één keer overgaan en reed terug naar haar huis. Madison kwam door de zijdeur naar buiten, met haar reistas in haar hand.

'Ik doe dit niet graag,' zei Jake toen ze was ingestapt. 'Dit is veel gevaarlijker dan die laptop stelen. Misschien moeten we gewoon de politie bellen.'

'Nee. Als ze in Madison het DNA van de verkeerde vinden, zullen we nooit weten wie de dader is. Dan staan we compleet voor gek als we de FBI in de richting van Goodman proberen te sturen. Dan is het gedaan met onze geloofwaardigheid... en die van mij is toch al niet erg groot meer.'

'Maar als je daar gaat rondwandelen...'

'Ik ga daar niet rondwandelen. Trouwens, je zit met het probleem van de auto's en dat kun je zonder mij niet oplossen.'

'Maar als dat niet zo was...'

'Heb je het geweer bij je?'

'Ja.'

'Rijden dan.'

Ze reden snel Washington uit, gingen langs bij een Wal-Mart en kochten een pak grote vuilniszakken van extra zware kwaliteit, een paar schoonmaakhandschoenen en vier infrarood wildverklikkers. Daarna reden ze eerst naar het westen over de I-66 en vervolgens naar het zuiden over de I-81, met de sterren aan de hemel, rock classics op de autoradio en glinsterende lichtjes boven op de bergen van de Shenandoah. Toen ze Staunton passeerden, vroeg Madison: 'Komen we al in de buurt?'

'Nog een halfuurtje.'

Toen ze rechts afsloegen, het berggebied in, over goede asfaltwegen met veel bochten, konden ze in de verte de lichtjes van Lexington zien. Jake stopte op een donkere open plek, met links van hen een heuvel, net zichtbaar in het licht van de sterren, en rechts een diepe vallei. 'Dit is het parkeerterrein van het natuurpark,' zei hij. 'Billy's huis staat een kilometer of vijf achter deze heuvel. Als ze kaarten van de omgeving hebben, is het voor negentig procent zeker dat ze hier hun auto zullen achterlaten. Dat zou ik doen. Als ze hier over de heuvel komen, hebben ze ons voortdurend in het zicht, en als ze een beetje ervaring in het bos hebben, zal niemand hen zien.'

'Maar daar mogen we ons niet op vastpinnen,' zei Madison. 'We moeten de andere mogelijkheden ook nagaan.'

'Ja. Ze kunnen hun auto hier aan de kant van de weg zetten, maar het punt is dat die de aandacht zou kunnen trekken. Misschien rijdt er wel een patrouilleagent langs die het kentekennummer noteert. Andere plekken om een auto neer te zetten zijn er eigenlijk niet, tenzij je hem het bos in rijdt, maar dan trek je pas echt de aandacht, want dat mag niet. Op dit parkeerterrein zie je wel vaker een auto staan. Waar we voor moeten oppassen, is dat ze ons niet misleiden.'

'Of de politie van Virginia op ons dak sturen. We willen niet op politiemensen gaan schieten.'

'Dat kan inderdaad een probleem zijn. Maar dat zullen ze niet doen. Ze zullen niet willen dat iemand anders de informatie ziet voordat zij die hebben ingezien. Het wordt Darrell en degene die in Madison bij hem was.'

'Je lijkt nogal zeker van je zaak,' zei Madison.

'Ik weet hoe dat soort jongens denkt,' zei Jake. 'Zo gaan ze het doen. Zo zou ík het doen.'

'En als ze er al zijn?'

Jake glimlachte. 'Dan zijn we er geweest. Maar ik denk niet dat ze het vuur zullen openen als ze jou zien. Jouw dood zou heel moeilijk te verklaren zijn.'

Wannéér Darrell Goodman zou komen, was de vraag die hen het meest bezighield. Ze hadden het erover terwijl ze doorreden naar Billy's jachthuis. Als de opnames van het microfoontje in Madisons huis vaak werden afgeluisterd, zouden ze de volgende ochtend met zonsopgang komen, meende Jake. Als ze minder vaak werden afgeluisterd, misschien pas tegen de avond, of de ochtend daarna.

'Als ze er dan nog niet zijn, moeten we het project afblazen,' zei Jake. 'Dan heeft Danzig de informatie inmiddels openbaar gemaakt.'

Vanaf het parkeerterrein tot aan Billy's oprit liep een lange, smalle asfaltweg om de heuvel heen. De oprit begon bij een nauwelijks zichtbare opening in de bosrand. Een meter of vijftien verderop, onzichtbaar vanaf de weg, was een poort met een slot erop, en daarachter ging de oprit over in een grindweg. 'Billy's huis is het enige in de omgeving,' zei Jake. 'We zijn nu op zijn land.'

'Het is donker,' zei Madison, en na een korte stilte: 'Als ze nu van die nachtzichtdingen hebben? Darrell heeft in het leger gezeten, dus hij kan waarschijnlijk wel aan dat soort apparatuur komen.'

'Als ze ons overdag niet kunnen zien, zien ze ons 's nachts ook niet. En als we goed in dekking blijven, zien ze ons ook niet.' Jake stapte uit, opende de poort met de sleutel, reed de auto erdoorheen en draaide de poort weer op slot.

Het jachthuis stond op een open plek in de vallei, te midden van steil oplopend, dicht bebost heuvelland. Iets achter het huis, bij de kreek die dwars door de vallei stroomde, had Billy een groot meer gegraven en er baars in uitgezet. De kreek, die twee meter breed en ondiep was, zocht zijn weg over de rotsbodem, langs het huis, kwam uit in het meer, stroomde er over een betonnen rand weer uit en vervolgde zijn weg door de vallei.

Ze reden de laatste bocht van de oprit om en het huis lichtte als een enorm brok amber op in het licht van de koplampen. De buitenverlichting, die bewegingsgevoelig was, ging aan. Jake parkeerde de auto, voelde de haartjes in zijn nek overeind komen, liep de treden van de veranda op, draaide de deur van het slot en deed de lichten aan. Madison hielp met het binnenbrengen van de tassen.

Zouden ze er al zijn? Op de heuvel, ruziënd over wat ze met Madison aan moesten? Waren ze druk aan het bellen over wat ze moesten doen? Jake geloofde het niet, maar het was mogelijk.

Het jachthuis was groot genoeg voor acht personen en had een bovenverdieping met twee slaapkamers, een badkamer en een berging. Op de begane grond waren nog twee slaapkamers, een badkamer, een keuken en een groot woonvertrek met hoge ramen die uitzicht boden op het meer. Aan een van de wanden hing een geologische kaart, op grote schaal, van het perceel.

Jake liet Madison de kaart zien. 'Waarschijnlijk is dit dezelfde kaart die zij hebben, als ze die van internet hebben gehaald.' Hij wees naar een serie dicht opeenstaande contourlijnen ten zuiden van het huis. 'Hier is de heuvel, die heel steil oploopt en eigenlijk een soort klif is. Het lijkt me onwaarschijnlijk dat ze van die kant zullen komen, want de helling is gewoon te steil en er zijn overal bronnen, zodat het er flink glad kan zijn. Ik verwacht ook niet dat ze vanuit het westen zullen komen, want dan moeten ze een groot stuk open terrein én de kreek oversteken, zodat ze een omweg van een paar kilometer moeten maken als ze uit het zicht willen blijven. Dus kunnen ze uit het noorden komen, via de oprit, en de auto neerzetten op een plek waar die vanaf de weg niet te zien is. Het punt is echter dat ze op deze kaart niet kunnen zien of er hier niet meer huizen zijn, en of er al dan niet een alarm op de poort zit.'

'Wij hebben ook een alarm op de poort van de ranch...' Ze keek weer op de kaart. 'Dus de beste weg is over díé heuvel.'

Jake knikte. 'Vanuit het oosten. Vanaf het parkeerterrein dat ik je heb laten zien. Dat is hier.' Hij tikte op de kaart. 'Ze laten de auto daar staan, steken in het donker de heuvel over, doen het rustig aan, observeren het huis een tijdje en komen met zonsopgang in actie om me om zeep te helpen. Ze dumpen mijn lijk ergens in een kuil in de grond en trekken zich overdag terug, weer op hun dooie gemak. Een van de twee neemt mijn auto mee en dumpt die in Lexington. Niemand zal het ooit weten.'

'En als ze met drie of vier zijn?'

'Dan hebben we een ander probleem,' zei hij. 'Maar het gaat hier om moord, dus dat denk ik niet. Hoe minder mensen ervan weten, hoe beter, zullen ze denken. Misschien is het er maar één. Een prof die ze speciaal voor deze klus hebben ingehuurd.'

'Waar ik me zorgen om maak, is dat we zo zeker van onze zaak zijn,' zei Madison.

'Dat zei je net ook al,' zei Jake. 'Met dit soort zaken win je je informatie in en je trekt dan je plan.'

'Ik hoop niet dat je je verbeeldt dat je weer in Afghanistan bent.'

'Ik ook niet. Verbeelding kan ons de kop kosten.'

Terwijl Madison de bagage uitpakte, bekeek Jake de wildverklikkers. Dat waren goedkope digitale camera's met ingebouwde flitser, in een plastic behuizing in camouflagekleuren, bedoeld om langs de wildsporen te zetten en langslopend wild te signaleren. Ze hadden infrarode, bewegingsgevoelige sluiters en waren al een jaar of twintig op de markt, wat lang genoeg was om redelijk betrouwbaar te zijn. Jake deed er batterijen in en liet ze op tafel liggen.

'Dit soort walkietalkies hebben we op de ranch ook,' zei Madison. Jake had twee Motorola-walkietalkies uit de tas met zijn jachtuitrusting gehaald.

'Stop er nieuwe batterijen in en dan kunnen we controleren of de kanalen op elkaar afgestemd staan.'

'En als iemand anders ze hoort? Het bereik is vrij groot...'

'Hier niet. We zitten te diep in de vallei. Als we op kalkoenen jagen, kunnen we het huis al niet meer bereiken zodra we over de heuvel zijn. Je kunt vanuit het huis ook niet met een mobiele telefoon bellen. Dan moet je eerst de heuvel op.'

'Oké.' Madison keek op haar horloge. 'Je kunt je beter gaan omkleden.' Jake trok zijn camouflagepak voor koel weer aan, haalde zijn slaapzak tevoorschijn en stopte drie energierepen en twee flesje bronwater in de heupzakken. Hij pakte een doos patronen, stopte er vier in het geweer en schoof de rest in de elastische lussen van de patroonhouders op zijn jack, die hij nooit eerder had gebruikt, zodat het hem moeite kostte om ze erin te krijgen.

Hij was nerveus, en een beetje high van de strijd die hem te wachten stond.

Madison had haar geweer uit het foedraal gehaald en bekeek het. 'Het lijkt op het mijne,' zei ze.

Terwijl Jake de zaklantaarn controleerde, keek hij toe hoe ze ermee omging. Ze wist wat ze deed. 'Schiet een paar keer droog en laad het dan.' Dat deed ze, ze richtte op een ingelijste foto met een groep jagers aan de andere kant van de kamer en nam daarbij een houding aan alsof ze op kleiduiven schoot. Toen ze tevreden was, schoof ze de patronen in het magazijn.

'Als een van de twee door die deur binnen komt, blijf je de trekker overhalen totdat hij neergaat.' Ze knikte en Jake zei: 'Ik ga een rondje lopen. Ben zo terug.'

Hij hing het geweer om zijn schouder en pakte de wildverklikkers en de zaklantaarn van tafel. Als ze buiten waren... maar nee, zo snel konden ze hier niet zijn. Als ze op weg waren gegaan maar geen gekke dingen hadden gedaan, zoals een helikopter huren, mochten ze blij zijn als ze hier over een uur of vier waren. Hij had de tijd.

Het was een koele nacht en de luchtvochtigheid was hoog, dus de bladeren zouden geen geluid geven. Jake had liever een drogere nacht gehad. Hij liep met de wildverklikkers naar de westkant van het huis, de kant die hij niet kon zien, en bevestigde ze aan de bomen tussen het huis en het meer. Als ze vanaf het westen kwamen, zouden ze de verklikkers activeren en zou hij de lichtflitsen zien...

Tenzij er natuurlijk een hert voorbij kwam lopen. Dan zou het vals alarm zijn. Maar het groen op de open plekken rondom het huis zou niet veel herten aantrekken. Hij moest er maar het beste van hopen.

In het huis controleerden ze de walkietalkies. Jake zette de zijne op de trilstand en zei: 'Als je 's morgens opstaat, zet je meteen de televisie aan. Zap om de paar minuten naar een ander kanaal, maar alleen van nieuwszenders. Zet een van de ramen een stukje open zodat ze het buiten kunnen horen. Hou de jaloezieën dicht, behalve die van het raam bij het keukenaanrecht. Trek die half omhoog. Als ik vier piepjes op je walkietalkie geef, betekent dat...'

'... dat ik langs het raam moet lopen,' zei Madison.

Jake knikte. 'Niet te snel, maar ook niet te langzaam. Je mag hen geen tijd geven om op je te schieten, maar ze moeten je wel zien bewegen. Maar kijk in godsnaam niet naar buiten. Als ze je gezicht zien, gaan ze er misschien vandoor. Het is voldoende als ze je arm en je geruite shirt zien bewegen.'

Madison liet haar tong langs haar lippen gaan. Ze was ook nerveus. 'Oké.'

'Als ze mij hebben gevonden, zullen ze ook achter jou aan moeten komen,' zei Jake. 'Maar alleen als ze met meerderen zijn. Als dat zo is, weet je wat je moet doen.'

'Dan roep ik jou, bij het open raam, zodat ze mijn stem kunnen horen.'

'Dat zou hen moeten afschrikken,' zei Jake. 'Zo niet, dan open ik het vuur op hen, als ik de kans krijg. Jij belt het alarmnummer en roept naar me dat de politie onderweg is, zodat ze dat weten. Je zet alle tafels op hun kant en verschuilt je erachter, zodat ze gedwongen zijn om binnen te komen als ze je willen doden. Als ze denken dat de politie onderweg is, hebben ze geen tijd om zich te organiseren en denk ik dat ze er wel vandoor zullen gaan, ook als ik dood ben.'

Madison huiverde. 'Jake...'

'We overleven het wel.' Hij grijnsde naar haar. 'Hopelijk.'

Toen ze klaar waren, kuste Jake haar en zei: 'Blijf schieten totdat ze op de grond liggen', en ging naar buiten. Het verandalicht was aan en hij liep snel door, het duister in. Het zou nog een uur of drie duren voordat ze er waren, op z'n vroegst, dacht Jake. Ze zouden nu waarschijnlijk ergens in de buurt van de Blue Ridge zitten.

Tenminste, als ze de opnames hadden afgeluisterd. Maar dat moest bijna wel, dacht hij, want er gebeurde nu zo veel tegelijk, en anders zou het afluisteren geen enkele zin hebben gehad.

Hij liet het huis achter zich, richtte de smalle streep licht van de zaklantaarn op de grond en met het geweer op zijn rug beklom hij de heuvel aan de oostkant, via een pad dat hij al vijftig keer eerder had gelopen, naar een holte in de helling, hopend dat het daar niet te nat zou zijn.

Toen hij er aankwam, legde hij beide handen op de grond om te voelen. Het was er niet natter dan op de rest van de heuvel. Hij rolde zijn rubbermatje uit, probeerde niet meer planten te laten knakken dan nodig was, legde zijn slaapzak erbovenop en kroop erin.

Nu kon hij zich bewegen zonder geluid te maken, en soepel en warm blijven. Hij laadde zijn geweer door, controleerde of de veiligheidspal goed stond en nam het wapen bijna teder in zijn armen, met het uiteinde van de loop naast zijn gezicht.

En hij ging slapen.

Jake had lang geleden geleerd hoe slapen je kon beschermen. Want je was stil als je sliep, zolang je tenminste niet snurkte, en als je in een hinderlaag lag, snurkte je niet. Je werd ook wakker van onnatuurlijke geluiden, en om de vijftien à twintig minuten.

Hij sliep zo een uur, twee uur, drie uur, en elke keer dat hij wakker werd en op zijn horloge keek, had de grote wijzer een sprongetje gemaakt. Na vier uur was het gedaan met zijn slaap. Hij hoorde diverse kleine dieren in het duister – stinkdieren, opossums, of wasberen misschien – maar geen grotere dieren. En hij zag geen lichtflitsen achter het huis.

Om halfzes hoorde hij boven zich, in zuidelijke richting, iets bewegen. Hij luisterde ingespannen, draaide zijn hoofd die kant op en keek of hij licht zag. Het was niet gemakkelijk om je in het donker door de bossen van Virginia te bewegen. Zelfs een rood led-lampje kon al hulp bieden, en als je het afschermde en omlaag richtte, zou het normaliter niet te zien zijn. Maar aangezien Jake zich onder hen bevond, bestond de kans dat hij een korte flits zou opvangen...

Hij zag niets. Het geritsel hield op en hij spitste zijn oren, haalde geruisloos adem en snoof de lucht op in een bijna dierlijke poging om geuren waar te nemen. Onder hem werd het erf van het huis verlicht door de lamp van de veranda en die bij de schuur. In het huis brandde licht, maar er was nog niets te horen. Jake had tegen Madison gezegd dat ze de televisie pas om zes uur moest aanzetten, nadat ze eerst het licht in de slaapkamer boven, in de badkamer en ten slotte in de keuken had aangedaan.

Na twintig minuten vroeg hij zich af of hij wel echt iets had horen bewegen, of dat het misschien een hert was geweest. Maar dat dacht hij altijd als hij aan het jagen was. Je hoorde iets, ging vervolgens twijfelen, hoorde het na een tijdje opnieuw, en dan pas ging je de richting, de snelheid en je schietkansen inschatten.

Het zou pas over een halfuur licht worden. Als Jake in hun schoenen had gestaan, zou hij ervoor gezorgd hebben dat hij een goede schietpositie had gevonden voordat er in het huis tekenen van leven waar te nemen waren. Als ze zich boven hem bevonden, zouden ze het huis observeren en nog wat plannen maken. Over een paar minuten zouden ze de heuvel af komen, vermoedelijk een paar meter van elkaar. Ze zouden als team gaan, vermoedde Jake, en zich niet opsplitsen en allebei een kant nemen.

Om één minuut voor zes hoorde hij weer iets bewegen, en op hetzelfde moment trilde zijn walkietalkie één keer. Madison was op en in beweging. Het licht in de slaapkamer op de eerste verdieping ging aan en even daarna in de badkamer. Het geritsel hield op toen het licht aanging en begon opnieuw toen er weer een licht aanging.

Dus ze waren er. Een hert zou niet hebben gereageerd door plotseling te blijven staan. En wie het ook waren, ze deden het goed, bewogen zich met bijna niet-waarneembare traagheid en zetten hun voeten met grote zorgvuldigheid neer... ware het niet dat het onmogelijk was om je door een bos te verplaatsen en daarbij helemaal geen geluid te maken. Als er wind was geweest, zou Jake de voetstappen waarschijnlijk niet gehoord hebben, maar er was geen wind. Toch deden ze het heel behoorlijk, vond Jake. Dat moest hij in zijn achterhoofd houden.

Tegen kwart over zes begon het licht te worden, licht genoeg om te kunnen schieten, en hij hoorde weer iets bewegen, schuin onder hem op de heuvel. Even later deed Madison het licht in de keuken aan, en daarna de televisie. Jake gaf haar vier piepjes met zijn walkietalkie, en ze liep langs het keukenraam met de half opgetrokken jaloezieën, zo snel dat hij alleen haar geruite shirt herkende.

Als de mannen hun blik op het huis gericht hadden, moesten ze haar gezien hebben. En moesten ze tot de conclusie zijn gekomen dat hun prooi zich ín het huis bevond.

Je daarop vastpinnen, of op welke andere veronderstelling ook, was levensgevaarlijk.

Vijf minuten later zag hij hen voor het eerst. Even dacht hij dat het er maar één was, een man in een camouflagepak, compleet met hoofdbedekking, met een zwart wapen in zijn handen. Het wapen had een korte, dikke loop met de diameter van een oude zilveren dollar: een geluiddemper die door de Special Forces werd gebruikt; een automatisch wapen dat ze van de Israëli's hadden gekocht.

Toen zag hij tien meter verderop weer iets bewegen: nog een man. Hij had geen lichtflitsen van de verklikkers achter het huis gezien. Dat had hij ook niet verwacht, want de aanlooproute aan die kant was zoveel slechter. Ze konden nog een man achter het huis hebben, om vluchtelingen te snappen, maar dat dacht hij niet. Dit was een jagersteam dat goed gecoördineerd zijn prooi besloop.

In het huis klonk een krassend geluid, alsof er een stoel werd verschoven. Madison was aan het improviseren. De televisiezenders, maar net hoorbaar waar Jake zat, wisselden elkaar af. Toen dat gebeurde, stak de ene man zijn hand op naar de andere. De andere man stak snel het open terrein over en hurkte neer naast de treden van de veranda.

Er werd even gewacht. Toen stak de eerste man het open terrein over en voegde zich bij zijn collega. Van allebei waren het hoofd en gezicht bedekt met een camouflagemasker, waarschijnlijk vanwege mogelijke beveiligingscamera's. Jake volgde de twee door zijn telescoopvizier, zette de veiligheidspal om en wachtte. Hij wilde pas schieten als ze op de veranda waren. Als hij een van de twee neerschoot voordat ze op de veranda waren, kon de ander zich op de grond laten vallen en onder het huis rollen voordat hij nog een schot kon lossen.

De ene man gaf een teken met zijn hand, waarna ze heel langzaam de treden op slopen, klaar om de voordeur, of misschien een raam, onder vuur te nemen.

Het raam. Terwijl de ene man naast de deur neerhurkte, sloop de andere naar het grote raam om naar binnen te gluren. Jake had hem in de kruisharen van zijn vizier terwijl hij met zijn andere oog de man bij de deur in de gaten hield.

De man bij het raam gluurde behoedzaam naar binnen, trok langzaam zijn hoofd terug en maakte een handgebaar naar zijn collega. Het was niet helemaal duidelijk of de man bij de deur het begreep of niet, maar het maakte niet uit.

Want op dat moment schoot Jake de man bij het raam in zijn rug.

21

De man bij het raam ging neer en Jake laadde door en richtte tegelijkertijd op de andere man, maar die reageerde razendsnel, sprong over de balustrade, liet zich op de grond vallen en rolde om. Jake loste een schot, had het gevoel dat hij goed had gemikt, maar de man rolde door en verdween onder het huis.

Jake zei in de walkietalkie: 'Eén man neer, maar er is er nog een, die van de veranda is gesprongen en nu onder jou zit. Hou de achterkant van het huis goed in de gaten.'

'Oké,' zei Madison.

Even later zag hij een lichtflits achter het huis, een van de wildverklikkers was afgegaan. De man was onder het huis door gekropen, gebruikte het als dekking en was op weg naar het bos. Jake was in beweging gekomen zodra hij de lichtflits zag en rende schuin de heuvel af. De walkietalkie trilde in zijn hand en Madison riep: 'Hij steekt de kreek over, hij is al aan de overkant...'

Jake bleef rennen, laadde het geweer door, zag de man een meter of drie van de bosrand, hinkend, in een uiterste poging het bos in te vluchten. Jake legde de loop van het geweer tegen een boomstam om goed te kunnen richten, maar daar was geen tijd voor, hij had geen tijd, en hij loste een willekeurig schot, maar de man was al tussen de bomen verdwenen. In de walkietalkie zei hij: 'Er ligt er een op de veranda. Ik denk dat hij dood is, maar neem geen risico. Ik achtervolg de andere.'

'Wees voorzichtig, wees voorzichtig...'

Het was nu een spel van kat en muis. De man in het bos had een groot probleem: hij was waarschijnlijk geraakt, hoewel onmogelijk te zeggen was hoe ernstig. Maar áls hij geraakt was, bloedde hij en zou hij snel medische verzorging nodig hebben. Zijn auto stond vijf kilometer verderop en het was zwaar terrein, dus als hij tot lopen in staat was, zou hij in beweging moeten blijven. Als hij rustte, zou hij misschien doodbloeden, of in elk geval verstijven.

Jake had ook problemen. Hij mocht de man niet laten ontsnappen. Hij móést hem tegenhouden. Als de man dat ook begreep, zou hij zich misschien verstoppen, zijn wond verzorgen en hopen dat Jake zich zou blootgeven. Als hij Jake doodschoot, hoefde hij niet meer naar zijn auto te lopen; dan kon hij die van Jake nemen.

Jake bleef even staan om drie patronen in het magazijn van het geweer te drukken en rende toen weer door. Hij maakte een hoop herrie, maar hij moest in positie zien te komen om de man de weg af te snijden. Als hij eenmaal in positie was, kon hij langzamer en geruislozer gaan lopen.

De walkietalkie trilde weer. Jake bleef staan, bracht het ding naar zijn oor en zei: 'Ja.'

'Hij loopt naar het zuiden, naar de westkant van de steile heuvel.'

Jake kwam weer in beweging en klom verder de helling van de vallei op. Als de man ook aan het klimmen was, zou hij Jake niet kunnen horen. Jake moest opeens denken aan de perfecte plek om in een hinderlaag te gaan liggen, met uitzicht op een voederplek voor herten en een ondiep ravijn aan de zijkant.

Vanaf daar kon hij perfect zien als er iemand de steile heuvel af kwam. De plek was tweehonderd meter verderop. Wild met zijn armen om zich heen zwaaiend, zonder zich te laten weerhouden door zijn slechte been en met zijn eigen gehijg in zijn oren ging hij op weg. Bladeren sloegen in zijn gezicht, twijgjes haalden het open en takken schampten zijn bovenlichaam en benen. Maar hij bleef doorlopen, happend naar adem, de laatste korte helling op, totdat hij boven was.

Billy had daar drie takken van een halve meter in de grond geslagen, in een driehoek, als een geïmproviseerde schietsteun, met uitzicht op de voederplek. Jake liep ernaartoe en ging erachter liggen. En hij luisterde, luisterde...

Het geluid van de kogel die George Brenner trof was onmiskenbaar, maar stond los van de knal die een paar milliseconden later volgde. Darrell Goodman dacht er niet over na; daar was hij te goed getraind voor. Hij reageerde alleen maar, meteen, wipte over de balustrade van de veranda om dekking te zoeken onder het huis. Hij voelde zijn enkel zwikken toen hij de grond raakte, en toen hij naar het uitnodigende duister onder de veranda rolde, voelde hij de felle, brandende pijn van de kogel die het been met de verzwikte enkel raakte, terwijl hij het tweede schot helemaal niet had gehoord.

De schutter was snel.

Hij gooide zijn wapen aan de draagband op zijn rug en tijgerde naar de rechterkant van het huis. De vloerbalken bevonden zich nog geen halve meter boven de grond, op sommige plekken zelfs nog lager. Er waren dieren onder het huis geweest; hij kon ze ruiken, aan zijn handen, vlak bij zijn gezicht, maar hij tijgerde door, sloeg geen acht op zijn been, kwam onder het huis vandaan en rende strompelend naar het bos, door het linkerbeen dat snel verzwakte en het huis als dekking tussen hem en zijn belager.

Tijdens het tijgeren hadden zijn hersenen vastgesteld dat het huis een val voor hem kon betekenen. Het bood wel dekking, maar dat was maar even. Hij moest eronderuit. Als hij de bosrand kon halen...

Hij dacht niet na over het risico dat hij nog een keer geraakt kon worden. Er was een felle lichtflits rechts van hem en hij dook ineen omdat hij dacht dat die uit een geweerloop afkomstig was, maar onmiddellijk daarna bedacht hij dat het licht daar veel te fel voor was geweest, en een seconde later was hij bij de bosrand. Op dat moment hoorde hij weer een kogel, die zich nog geen tien centimeter van zijn hoofd in een boomstam boorde.

Jezus!

Hij liet zich op de grond vallen, op zijn buik, kroop naar een kuil, nat van de dauw en met rottende bladeren, en bleef daar liggen.

Hij luisterde en probeerde zijn gejaagde ademhaling en bonkende hart tot rust te brengen. Hij kon de andere man horen... dat móést Winter zijn. Jezus christus, ze waren door Winter in de val gelokt. Hij moest het hebben geweten van het microfoontje, maar hoe lang al, en wat voor foute informatie had hij hun nog meer doorgegeven? Hij stak zijn hand in de zak op zijn gewonde been, haalde zijn mobiele telefoon eruit en keek op de display. Geen verbinding. Hij bevond zich te diep in de vallei. Boven op de heuvel, driehonderd meter verderop, had hij nog een prima verbinding gehad. Hij moest zo snel mogelijk naar een plek waar hij kon bellen.

Winter was niet alleen. Er was ten minste nog één andere man in het huis, en hij had lichtflitsen achter het huis gezien toen hij naar het bos rende, dus misschien waren er nog wel twee. Van die homoclub? Werkte Winter samen met de mensen van Barber? Hij had nu geen tijd om erover na te denken; hij moest hier weg. Hij mocht zich niet laten omsingelen.

Hij ging met zijn hand over zijn linkerbeen, voelde waar de wond zat, trok zijn hand terug en zag dat er bloed op zat. Hij had geen verbanddoos bij zich. Toch zou hij iets aan het bloeden moeten doen, en snel ook.

Als hij de top van de heuvel kon bereiken, dan kon hij bellen, zich ingraven en afwachten. En als ze hem kwamen halen, zouden ze daar spijt van krijgen.

Hij kwam moeizaam uit zijn kuil, slaakte bijna een kreet van de pijn en begon zich zo geruisloos mogelijk naar de heuvel ten zuiden van het huis te verplaatsen.

Jake hoorde hem wel, maar kon hem eerst nog niet zien. Waarschijnlijk was de man niet meer dan honderd meter bij hem vandaan, maar de bomen stonden zo dicht opeen dat hij niet meer dan een paar meter voor zich uit kon zien. Het voordeel was dat de man zich niet geruisloos kon verplaatsen.

Dus volgde Jake zijn bewegingen met behulp van het geritsel dat hij veroorzaakte, en na een paar minuten merkte hij dat de man niet dichterbij kwam. Het begon erop te lijken dat hij op weg was naar het bonenveld, hoewel dat vijf- à zeshonderd meter meer naar het zuidwesten lag, niet ver van de plek waar Jake in het jachtseizoen op kalkoenen had gejaagd. Verder weg van het parkeerterrein, van de richting waaruit hij was gekomen. Maar waarom zou hij die kant op gaan?

De walkietalkie trilde in zijn zak, hij haalde hem eruit en piepte één keer naar Madison om aan te geven dat ze kon praten. 'De man die hier ligt, is dood. En er ligt bloed op de grond waar die andere van de veranda is gesprongen.'

'Oké,' mompelde Jake, en daarna, heel zachtjes: 'Ben je buiten? Ga weer naar binnen.'

'Het is oké; ik kwam alleen even kijken. De ontsnapte man is gewond.'

'Ga weer naar binnen. Ik achtervolg hem; hij zit een heel stuk ten zuiden van jou.'

En hij loopt verder door naar het zuiden, merkte Jake een minuut later. Toen wist hij het: hoger gelegen terrein. De man was op zoek naar een plek waar hij kon bellen.

Jake moest in actie komen. Hij verliet zijn geïmproviseerde hinderlaag en nam het risico om door het gras bij de voederplek te lopen, in het zicht, maar, dacht hij, te ver van de man om door hem gezien te worden. Desondanks gingen de haartjes in zijn nek overeind staan en wilde hij instinctief dekking zoeken.

Bij de rand van het bos bleef hij staan. Hij luisterde, hoorde heel zacht iets bewegen, nog steeds boven hem. Hij zag een wildspoor met vertrapte bladeren en iets minder dichte begroeiing, waar herten de heuvel op waren gelopen. Hij passeerde een plek waar een hertenbok de schors van een boom had geschuurd en hield dat in zijn achterhoofd. Hij bewoog zich langzaam, heel langzaam, was nog steeds op jacht.

Om de twee meter bleef hij staan om te luisteren. Als hij niets hoorde, verroerde hij zich niet. En als hij iets hoorde bewegen, bewoog hij ook. Na vijf minuten sluipen zag hij een boomtak bewegen, een licht deinen van de verse, groene bladeren, zoals een eekhoorn zou kunnen veroorzaken, maar dit was te laag voor een eekhoorn. Nog zestig meter te gaan; ze hadden twee derde van de weg naar de top afgelegd.

Uit ervaring wist hij dat de man bijna helemaal boven moest zijn voordat zijn mobiele telefoon het weer zou doen. Jake bleef kijken totdat hij weer bladeren zag bewegen, liep toen door, maar schuin opzij, diagonaal over de helling, totdat hij bij de open plek tussen de bomen was. Het was geen wildpad, geen stuk rotsbodem, maar gewoon een open plek, waar om de een of andere reden nooit boomzaadjes waren gevallen...

Maar een goede plek om te schieten.

Jake hurkte neer, richtte de telescoop op de plek waar hij het laatst bladeren had zien bewegen en zocht de directe omgeving af.

Een minuut later zag hij een duidelijke beweging. Hij keek, keek... groen, bruin, zwart: een camouflagepak.

Hij richtte de telescoop erop en haalde de trekker over.

Darrell Goodman hoorde hem aankomen. Hij kon hem niet zien, maar het moesten de voetstappen van een man zijn; het was al te licht en de geluiden volgden elkaar niet snel genoeg op om door een groot dier gemaakt te worden. Hij werd dus gevolgd. De precieze richting kon hij niet bepalen, maar wel dat het om één man ging. Had hij het mis gehad toen hij dacht dat er nog een man achter hem aan zat, die uit het huis? Hij voelde dat hij nog steeds bloedde en dat zijn krachten afnamen. Hij moest iets doen.

Langzaam liet hij het machinepistool van zijn schouder glijden, spande de haan en zette het op volautomatisch. Twee meter bij hem vandaan lag een afgevallen boomtak. Hij sloop ernaartoe, trok het camouflagemasker van zijn hoofd en schoof het over het uiteinde van de tak. Voordat hij verder ging, pakte hij een hand vochtige aarde en wreef er zijn gezicht mee in, om de lichte huid te maskeren. Toen pakte hij de tak op, hield hem voor zich uit, met het camouflagemasker aan het uiteinde, liep drie meter, bleef even staan en liep weer drie meter, steeds hoger de heuvel op. Hij achtte het mogelijk dat hij hier al kon bellen, maar hij durfde zijn telefoon nog niet aan te zetten. Als die overging, was hij er geweest.

Voor de vierde keer hield hij de tak voor zich uit en liep drie passen. Opeens *beng*, en een kogel plukte aan het masker, een geweerschot uit het bos, dertig, hooguit veertig meter rechts van hem. Hij richtte het machinepistool, haalde de trekker over en bestookte de bomen met dertig 9mm-kogels, waardoor afgescheurde bladeren, klimop, stukken boomschors, twijgjes en aarde in het rond vlogen.

Terwijl hij wegrolde van de plek waar hij had geschoten, trok hij het magazijn uit het wapen en sloeg er een volle in toen er een schot klonk en de aarde vlak achter hem opvloog. Verdomme, hij had hem gemist. Hij vuurde drie korte salvo's in de richting van het schot en rolde weer weg, maar nu de heuvel af, rondwentelend, vallend en opstaand in een poging nog iets van grip op de bodem te houden terwijl hij omlaagviel en zijn uiterste best deed om het machinepistool naar boven te blijven richten. Hij zag iets bewegen, in een flits, vuurde nog een salvo naar boven, en toen was hij weer onderaan de heuvel, waar hij zijn vlucht was begonnen.

Hij had het verpest, dacht hij. Nu hadden ze hem.

Nog één kans... Hij vuurde de twee kogels af op de bomen waar hij zijn achtervolger had gezien, sloeg het laatste magazijn in het wapen en rende tussen de bomen vandaan. Hij was al aanzienlijk verzwakt en zijn gezichtsvermogen begon af te nemen, maar hij hoefde maar dertig meter te rennen om de dekking van de veranda te bereiken.

Als hij de deur intrapte, zou hij oog en oog staan met de man in het huis, en misschien, heel misschien, zou de man, na het vuurgevecht op de heuvel, te verbaasd zijn om snel te reageren. Als hij in het huis kon komen, weg van zijn achtervolger op de heuvel, als hij de boel kon barricaderen, als hij iets aan de wond in zijn been kon doen, als er een vaste telefoon was die niet onklaar was gemaakt...

Als...

Hij ging rennen.

Het salvo uit het machinepistool had Jake niet geraakt, maar hem wel tegen de grond geworpen. De kogels sloegen amper twee meter boven hem in, kwamen vervolgens zijn kant op, versplinterden de takken boven hem en hij liet zich plat op de grond vallen terwijl hij zijn geweer doorlaadde.

Nog een salvo achter hem, niet hard, een meer versplinterd geluid. Het machinepistool had een geluiddemper en zag eruit als de wapens die door Israëlische commando's werden gebruikt om terroristen op een zo stil mogelijke manier op te ruimen...

Nog twee salvo's, en toen zag hij de man bewegen. Hij loste een schot in die richting, kreeg weer een salvo terug, bleef plat op de grond liggen luisteren en merkte dat het geritsel sneller en van verder weg klonk. Hij tilde snel zijn hoofd op, vlak voor het volgende salvo, en dacht: hij gaat naar het huis. Hij haalde de walkietalkie uit zijn broekzak en riep: 'Hij komt op het huis af, denk ik. Hij komt naar jou toe...'

Jake was inmiddels opgestaan, luisterde nog even, hoorde het aanhoudende rumoer lager op de heuvel en begon te rennen. Hier en daar lag bloed op de grond; de man was geraakt. Het moest een wanhoopspoging van hem zijn dat hij naar het huis ging. Jake zou de ruimte moeten hebben om een schot te kunnen lossen, en hij zou maar één kans krijgen, als de man nog tot rennen in staat was, maar ruimte zou het grootste probleem zijn...

Met al die bomen ertussen zou hij de man wel kunnen zien, maar zou het onmogelijk zijn om een behoorlijk schot te lossen. Hij zou hem in een flits tussen de bomen zien, maar als hij hem met de telescoop volgde, was de kans te groot dat hij een boom raakte. Hij had een vrije schietbaan nodig.

Maar toen de man het bos uit kwam stormen en op het huis af ging, was Jake nog te hoog op de heuvel. Hij zag hem wel, zag de beweging, maar schieten was zinloos...

Darrell Goodman was vijf meter van het huis toen hij de deuropening en de vrouw zag.

Madison Bowe, die een geruit flanellen shirt aanhad. En in haar handen...

Madison had de walkietalkie opzijgegooid, het .20-geweer gepakt en was de veranda op gelopen. Ze hoorde het eerder dan dat ze het zag toen Darrell het bos uit kwam stormen. Ze legde het geweer aan en liet hem komen.

Ze herkende hem.

En toen hij haar tot vijf meter was genaderd, loste ze één schot, midden in zijn gezicht, en sloeg hij als een lappenpop tegen de grond.

Ze was verbijsterd door wat ze had gedaan. Even bleef ze roerloos staan en toen zei ze, tegen niemand in het bijzonder: 'O, lieve god.'

Jake kwam een minuut later het bos uit, strompelend en zwaaiend met zijn armen vanwege zijn slechte been. Hij bleef naast Darrell staan, richtte zijn geweer op Darrells hart en porde met zijn voet in zijn zij, maar dat was allemaal niet nodig, want bijna zijn hele hoofd was weg.

Jake kwam de veranda op lopen en zijn gezicht stond net zo strak als dat van haar.

'Wat had ik nou gezegd?' vroeg hij.

'Wat?'

'Ik heb tegen je gezegd dat je moest blijven schieten totdat je geweer leeg was. Niet dat gelul van één enkel schot; daar hebben we geen behoefte aan.' Hij keek om naar Darrells lijk, deed een stap naar haar toe en legde zijn voorhoofd tegen het hare. 'Je hebt het goed gedaan.' Hij begon te lachen, was nog high van de spanning. 'Je hebt het fantastisch gedaan!'

Zij zagen het anders, maar voor de politie was dit hoogstwaarschijnlijk moord, want het was moeilijk uit te leggen waarom de andere man in zijn rug was geschoten. Jake liep naar het lijk, dat nog steeds op de veranda lag. De man was op slag dood geweest, was in de wervelkolom en het hart geraakt. De kogel was dwars door hem heen gegaan en in de staande sponning van het raam gedrongen. Het kogelgat zelf was kleiner dan zijn pinknagel en zag eruit als een kwast die uit het hout was gevallen.

'Wat moet ik nu doen?' vroeg Madison.

'Raap alle patroonhulzen op die je kunt vinden, ook die van Darrells machinepistool. Ik zal je de plekken aanwijzen, en je kunt het bloedspoor de heuvel op volgen. Je moet wel handschoenen aantrekken voordat je iets opraapt. Raak niks met je blote vingers aan.'

Hij liet haar zien waar Darrell de heuvel op was geklommen.

'Ik geloof nooit dat ik ze allemaal zal kunnen vinden,' zei ze. 'Ze zijn in het rond gevlogen, liggen overal verspreid.'

'Raap gewoon op wat je vinden kunt.'

Terwijl Madison aan de slag ging, fouilleerde Jake de twee lijken, hij stak de autosleutels in zijn zak, stopte de lijken in de grote vuilniszakken die ze hadden meegebracht, sjouwde ze naar zijn auto en tilde ze in de kofferbak. Toen de lijken uit het zicht waren, vulde hij een emmer met heet water, deed er schoonmaakmiddel in en boende het bloed van de veranda. Vervolgens liep hij naar de plekken waar Darrell was geraakt en was doodgeschoten, spoelde daar het bloed weg en gebruikte de rest van het water om het bloedspoor, voor zover hij het kon vinden, weg te werken.

Het was nu een goed moment voor een flinke regenbui, dacht Jake, en toen hij naar de hemel keek, zag hij dat de kans groot was dat hij zijn zin zou krijgen.

Madison kwam de heuvel af met een plastic zak vol patroonhulzen en twee lege magazijnen. Jake telde ze: achtentachtig van de negentig, aangenomen dat alle drie de magazijnen vol waren geweest.

'En nu?'

'Nu komt het gevaarlijke deel,' zei Jake. Ze moesten de lijken en de andere auto dumpen.

'Wil je nog steeds naar Norfolk?' riep Madison. 'Je zei dat we het misschien ook wel ergens anders konden doen. Ik bedoel, het is gekkenwerk, Jake, als er iets misgaat...'

'Maar voor ons is het noodzakelijk, is het de enige plek die voor ons echt geschikt is.'

Madison bleef protesteren, maar Jake hield voet bij stuk, en ze waren heel kortaf tegen elkaar toen ze op weg gingen naar het parkeerterrein.

Darrell Goodman had in een SUV gereden en die stond op het parkeerterrein, precies zoals Jake had verwacht. Toen hij de afstandsbediening erop richtte, knipperden de achterlichten.

Er stonden geen andere auto's op het parkeerterrein. Jake haalde de lijken uit zijn kofferbak, tilde ze achter in de SUV, gooide de wapens en een deel van de lege patroonhulzen ook achterin en trok een van de vuilniszakken ten slotte over de rugleuning van de bestuurdersstoel.

'Jake, doe dit nou niet,' zei Madison op smekende toon. 'Het is niet nodig.'

'Wel waar,' hield Jake vol. 'Rij jij nou maar de route die we hebben afgesproken. Je bent er waarschijnlijk eerder dan ik, want jouw route is korter. Ik denk niet dat ik politie zal tegenkomen...'

Hij kwam wel politie tegen, twee patrouillewagens die geen van beide aandacht aan hem schonken, de ene bij Farmville en de andere bij Franklin, allebei op de verlaten snelweg. Op een secundaire weg gooide hij de zak met 9mm-hulzen in een kreek. De plastic zak gooide hij later, toen hij zeker wist dat er geen politie in de buurt was, uit het raam van de auto.

Norfolk is een gecompliceerde stad waar je niet zo snel doorheen rijdt. Jake deed het rustig aan, paste extra goed op in het verkeer en vond ten slotte een goede plek om de SUV te dumpen, in een grauw achterafstraatje in een industriewijk, tussen een verzameling andere auto's bij een assemblagefabriekje.

Voordat hij uitstapte, trok hij de vuilniszak van de stoel, propte die in zijn zak en draaide beide portieren op slot. Madison pikte hem op bij een benzinestation, zes straten verderop.

'Toch vond ik het een domme actie,' zei ze.

'Dat is het niet. We hebben hun nu een scenario gegeven. Iets waarmee ze aan de slag kunnen. Darrell was bezig met het opruimen van de bendes hier, en er gaan wilde geruchten over zijn verhoormethodes. Geruchten over lijken die in de Atlantische Oceaan zijn gedumpt. Wij hebben nu het verhaal van de wraak geschreven.'

'En de kogel in de sponning van het jachthuis dan?'

Jake haalde zijn schouders op. 'Die stelt niet veel voor. Ten eerste is het vrijwel uitgesloten dat iemand hem zal vinden. Het is maar een klein gaatje en ik heb er wat aarde in gesmeerd. In geen van beide lijken is een kogel achtergebleven, dus er valt niks te vergelijken. Darrells hoofd zit vol hagel, maar daar kunnen ze forensisch niks mee. We dumpen de overgebleven hagelpatronen, kopen nieuwe van een ander merk en maken de geweren schoon.'

Madison bleef hem enige tijd aankijken. 'Sorry dat ik zo kortaf tegen je was toen we naar Norfolk reden, maar ik was echt bang. Ik heb dit nooit eerder gedaan.'

'Ik ook niet,' zei Jake. 'Niet op deze manier, tenminste. Zit het je dwars dat we die twee hebben doodgeschoten?'

Ze schudde haar hoofd. 'Nee. Het waren moordenaars en ze wilden óns vermoorden. En wat het bloed betreft... we hebben meer dan tweehonderd koeien op de ranch. Die worden geslacht en verkocht voor het vlees. Als je het leven op een ranch gewend bent, schrik je niet van een beetje bloed.'

Ze reden Norfolk uit en gingen weer op weg naar Washington. Jake reed, harder nu, ruim tien kilometer harder dan was toegestaan, en na een tijdje zei Madison: 'Eigenlijk zijn we hier best goed in.'

'Het is verdomme geen kernfysica,' zei Jake. 'Het enige probleem is de inzet. Als je een vergissing maakt, ga je de gevangenis in. Of nog erger.'

'Zelfs als Arlo Goodman weet wat er is gebeurd, wat kan hij dan zeggen?' vroeg Madison, die er weer vertrouwen in begon te krijgen. 'Dat hij weet dat wij het hebben gedaan, omdat hij zijn broer achter ons aan heeft gestuurd om ons uit de weg te ruimen?'

'Als ze een onderzoek instellen, wat kunnen ze dan bewijzen? Niks. Bovendien hebben we een geloofwaardig scenario aangeleverd: de bendeleiders in Norfolk hebben het gedaan. Ik denk dat we wel goed zitten.'

Madison ging rechtop zitten, deed de zonneklep naar beneden en bekeek haar gezicht in het spiegeltje. Ze hadden gehoord wat er met Howard Barber was gebeurd en zouden in Washington zeker door de pers worden opgewacht. 'Het zal niet meevallen om jou te temmen,' zei ze.

'Dat zei mijn ex-vrouw ook.'

'Ze had gelijk.' Ze wees door de voorruit naar de weg. 'En hou nu een tijdje je mond en rij door. Ik moet nadenken over wat we misschien over het hoofd hebben gezien.'

Arlo Goodman zat thuis te wachten tot zijn broer zou bellen. Hij had het telefoontje al om zeven uur 's ochtends verwacht, of hooguit om acht uur, afhankelijk van hoeveel tijd het zou kosten om het bos bij Winters schuilplek uit te komen. Maar Darrell had al gezegd dat het misschien langer kon duren, en dat het onverstandig zou zijn om een mobiele telefoon te gebruiken op een plek waar net een moord was gepleegd...

Zeker wanneer het slachtoffer de bedgenoot van Madison Bowe was, die maar al te graag bereid was om hen van allerlei misdaden te beschuldigen.

Darrell had ook voorgesteld dat, nadat ze Winter hadden omgebracht en een graf voor hem hadden geregeld, hij meteen George uit de weg zou ruimen. Dat zou wat meer werk vergen.

Dus toen Goodman om acht uur nog niets had gehoord, was hij niet al te bezorgd. Hij was in zijn kantoor en keek televisie, naar het grote nieuws over Howard Barber, en over de FBI, die onderzocht of Barber degene was geweest die Lincoln Bowe had vermoord, op Bowes eigen verzoek, zeiden de presentatoren met overtuigende opwinding. De pers had zich verschanst bij het huis van Madison Bowe en wachtte daar tot ze een verklaring zou afleggen.

Om tien uur werd hij een beetje onrustig.

Om even over tien hoorde hij dat Madison Bowe niet thuis was, hoewel ze de avond daarvoor, tegen middernacht, nog was gezien, en er nieuws-jagers al 's morgens om vijf uur waren gearriveerd. Was ze er stiekem vandoor gegaan, vroeg men zich af. Had ze zich ergens teruggetrokken? Waar was Madison Bowe gebleven? De laatste persoon die bij haar huis was gezien, was een man met een wandelstok.

Arlo Goodman hoorde dat en dacht: o, o. Als ze ontsnapt was om bij Winter te zijn, als Darrell hen allebei had vermoord, als er iets mis was gegaan... Hij ging weer aan het werk, want de staat Virginia moest be-stuurd worden en liet zich niet lamleggen door een simpel nieuwsfeit of een vermiste broer.

Om elf uur belde hij Darrells mobiele telefoon, hoorde het toestel over-gaan, maar werd doorgeschakeld naar zijn voicemail. Waar hing hij ver-domme uit?

Rond het middaguur zat hij nog steeds aan zijn bureau, nu echt be-zorgd, toen er een gedachte in hem opkwam. Darrell en George waren naar Wisconsin gegaan, waar de opiniepeiler en diens secretaresse wa-ren vermoord, vanwege een gesprek dat ze hadden afgeluisterd met be-hulp van een microfoontje aan het plafond van Madison Bowes huis in Washington. Een gesprek tussen haar en Winter, zonder andere aanwe-zigen.

Winter had de opiniepeiler niet gekend, had zelfs nog nooit van hem ge-hoord. Toen de dubbele moord was gepleegd en Winter de kans kreeg om na te denken, kon hij zich hebben afgevraagd: hoe kwamen de da-ders zo snel in Wisconsin?

Als hij slim was – en dat was hij – kon hij vermoed hebben dat het huis werd afgeluisterd. En als hij dat vermoedde...

Had hij er gebruik van gemaakt? Jezus christus, had Winter hen in een val gelokt?

Om zes uur 's avonds wist hij dat er iets gebeurd was, maar niet wat. Hij kon laten nagaan waar Darrells mobiele telefoon zich bevond, maar hij wist niet goed of hij dat moest doen of niet. Misschien kon hij beter wachten totdat duidelijk was dat Darrell vermist was, en dat iemand anders dat zou opmerken.

De televisie stond nog steeds aan en hij zag Madison Bowe, die door haar advocaat naar de deur van haar huis werd begeleid. Ze had met de FBI gepraat, zei ze in een persverklaring vanaf de veranda. Ze wilde niet geloven dat Howard Barber haar echtgenoot had vermoord, en ook niet dat het een samenzwering was geweest. Voor de allereerste keer barstte ze in tranen uit toen ze zei dat ze niet wilde geloven dat Lincoln haar dit zou aandoen zonder haar ook maar de geringste waarschuwing te geven, haar, zijn echtgenote.

Een goed optreden, dacht Goodman. Hij was zelfs geroerd.

Maar niet door Madison, natuurlijk.

De camera ging over de horde nieuwsjagers die zich bij de veranda had verzameld. Aan de zijkant verscheen er een man in beeld die enkele tientallen meters verderop tegen een Mercedes geleund stond, steunend op een wandelstok.

'Winter!' riep Arlo Goodman naar zijn televisie. 'Die verdomde Winter!'

Darrell, wist hij, was dood. George ook.

Hij had verwacht dat hij zou gaan huilen, dat hij emotioneel diep geraakt zou zijn door het overlijden van zijn broer. Maar dat was niet zo. Hij voelde helemaal niets.

Wat hij wel deed, was quasibedroefd glimlachen naar de televisie en denken: Darrell is dood... eigenlijk komt dat helemaal niet zo slecht uit.

22

Ze waren aan het eind van de middag in Washington teruggekeerd, naar Jakes huis gegaan, hadden de bagage uit de auto gehaald en de televisie aangezet. Jake was naar de rommelkamer op de eerste verdieping gegaan om de schoonmaakspullen voor de geweren te halen. Toen hij weer beneden kwam, had Madison een bleek gezicht en zei ze: 'Ze zeiden net op het nieuws dat Howard Linc heeft vermoord en dat de FBI ervan weet.'

'Dan zijn ze nu waarschijnlijk op zoek naar jou,' zei Jake. 'De pers in elk geval. Ik zal even kijken of er berichten op mijn telefoon staan.'

Er was een bericht van Novatny, van diezelfde dag: 'Bel me als je weet waar Madison Bowe is. We moeten met haar praten.'

'Wat moeten we nu doen?'

'De mensen kunnen je hier gezien hebben,' zei Jake. 'De buren, toen we terugkwamen. Ik moet Novatny wel bellen... maar eerst moet jij Johnson Black bellen.'

'Maar dan lijkt het erop dat...' Ze viel stil en schudde haar hoofd. 'Laat maar.'

'Wat wilde je zeggen?'

'Dat het er dan op lijkt dat ik iets te verbergen heb, maar dat is onzin. Iedereen in Washington zou eerst zijn advocaat bellen.'

Johnson Black arriveerde een halfuur later. De geweren waren schoongemaakt en opgeborgen, ze hadden gedoucht, en de kleren die ze in het jachthuis aan hadden gehad, zaten in de wasmachine, die stond te draaien. Black straalde toen hij binnenkwam, kuste Madison op de wang, gaf Jake een hand en zei: 'Nu wordt het pas echt interessant. Jake, vind je het erg als ik eerst even onder vier ogen met Madison praat?'

'Hij mag erbij blijven,' zei Madison. 'Wat wil je weten?'

Black bleef Madison enige tijd aankijken en zei toen: 'De kans is groot dat jullie belangen niet dezelfde zijn. Misschien is het toch beter dat we eerst samen praten.'

'Mooi niet,' zei Madison. 'Ik wil dat hij erbij blijft.'

Black haalde zijn schouders op. 'Goed dan. De FBI zal willen weten of jij ervan op de hoogte was dat Linc door Howard Barber is gedood.'

255

'Dat heb ik geraden. Howard was hier, ik heb hem ervan beschuldigd, hij heeft het min of meer bekend en ik heb hem de deur uitgezet.'

'Heb je het niet aan de FBI of aan iemand anders verteld?'

'Dat was twee dagen geleden, Johnnie. Toen ik zwaar aangeslagen was.'

'Oké. Als de FBI ernaar vraagt, adviseer ik je je te beroepen op je recht om te zwijgen. Als ze het echt willen weten, kunnen ze je voor een onderzoeksjury dagen, maar tot het zover is, zullen ze je rechten moeten eerbiedigen.'

'Als ik niet wil praten, weten ze het... ik bedoel, dan weten ze het zeker.'

'Als ze het weten en je hoeft de gevangenis niet in, is dat beter dan dat je er wel in moet. Punt uit, einde verhaal.'

'Goed dan.'

'Trouwens, als Barber en jij een gesprek onder vier ogen hadden... nou, Barber is er niet meer, dus wie kan er zeggen dat je de waarheid niet spreekt?' Madison keek Jake aan en Black zag het. 'Wat is er? Was er nog iemand bij?'

'Nee, maar Jake denkt dat het huis werd afgeluisterd.'

'O, shit.' Black keek naar het plafond. 'En hoe zit het met dit huis? Van wie zouden ze daar toestemming voor moeten hebben gekregen? Van Nationale Veiligheid...?'

'We denken dat Goodman erachter zit,' zei Jake. 'Geen gerechtelijke bevelen, maar op initiatief van de burgerwacht. Elke keer dat Madison een gesprek in haar woonkamer had, stond het de volgende dag in de krant.'

'O, nou, ik ken mensen die dat spul kunnen opsporen, als het er is,' zei Black, en hij keek op zijn horloge. 'Kom op. We gaan eerst naar de FBI en daarna naar jouw huis. Je zult toch een persverklaring moeten afleggen.'

Hij keek Jake aan en wendde zich toen weer tot Madison. 'Heb je het Jake verteld? Over Barber en Linc?'

'Nee, toen niet. Pas toen we op de autoradio hoorden dat de FBI het aan het onderzoeken was.'

'Wat is jouw relatie met meneer Winter?'

Madison haalde haar schouders op en zei: 'Een intieme.'

'Misschien is dat niet zo verstandig,' zei Black. 'Een intieme relatie aangaan... gezien de omstandigheden...'

Madison zette haar handen in haar zij en antwoordde: 'Of misschien kan ik beter zeggen: een acrobatische. En de omstandigheden kunnen mijn rug op.'

'Goed dan,' zei Black. 'Welnu, de volgende vraag is een belangrijke, dus ik zal hem heel zorgvuldig formuleren. Had Howard Barber suïcidale neigingen vanwege zijn relatie met Linc? Als dat zo was, en jij bent bereid dat te verklaren, kunnen we misschien iets wegnemen van de gêne die iedereen voelt als het om zijn dood gaat. Misschien kunnen we op die manier... het politieke scherpe randje eraf halen. Kunnen we dat zeggen, dat Howard suïcidaal was?'

Madison aarzelde geen seconde. 'Ik heb hem gesmeekt geen ondoordachte dingen te doen. Maar hij leek vastbesloten. Hij was in het verleden behandeld voor depressiviteit. Hij vertelde me dat hij heeft overwogen... om met Linc mee te gaan, toen Linc stierf.'

Black glimlachte en zei: 'Oké we bellen de FBI. Jake, jij hebt daar je contactpersoon...'

Novatny nam op en vroeg: 'Heb je Madison Bowe gezien?'

'Ze is hier,' zei Jake. 'Ze heeft zich verstopt, want ze is bang dat de burgerwacht haar vindt en haar uit het raam gooit.'

'Dat is voor tachtig procent gelul,' zei Novatny. 'Ik denk dat Barber zelf naar buiten is gesprongen.'

'Op televisie zeggen ze iets heel anders... en ze zeggen ook dat de FBI niet bereid is met ons te praten, weet je nog, beste vriend?'

'Ja, nou... is ze wel bereid met ons te praten?'

'Met jullie of met een advocaat van het ministerie van Justitie,' zei Jake. 'Haar advocaat is nu bij haar.' Aan de andere kant van de woonkamer liet Johnson Black zijn dikke wenkbrauwen een paar keer op en neer gaan. 'Ik weet niet waar ze het over hebben, maar ze zijn al een tijdje druk in gesprek.'

'Hebben we het hier over Johnson Black?' vroeg Novatny.

'Ja. Ze hebben me gevraagd of ik jou wilde bellen. Wil je hiernaartoe komen, of heb je liever dat ze naar jou toe komt?'

'Echt waar?' vroeg Novatny ongelovig.

'Ja, echt waar.'

'Het zou me beter uitkomen als ze hiernaartoe kwam.'

'Ze kan over een halfuur bij je zijn,' zei Jake. 'Waar wil je haar precies ontvangen?'

'Op mijn kantoor. Bel me als jullie er aankomen... ik zou met jou graag een straatje om lopen voordat we naar boven gaan.'

'Met mij?'

'Ja. Gewoon even praten. Niks officieel, geen microfoontjes, geen spelletjes. Alleen even praten. Als twee oude makkers.'

'Oké, tot straks,' zei Jake.

Ze gingen met twee auto's, Johnson Black voorop in zijn limousine, en Madison en Jake achter hem aan. Ze belden Novatny, die al op hen stond te wachten bij een parkeerstrip, in gezelschap van iemand die er-uitzag als een stagiair, of misschien was het wel een doodgewone tiener die hij van straat had geplukt. 'Parkeer daar maar,' zei Novatny.

'Dat is verboden,' zei Jake. Een hele rij borden dreigde met hoge boetes en onmiddellijk wegslepen.

'Joshua bewaakt de auto's,' zei Novatny. 'Hij schiet op iedereen die be-zwaar maakt. Kom mee, Jake, we gaan een stukje lopen.'

Ze wandelden samen weg, Jake tikkend met zijn wandelstok op de stoep en Madison die in Blacks limousine stapte om nog wat dingen te bespre-ken. 'En?' vroeg Jake. 'Wat wil je?'

'Ik wil weten wat het Witte Huis aan het doen is,' zei Novatny. 'Voordat we straks vijf miljoen kilo modder over ons uitgestort krijgen.'

'Te oordelen naar wat ze op televisie zeggen...'

Novatny bleef staan en draaide zich om. 'De televisie kan de pest krij-gen, Jake. Ik wil weten of wij in de hoek zitten waar de klappen gaan vallen. Of ik naar Boise overgeplaatst ga worden en of Mavis naar een of ander donker kelderarchief wordt verbannen.' Mavis Sanders was Novatny's baas. 'Of ik ontslag moet nemen en naar een beveiligings-baan moet solliciteren voordat het te laat is.'

Jake schudde zijn hoofd. 'Chuck, ik zweer het, ik weet het echt niet. De banden tussen mij en het Witte Huis zijn al een paar dagen geleden ver-broken, het consultatiecontract is beëindigd. Maar het kan zijn dat ze me binnenkort weer nodig hebben. Er is iets anders boven water geko-men.'

Novatny was meteen geïnteresseerd. 'Heeft het met deze zaak te ma-ken?'

'Het heeft te maken met iets wat heel ernstig is. Misschien heeft het met de zaak te maken, misschien niet. Maar ik kan je wel zeggen, als twee oude makkers onder elkaar, dat het iets heel anders is dan het onbeteke-nende geneuzel waar jij tot nu toe mee om de oren bent geslagen. Over Lincoln Bowe en Howard Barber.'

Novatny's hand ging naar zijn voorhoofd. 'Onbetekenend geneuzel? Noem jij dat onbetekenend geneuzel? Jezus christus, Jake!'

'Ik vertel dit aan jou omdat we vaak hebben samengewerkt en omdat ik jou en Mavis graag mag,' zei Jake. 'Zet je schrap voor iets wat uit een heel andere hoek komt. Een politieke hoek. Binnen vierentwintig uur, of hooguit achtenveertig uur, krijg je het te horen. Ik zal proberen hen zover te krijgen dat ze het rechtstreeks naar jou en jouw kantoor sturen. Jij gaat beroemd worden omdat jij ermee gekomen bent. Jij komt in de geschiedenisboeken.'

'En wat wil jij? Wat wil je ervoor terug?'

'Een soepele opstelling,' zei Jake.

'Soepele opstelling?'

'Ja, wij willen een beetje inschikkelijkheid. En als we die niet krijgen, komt iemand van ons je een meter inschikkelijkheid in je reet schuiven totdat je van gedachten verandert. Met wat te gebeuren staat, kun je er twee visies op na houden: je kunt vasthouden aan al jullie irritante procedureregeltjes, of je kunt voor de werkelijke inhoud gaan. Als je het laatste doet, zit je goed, denk ik. Maar dat is alleen wat ík denk.'

Novatny liet zijn tong over zijn lip gaan. 'Je kunt goed jagen in de bossen bij Boise.'

'Ik wist niet dat jij van jagen hield,' zei Jake.

'Dat doe ik ook niet,' zei Novatny. 'Maar dat zeggen ze altijd, de jongens die er geweest zijn. Dat je bij Boise goed kunt jagen.'

'Nou, dat is dan alvast iets.'

Novatny keek links en rechts de straat in. Joshua waakte over de auto's. 'Ik zal je dit zeggen, Jake, ik heb me nooit zoveel aangetrokken van de procedureregels. Ik ben iemand die voor de inhoud gaat. Net als ons hele kantoor.'

'Spreek je namens het kantoor? Ook voor Mavis?'

'Jazeker.'

'Dat is heel verstandig,' zei Jake. 'Wat er te gebeuren staat, heeft iedereen zo bang gemaakt dat wij ons letterlijk hebben verstopt. Ik durf Madison geen seconde uit het oog te verliezen. Ik ben als de dood dat iemand zal proberen haar te vermoorden, net zoals die mensen in Wisconsin zijn vermoord.'

'Hè, shit. En deze nieuwe ontwikkeling heeft daarmee te maken?'

'Dat is mogelijk. Dat weet ik niet zeker, maar we zullen het snel genoeg weten.'

Ze wandelden terug en Novatny zei: 'Doe wat je kunt, man.' Hij liep door naar Madison en Black en met z'n drieën liepen ze naar de ingang van het FBI-kantoor. Voordat ze naar binnen gingen, draaide Madison zich om, ze stak haar hand op en zwaaide. Novatny stond naast haar, onrustig aan de knoop van zijn das frunnikend. Als je niet beter zou weten, dacht Jake, zou je misschien denken dat Novatny degene was naar wie onderzoek werd gedaan.

Jake haalde zijn mobiele telefoon tevoorschijn en belde Gina op Danzigs kantoor.

'Ik moet de baas spreken.'

'Het is hier nogal druk,' zei Gina. 'Ik zal kijken of ik hem kan vinden. Ik bel je terug.'

'Zeg hem dat het dringend is. Ik heb iets wat hij absoluut moet weten.'
'Ik zal het doorgeven,' zei ze. Haar stem klonk volmaakt neutraal.
Fiftyfifty, dacht Jake toen ze had opgehangen. Fiftyfifty dat ze terugbellen. Als ze dat niet deden, hadden ze de banden echt verbroken.
Maar na vijf minuten belde Danzig terug. 'Wat is er loos?'
'De zaken zijn aan het rollen. Heel binnenkort zal het hoogstwaarschijnlijk tot een schikking komen in de zaak van de FBI en Madison Bowe en de man die uit het raam is gegooid. Mijn contact daar, Novatny, zegt dat hij niet bijzonder in de procedureregels is geïnteresseerd. Alleen in de inhoud.'
'Denk je dat hij dat zal waarmaken?'
Jake knikte naar zijn toestel. 'Ja, dat denk ik wel. Het is in ieders belang.' De gouden regel: wie heeft er voordeel van?
'Dan kun je beter hiernaartoe komen. Ik zal je door Gina op de agenda laten zetten.'

Gina's hartelijkheid was vijf procent boven de neutrale nullijn gestegen toen Jake haar kantoor binnen kwam. Ze wuifde hem meteen door en zei: 'Hij is moe. Doe het rustig aan.'
Danzig maakte een geërgerde indruk. 'Er gaan geruchten dat Madison Bowe en jij iets met elkaar hebben.'
'Die zijn waar,' zei Jake. 'Maar ik werk nog steeds voor u, dus mijn loyaliteit is ook aan u. U wilt niet weten wat er allemaal gebeurd is, maar ik geloof dat we ons in een situatie bevinden waarin iedereen tevredengesteld kan worden.'
Danzig knikte en wachtte af. Hij leek niet van plan iets prijs te geven.
'We moeten de informatie aan de FBI overdragen,' vervolgde Jake. 'Aan Chuck Novatny, om precies te zijn. Novatny is bereid daarbij een zeker standpunt in te nemen: dat ze zich zullen beperken tot de inhoud van de informatie en niet zullen muggenziften over de manier waarop die verkregen is. Dus is mijn vraag aan u: hoever bent u met de vicepresident?'
Danzig zuchtte en er kwam een opgeluchte uitdrukking op zijn gezicht.
'Als ze daartoe bereid zijn...'
'We bevinden ons in een positie dat we erop kunnen staan. Ik heb al met Novatny gesproken en hij is akkoord gegaan, en hij heeft gezegd dat hij ook namens zijn baas, Mavis Sanders, sprak. Ze hebben geen idee wat hun te wachten staat als we de informatie aan hen overdragen. We hadden een volstrekt legitieme reden om die een paar dagen vast te houden, om ons ervan te overtuigen dat het niet om een of andere poging tot fraude in een verkiezingsjaar ging. Toen we hadden geconstateerd dat

dat niet zo was, hebben we gehandeld zo snel als van ons verwacht kan worden... tenminste, als we de informatie snel overdragen.'

Danzig knikte. 'De vicepresident zal morgenavond zijn functie neerleggen. Morgenmiddag om één uur zal hij bekendmaken dat hij 's avonds om zeven uur een persconferentie zal geven, waarin hij zal aankondigen dat hij zijn functie met onmiddellijke ingang neerlegt. Hij wilde wat tijd om met zijn broer te overleggen, wat hij inmiddels heeft gedaan. Als jij in de... positie... bent om de informatie aan de FBI over te dragen, vinden we dat jij het moet doen, in aanwezigheid van de juridisch adviseur van de president.'

'Wanneer?'

'Nou, ik denk vóór de persverklaring van één uur. Want meteen daarna zal het geruchten gaan lekken.'

Jake knikte. 'Dan heb ik de originele informatie nodig.'

Jake gebruikte Danzigs telefoon om Madison op haar mobiel te bellen. 'Zijn jullie nog steeds met Novatny in gesprek?'

'Ja, hij is hier. We zijn aan het afronden. En we hebben niks gezegd. We hebben aangeboden een verklaring voor een onderzoeksjury af te leggen, als die er komt, en als ons immuniteit wordt verleend.'

'Trappen ze erin?'

'Dat weten ze nog niet,' zei Madison. Ze klonk scherp en zelfverzekerd.

'Geef me Novatny even.'

Er was wat gestommel te horen en Novatny kwam aan de lijn. 'Ja?'

'Zeg tegen Mavis dat we morgen om twaalf uur een pakket buitengewoon gevoelige politieke informatie komen afleveren. Ze moet de directeur op de hoogte brengen, maar verder niemand. Dat is absoluut essentieel. Om twaalf uur ben ik op je kantoor, en er moet een advocaat van jullie aanwezig zijn om de informatie in ontvangst te nemen.'

'Is dit waar we het over gehad hebben?'

'Ja... en Chuck, dit wordt de grootste zaak sinds Bill en Monica. Daar moet je op voorbereid zijn. Je moet er klaar voor zijn om je directeur in te lichten en je moet je voorbereiden op een ware mediahype.'

'Dan ga ik aan de slag. Ik stuur mevrouw Bowe nu naar huis.'

'Geef me haar nog even.' Madison kwam aan de lijn en Jake zei: 'Er zal een hele kudde persmensen bij je huis staan. Ik denk dat het beter is dat je nu een verklaring aflegt dan dat je je ingraaft.'

'Ik kan het wel aan,' zei ze.

'Ik kom langs... ik wil het wel zien, van een afstandje.'

Die avond deelde Jake de kaarten.

Ze waren in Jakes huis, in de woonkamer, met de gordijnen dicht.

Iemand had de pers getipt, of in elk geval een deel van de pers, want er stonden drie nieuwsbusjes in de straat geparkeerd. 'Ik zou het heel moeilijk hebben in de gevangenis,' zei Madison. Ze pakte haar kaarten op, bekeek ze, haalde er drie uit, legde ze op het stapeltje en zei: 'Ik wil er drie.'
'Je gaat niet naar de gevangenis,' zei Jake. Hij legde ook drie kaarten op het stapeltje en gaf Madison en zichzelf drie nieuwe.
'Dat is een geruststellend idee.' Ze liet Jake zien wat ze had. 'Twee zevens.'
'Twee boeren,' zei Jake.
'Verdomme, ik kan niet winnen met de kaarten die ik krijg.' Ze stond op, blies een lok haar uit haar gezicht en trok haar blouse uit. 'Die persmensen denken waarschijnlijk dat we hier weer een of andere strategie zitten uit te broeden.'
'Dat doe ik ook, een strategie uitbroeden,' zei Jake.
Hij pakte de kaarten van tafel en schudde ze. Hij had nog niet één keer verloren. Madison zag hem de kaarten schudden en kneep haar ogen halfdicht. 'Hé, zit je vals te spelen?'
'Waarom zou ik vals spelen?' Hij schudde opnieuw en keek naar haar op. Ze keek naar zijn handen en het viel Jake op hoe ernstig ze was. Ze speelde strippoker in alle ernst. Hij had haar zien grijnzen, haar wenkbrauwen zien fronsen, horen kreunen en schelden – plus nog een aantal andere reacties, waaronder een snauw die hij heel leuk vond – maar hij had haar niet één keer gewoon zien lachen omdat ze plezier had.

Halverwege de ochtend. Een van Johnson Blacks assistenten kwam twee grote zakken boodschappen brengen, voornamelijk groenten, en Madison ging een vegetarische chili klaarmaken waarvan ze zeker wist dat Jake die heerlijk zou vinden. Even voor twaalf uur was Jake, gekleed in een blauw pak met een groene das – geen voor de hand liggende combinatie, had Madison gezegd, maar het zag er heel goed uit – in zijn auto gestapt en op weg gegaan naar het Witte Huis. Zodra hij achteruit het steegje in reed, werd hij omringd door roepende persmensen. Hij reed langzaam door en sloeg aan het eind rechts af.

Danzig, Gina en de juridisch adviseur van de president, een onopvallende vrouw van ongeveer vijfenveertig uit Indianapolis, die Ellen Woods heette, wachtten hem op in Danzigs kantoor. Woods had de informatie in een zwartleren portfolio verpakt. Ze was gekleed in een donkerblauw mantelpakje en haar ogen fonkelden als kooltjes. 'We willen dat jij kijkt of alles compleet is, voordat we gaan,' zei ze, en ze keek op haar horloge.

Snel nam Jake het materiaal door; er ontbrak niets. 'Het is er allemaal,' zei hij.

'Laten we het dan doen,' zei Woods.

Ze gingen met de presidentiële limousine. Hoewel de rit maar vijf minuten duurde, werden ze twee keer door Danzig gebeld. 'Hij vraagt zich zeker af of we er al zijn,' zei Woods droog.

Jake en Woods werden in Sanders' kantoor opgewacht door Novatny, Mavis Sanders, drie andere topfunctionarissen van de FBI en een paar advocaten. Woods gebaarde Jake dat hij moest gaan zitten en gaf de aanwezigen een korte mondelinge opsomming van het materiaal, waarna ze de portfolio overhandigde.

Hoewel Jake hem gewaarschuwd had, was Novatny verbijsterd. 'Wisconsin?' vroeg hij aan Jake. 'Wisconsin? Wist jij hiervan toen Green en zijn secretaresse waren vermoord?'

'Er gingen in Washington geruchten over het bestaan van deze informatie,' antwoordde Jake. 'Ik moest die nagaan en ben naar Wisconsin gegaan nadat ik ontdekt had dat Green en Bowe een relatie hadden gehad, en dat Green daar goede connecties had. Ik had het gevoel dat als hij zelf niet van de informatie wist, hij me misschien kon doorsturen naar iemand die er wel van wist.'

'En toen heeft hij je naar die vrouw van Levine gestuurd? Wacht eens even... ik kan het tijdschema niet volgen.'

Jake nam het met hem door: zijn aankomst in Madison, het eerste gesprek, 's ochtends, de vondst van de lijken, 's middags, en daarna begon hij een beetje te liegen.

'Green vertelde me dat hij niks van de informatie wist, maar dat hij een paar mensen zou bellen,' zei Jake. 'Ik noemde een specifieke naam, maar hij zei dat hij die niet kende. Later, toen ik die vrouw had gevonden – dat was de dag daarna – gaf ze toe dat zij Green wél kende. Ik begon het gevoel te krijgen dat ik in de greep was van een politieke samenzwering die de huidige regering moest schaden, en dat alles was opgezet door Lincoln Bowe. Ik heb de informatie mee naar Washington genomen om die te laten onderzoeken, en zodra we beseften dat die hoogstwaarschijnlijk echt was, heeft de president me opgedragen die aan jullie over te dragen.'

Alle FBI-mensen leunden achterover. 'Bent u bereid dat voor een jury te verklaren?' vroeg een van hen.

'Natuurlijk. Maar ik denk dat ik niet veel informatie te bieden heb. Alleen maar fragmenten. Ik heb Madison Bowe uitgehoord over dit onderwerp en ben ervan overtuigd dat ze nog minder weet dan ik. Het schijnt zo te zijn dat mevrouw Bowe er door haar man met opzet buiten is gehouden, om haar in bescherming te nemen.'

'Ik heb in de kranten gelezen dat mevrouw Bowe en u bevriend zijn,' zei een van de FBI-mensen.

'Ja, dat klopt. Maar het merendeel van het gebeuren heeft zich afgespeeld voordat we... bevriend raakten.'

'En u denkt dat er sprake was van een samenzwering,' zei een van de advocaten.

'Ja, inderdaad. Ik geloof – ik weet het niet zeker – dat die is opgezet door Lincoln Bowe, nadat hij te horen had gekregen dat hij een hersentumor had en niet lang meer te leven had. En ik geloof dat Howard Barber met de uitvoering belast was. Ik geloof dat het lijk in brand is gestoken om de extra aandacht van de pers te krijgen die het gebeuren ook heeft gekregen, en dat het hoofd is afgezaagd om te voorkomen dat tijdens de autopsie zou blijken dat hij een hersentumor had. Ik geloof dat als hij nader onderzocht zou worden, een analyse van de vloeistoffen in de ruggenwervels de aanwezigheid van kankercellen zou aantonen. Mevrouw Bowe wist hier allemaal niks van... die heeft hem niet eens gezien nadat artsen hadden vastgesteld dat hij een hersentumor had. Ze woonden apart.'

De FBI-mensen keken elkaar aan en een van hen zei: 'Heftig.'

'En Green is door Barber vermoord?' vroeg Novatny.

'Door Barber, of door iemand van zijn groep,' zei Jake. 'Dat weet ik niet zeker, maar ik vermoed het wel.'

'Jezus christus.'

Een van de topfunctionarissen van de FBI, die eruitzag alsof hij het liefst meteen naar een telefoon was gerend, zei: 'En de vicepresident gaat vanavond aftreden?'

'Ja,' zei Jake. 'Die heeft zijn billen gebrand.'

Het bleef even stil, en toen zei de onopvallende, oudere juridisch adviseur van de president: 'Gezien de staat waar hij vandaan komt, is er een goede kans dat hij zich nog veel meer gaat branden.'

Toen Jake om even na drie uur thuiskwam, rook het heerlijk in huis, hoewel niet naar vlees. Madison was nog steeds aan het koken, op blote voeten, gekleed in een spijkerbroek en een van Jakes T-shirts, kauwend op een selderijstengel. Ze ging op haar tenen staan, kuste hem en vroeg: 'Is het gebeurd?'

Jake dacht: wat een goddelijke vrouw is dit, en hij zei: 'Ja, alles wat gedaan moest worden is gebeurd, tenzij we voor een jury moeten verschijnen... en daar kunnen we wel van uitgaan. Maar dat zal waarschijnlijk pas na de verkiezingen gebeuren. Jullie republikeinen houden liever je mond over wat Lincoln heeft gedaan, en wij democraten willen de ra-

vage die Landers heeft veroorzaakt niet groter maken dan ze al is... dus het kan een tijdje duren.'
'Ik wil nog steeds niet naar de gevangenis,' zei ze.
'Maak je geen zorgen. Misschien word je voor die tijd wel door een auto overreden.'
'God, wat een steun ben jij, zeg!'
'Jammie...' Hij keek in de pan met chili. 'Kunnen we er niet een paar varkenskoteletjes in doen?'

Ze aten vroeg. Tijdens het eten kwam Fox met een extra nieuwsuitzending. 'Bronnen op het Witte Huis hebben Fox News gemeld dat er geruchten gaan dat de vicepresident zijn functie zal neerleggen. Ik herhaal: er bestaat een goede kans dat vicepresident Landers zal aftreden. Onze bronnen zeggen dat hij wordt beschuldigd van corruptie tijdens zijn ambtsperiode van gouverneur in Wisconsin...'
'In mijn tijd,' zei Madison, 'toen ik verslaggever was, zorgde je ervoor dat je tepels niet door je blouse heen te zien waren.'
'Het arme kind is opgewonden,' zei Jake. 'Ze kan er niks aan doen.'
'Misschien moeten we ons een tijdje terugtrekken,' zei Madison. 'In mijn flat in New York... dan geven we Novatny onze telefoonnummers.'
'Als we dat doen, kunnen we over de Met naar het Museum voor Hedendaagse Kunst wandelen.'
'En het Natuurhistorisch Museum.'
'En elke dag een paar uur in bad liggen,' zei Jake.
'Winkelen op Madison Avenue. Ik wil wel weer eens een nieuwe hoed kopen.'
'Laten we wachten tot vanavond laat,' zei Jake. 'Dan nemen we de "rode ogen"-vlucht vanaf National.'
'Goed idee.'
Een minuut later zei Jake: 'Ik zal vroeg of laat toch met Arlo moeten gaan praten. Om tot een akkoord te komen.'
'Wordt hij de nieuwe vicepresident?'
'Nee. Als ik het goed heb begrepen, is de senator van Texas de eerste gegadigde.'
'Hm, onze eerste vrouwelijke vicepresident,' zei Madison. 'Het zal moeilijk worden om jullie verdomde democraten uit het Witte Huis te krijgen als alle meisjes op jullie blijven stemmen.'
'Dat was het idee erachter,' zei Jake.

Om zeven uur bood de vicepresident zijn ontslag aan. Zijn vrouw, huilend, gekleed in een lichtoranje jurk, zat achter hem. Landers was een grote man met een dik, blozend gezicht en een dikke, politieke haardos die spierwit was geworden.

'Als deze absurde en tendentieuze beschuldigingen op een ander moment waren geuit, zou ik ze hebben bestreden, waarop de president bij me heeft aangedrongen. Maar ze zijn geuit – en Lincoln Bowe wist dat heel goed toen hij zijn samenzwering begon – op het enige moment waarop ik me geen politieke strijd in functie kan veroorloven, namelijk aan het begin van een lange, zware herverkiezingscampagne.

Bowe en zijn bende criminelen hebben in zekere zin bereikt wat ze wilden, want ik vertrek. Maar ze hebben niet het vuur op me geopend om alleen een vicepresident van zijn post te krijgen. Hun aanval op mij is slechts een onderdeel van een veel groter complot, om onze partij, onze president en de belangen van het Amerikaanse volk te schaden. Ik kan niet toestaan dat dit gebeurt. Ik zal terugvechten met alles wat ik in me heb, maar ik zal niet toestaan dat de beste Amerikaanse president sinds John F. Kennedy door mijn aanwezigheid zal worden gehinderd tijdens een campagne die van zo'n enorm belang is voor het Amerikaanse volk.'

Zijn speech werd de volgende dag belachelijk gemaakt in de kranten en de talkshows op televisie, evenals zijn vrouw in haar oranje jurk, en zijn dochter, die te dik was, en was gefilmd terwijl ze voor een bakkerszaak in de buurt van haar flat in Cambridge een crèmebroodje met pecannoten stond te eten.

De lijken van Darrell Goodman en George Brenner lagen vier dagen in de SUV totdat het iemand opviel dat de auto daar al zo lang stond. Toen die persoon naar de auto toe was gelopen, had hij een 'merkwaardige' geur geroken en de politie gebeld.

Arlo Goodman gaf de schuld aan de bendes in Norfolk en zegde toe meer geld vrij te maken voor de bestrijding van straatbendes.

De FBI kondigde een grootscheeps onderzoek aan, onder leiding van een speciale procureur, de federale procureur-generaal van Atlanta, Georgia.

'Weet u nog dat ik u heb gesmeekt hem te benoemen?' zei Danzig tegen de president. Ze zaten in het privékantoor van de president en dronken een verrukkelijke single-malt whisky die de president met de hulp van zijn Britse ambtgenoot van de distilleerderij had afgeperst.

'Ja, dat weet ik nog. Ik was ertegen. Er waren twijfels over zijn integriteit...'

'Er waren helemaal geen twijfels,' zei Danzig. 'Hij is corrupter dan Landers, maar ik heb die vuile schoft zo in de tang dat ze zijn zogenaamde onafhankelijke standpunt wel op hun buik kunnen schrijven.'

Jake en Madison woonden al twee weken in New York en hadden alleen met Danzig en Novatny gesproken toen Jake vanuit een telefooncel Arlo Goodman belde, een afspraak maakte en op een woensdagmiddag naar Richmond vloog. De zon zakte naar de horizon toen Goodman om zes uur het gouverneurshuis uit kwam, tegen zijn lijfwacht zei dat hij hem niet nodig had en naar de straathoek liep, waar Jake op hem stond te wachten.

Zonder iets te zeggen liepen ze een meter of twintig door en genoten van het weer. Het was een mooie dag in Richmond, de zomerhitte kwam eraan maar was er nog niet, en de bloemen in de voortuinen stonden er prachtig bij. Twee lopende mannen, de ene licht hinkend en met een wandelstok, de andere met een slechte hand die hij voor zijn buik hield. Goodman was de eerste die iets zei. 'Dat was wreed, wat je met Darrell hebt gedaan.'

'Ik had hem daar niet uitgenodigd.'

Goodman gromde. 'Lul niet, Jake. Je had hem als een marionet aan een touwtje en jij hebt aan dat touwtje getrokken.'

Jake zei: 'Ik zou het niet gedaan hebben als dat in Wisconsin niet was gebeurd.'

Goodman keek hem aan. 'Wisconsin? Je denkt toch niet dat...'

'Ja, dat denk ik wel,' zei Jake. 'Ik kan het bewijzen. En ik denk dat ik ook kan bewijzen dat jij ervan wist. Ik heb genoeg om je een oor aan te naaien. Misschien, met de juiste jury, ga je voor schut voor moord met voorbedachten rade.'

Goodman dacht erover na. Toen zei hij: 'Geef eens een hint.'

'Hebben ze op Darrell een autopsie gedaan?'

'Natuurlijk.'

'Dan zullen ze op zijn armen een paar schrammen hebben gevonden die al deels geheeld waren. Ze zullen er niet veel aandacht aan hebben geschonken, gezien de rest van zijn verwondingen. Waar het om gaat, is dat die schrammen op zijn arm zijn gemaakt door de secretaresse in Madison. De FBI heeft huiddeeltjes en bloed onder haar nagels gevonden. Ze weten niet van wie dat materiaal is, weten niet waar ze moeten zoeken.'

'Darrell is gecremeerd,' zei Goodman.

'Ja, maar jij niet,' zei Jake. 'Jouw genenmateriaal komt voor een groot deel overeen met dat van Darrell. Als ze jou een DNA-test afnemen, zullen ze zien dat de huiddeeltjes niet van jou maar van je broer afkomstig

267

waren. En ik heb ook wat papierwerk verzameld: gesprekken met mobiele telefoons, gebruik van een overheidsvliegtuig... allemaal niet doorslaggevend, maar genoeg om je flink wat problemen te bezorgen.'

'Die stomme hufter,' zei Goodman, en ze liepen door. 'Je kunt me geloven of niet, maar ík heb niet gewild dat die mensen in Madison iets overkwam. Dat was ook niet nodig. Wij wilden de informatie, maar als we die niet konden krijgen, was de wetenschap dat jij die had bijna net zo goed.'

Jake knikte. 'Je had daar punten kunnen scoren, net zoals je met Howard Barber en Lincoln Bowe hebt gedaan.'

Goodman glimlachte, niet van blijdschap, maar van berusting.. 'Ja, maar die verdomde Darrell...' Hij zuchtte. 'Als jij het me moeilijk gaat maken, Jake, zullen ze in Darrells privékluisje waarschijnlijk de tapes vinden van de opnames die we in Madison Bowes huis hebben gemaakt. Dan komt min of meer vast te staan dat ze wist van de informatie over Landers, en dat ze daarover heeft gelogen.'

'We weten natuurlijk allang van het bestaan van die tapes,' zei Jake. 'We zouden het niet leuk vinden als die openbaar werden. Madison heeft ook een paar... ethische... bezwaren als het om het onderzoek naar Darrells dood gaat. We zouden het vreselijk vinden als een of andere arme Mexicaan daarvoor moest opdraaien, zodat jij vrijuit gaat.'

'Daar hoef je niet bang voor te zijn. Ik heb mijn domste mensen op dat onderzoek gezet.' Ze liepen nog een paar meter door en bleven toen staan. 'Dus we hebben een deal?'

'Hm. Wij zijn tevreden met hoe de zaken er nu voor staan. We hebben een goede kandidaat voor het vicepresidentschap, jij bent de vooraanstaande gouverneur van de prachtige staat Virginia en Madison herstelt in alle rust van de dood van haar man. Waarom zouden we een hoop heibel maken?'

'Dat is precies wat ík dacht,' zei Goodman. 'Daar is geen enkele reden voor... om een hoop heibel te maken, bedoel ik.'

'Wat ga je volgend jaar doen?' vroeg Jake. 'Als je ambtstermijn afgelopen is?'

'Dat weet ik nog niet. Vissen. Iets op televisie doen. Maar ik ben een verdomd goede gouverneur geweest, Jake. Ik hou van dit werk, en de mensen mogen me. Ik zou een goede vicepresident zijn geweest...' Hij zuchtte weer. 'Ach, ik vind wel wat. Misschien weet de president wel iets voor me. Over een jaar is al deze ophef verleden tijd.'

Ze gaven elkaar geen hand; Arlo versnelde gewoon zijn pas en zei: 'Als je ooit iets nodig hebt, zou ik me twee keer bedenken voordat je het aan mij vraagt.'

'Zal ik zeker doen,' zei Jake. 'Me twee keer bedenken.' En terwijl hij terugliep naar de auto dacht hij aan Goodman, die hoopte dat de president hem een mooi baantje zou aanbieden. Niet zolang ík leef, dacht Jake.

Danzig zei over het nationale partijcongres tegen Jake: 'We hebben een gigantisch probleem met de elektronica in het congresgebouw. Er zijn drie verschillende bedrijven en twee gemeenteraadsleden over aan het bekvechten en er moet iemand met hen gaan praten om hen tot de orde te roepen. Zoek uit wie je daarvoor moet hebben en hoe je de zaak op de rails moet krijgen. De pers schreeuwt al moord en brand over de cabines die ze toegewezen hebben gekregen, dat ze hun apparatuur niet kunnen installeren totdat het probleem is opgelost...'
'Ik heb een tijdje in New York gezeten,' zei Jake. 'Ik ken daar een paar mensen die ik kan bellen. Het zal wel weer om geld draaien.'
Toen Jake opstond om te vertrekken, vroeg Danzig: 'Weet je al wat je wilt hebben?'
'Rust en vrede, dat wil ik hebben,' zei Jake. 'Op welke manier dan ook. Madison en ik willen graag met rust gelaten worden.'
'Ik denk dat dat wel geregeld kan worden,' zei Danzig. 'Ik heb goede contacten met de procureur die het onderzoek leidt, maar daar weet jij niks van, oké? Wat nog meer?'
'Dat is al heel wat. Maar er is een meisje dat voor Goodman heeft gewerkt, als stagiaire. Ze zou heel graag op het Witte Huis komen werken. Ze is intelligent en bereid alles aan te pakken. Het hoeft niet meteen bijzonder te zijn...'
'Ziet ze er goed uit? Lekker kontje?'
'Fantastisch.'
'Zeg maar hoe ze heet... we regelen wel iets,' zei Danzig.
'Bedankt. Dan kan ik maar beter naar New York gaan. Hoe ziet het tijdschema eruit?'
'Gisteren klaar,' zei Danzig, en toen Jake bij de deur was, vroeg hij: 'Wordt het fulltime, met jou en Madison Bowe?'
'We kunnen het heel goed met elkaar vinden. Ik weet het niet... het zou kunnen.' Jake aarzelde even en vroeg toen: 'Blijft Goodman achter ons staan tot de verkiezingen? Ik weet dat hij heel graag vicepresident had willen worden.'
'De president praat volgende week met hem,' zei Danzig. 'We maken ons zorgen over wat er in Norfolk is gebeurd, met zijn broer. Er zijn niet-geregistreerde machinepistolen en camouflagepakken gevonden, en het ziet eruit als een executie die voor hen slecht is uitgepakt. Nu al

die geruchten over de burgerwacht en hun ondervragingsmethodes weer bovenkomen, weet ik het nog zo net niet...'

'Ik heb diverse mensen gesproken,' zei Jake, en hij dacht: neem even de tijd om Goodman voor eens en voor altijd de nek om te draaien. 'Er zullen een hoop dingen aan het licht komen zodra Goodman zijn functie heeft neergelegd, als hij niet langer in het centrum van de macht zit. Er zullen letterlijk lijken komen bovendrijven. Doodseskaders, dat soort dingen. Ik vind dat jullie dat moeten weten. De beslissing laat ik aan jullie over, en dit is de enige plek waar ik er ooit over zal praten.'

Een van de buren van Carl V. Schmidt belde een FBI-agent die hem een visitekaartje had gegeven. 'Agent Lane? Met Jimmy Jones, de buurman van Carl Schmidt. Je had me toch gevraagd te bellen als er hier iets gebeurde? Nou, Carl is net thuisgekomen. Wat? Ja. Hij staat hier naast me. Hij is een beetje beschonken...'

Carl V. Schmidt kwam aan de lijn. 'Hé, wat hebben jullie in mijn huis gedaan? Het is hier een ravage. Wat is er verdomme aan de hand?'

Na een intern telefoontje ging Schmidt ermee akkoord dat hij bij zijn huis zou wachten totdat iemand van de FBI hem een verklaring zou afnemen. Toen Schmidt had opgehangen, vroeg de buurman: 'Waar heb je verdomme uitgehangen, Carl? Hoe kom je zo bruin?'

In het Oval Office zei de president tegen Arlo Goodman: 'Verdorie, Arlo, hoe is het met je? Man, het is al een maand geleden dat we elkaar hebben gezien, nietwaar?'

'Anderhalve maand, meneer de president,' zei Goodman terwijl ze gingen zitten. Goodman sloeg zijn benen over elkaar. 'Dat gedoe met Lincoln Bowe... wie zou dat hebben gedacht?'

'De man was niet goed snik,' zei de president. 'Of het kwam door zijn medicijnen... of hij was gewoon gek.'

'Dat is mijn theorie ook,' zei Goodman.

De president plooide zijn gelaatstrekken in een uitdrukking die een fractie ernstiger was. 'Ik was geschokt toen ik het nieuws over je broer hoorde. Hoe staat het met het onderzoek?'

Goodman schudde zijn hoofd. 'Dat draait op niets uit. Darrell is ver buiten zijn boekje gegaan. Misschien is het mijn schuld, heb ik hem te vrij gelaten... aan de andere kant heeft hij ook een hoop problemen opgelost. Ik denk dat het tijd is om de teugels van de burgerwacht flink aan te trekken.'

De president knikte. 'Ze werden een beetje te... wat? Te ondernemend? Een beetje te militair?'

'Ja, en dat zit me dwars,' beaamde Goodman. 'Ik denk dat ze als organisatie nog steeds hun nut kunnen hebben, maar dan meer als een maatschappelijke hulpdienst. Ze moeten van het idee af dat ze een soort politiemacht zijn.'

'Helemaal mee eens,' zei de president, en hij klopte een paar keer snel achter elkaar op zijn bureaublad. 'Hoor eens, ik durf het bijna niet te vragen, maar hoe zwaar kunnen we tijdens de campagne op jou leunen? Je zult best moe zijn, en je hebt je eigen problemen. En ik vermoed dat je maar wat graag vicepresident was geworden...'

'U hebt de enige juiste beslissing genomen, meneer de president.' Goodman voelde zich opgelaten, want hij wist dat hij de man naar de mond praatte. 'Zij biedt u de absolute garantie dat u in Texas zult winnen... en bovendien zal ze een prima vicepresident zijn. Wat mezelf betreft, ik zal doen wat u wenst. Hard werken, als u dat wilt, of juist rustig aan doen. Eigenlijk verheug ik me wel op deze campagne. We gaan er flink tegenaan en vegen een paar namen van de kaart.'

'We rekenen op je, Arlo,' zei de president. 'En het kan nog best zwaar worden. Maar ik wilde je ook nog iets anders vragen...' Hij keek op zijn horloge. 'Hoe denk jij over Ham Peterson?'

Ham Peterson was de voormalige gouverneur van Nevada en sinds enige tijd het hoofd van de dienst Nationale Veiligheid. Het rekenmachientje in Goodmans hoofd begon op te tellen. 'Hij is een goeie kerel, maar hij heeft wat problemen gehad...'

'Hij struikelt over zijn eigen lul elke keer dat hij zich omdraait,' zei de president. 'Ik zal je dit zeggen, Arlo, we gaan niemand ontslaan tot na de verkiezingen. Dat kan kwaad bloed zetten. Maar meteen daarna gaat hij met pensioen, terug naar de skihellingen waar hij vandaan komt. Waarom neem jij Nationale Veiligheid niet van hem over? Ik zal Bill Danzig vragen of hij je alvast wat materiaal toestuurt...'

Een halfuur later zei de president tegen Danzig: 'Stuur dat materiaal van Nationale Veiligheid naar Arlo.'

'Is hij erin getrapt?'

'Dat kun je wel zeggen, ja,' zei de president. 'Hij zal zich tijdens de verkiezingen uit de naad werken, dient zijn termijn uit en daarna... sturen we hem gewoon naar huis.'

'Dat zal hij niet leuk vinden,' zei Danzig.

'Vroeger, op de ranch in Indiana,' zei de president, 'hadden we een term die perfect paste bij zo'n situatie: hij kan de pot op.'

Jake zat op een paard, met zijn ene knie opgetrokken tot tegen het platte oefenzadel. Madison zat op het andere paard. 'Ik voel me volkomen belachelijk met die broek en die laarzen...' Hij had hoge rijlaarzen en een strakke rijbroek aan.

'Je ziet er fantastisch uit,' zei Madison. 'En je zou er nog fantastischer uitzien als je die rare cowboyhoed afzette.'

'Mooi niet,' zei Jake, en hij bracht zijn hand naar de hoed. 'Ik heb deze hoed van mijn grootvader gekregen. Die had hij op toen hij over de Old Chisholm Trail reed.'

'Jake, je hebt dat ding vorige week in New York gekocht,' zei Madison. 'In een boetiek in SoHo. Ik was er zelf bij.'

'O, ja.' Toch was het een mooie hoed.

'Over een tijdje,' zei Madison, 'als ik je ga leren springen en je valt op je hoofd, ben je hartstikke dood omdat je geen valhelm draagt.'

'Misschien kan ik wat stalruimte van je huren,' zei Jake. 'Dan koop ik een paar behoorlijke renpaarden. En een echt zadel.'

Aan de andere kant van het hek stonden tien zwarte koeien te grazen in het frisse lentegras, als inktvlekken op een groen blad papier. Koeien vonden het leuk om naar mensen te kijken, en Jake had zich wel eens afgevraagd of ze dan een of ander snood plan stonden te smeden.

'Hoe doen we het?' vroeg Madison.

Jake dacht even na en zei: 'We doen het beter dan verwacht.'

'Verwacht door wie?'

'Door ons,' zei hij.

'Vertrouw je me al?' Ze vroeg het op luchtige toon, maar ze was wel degelijk serieus.

Jake hield zijn hoofd schuin. 'Ja, ik vertrouw je. Niet omdat ik iets heb ontdekt, of zoiets, maar gevoelsmatig. Ik vertrouw je zoals ik mijn maten in Afghanistan vertrouwde.'

Ze kwamen langs een volgende kudde grazende koeien.

'Ik ben verliefd op je geworden,' zei Madison. 'Ik had het niet verwacht, maar ik kan er niks aan doen.'

Jake wist niet wat hij moest antwoorden, dus zei hij: 'Tjonge.'

'Als ik kinderen wil hebben, zal dat gauw moeten gebeuren,' zei ze. 'Anders ben ik te oud.'

'Ik zou wel een paar kinderen willen,' zei Jake. 'Het lijkt me leuk om iemands ouweheer te zijn.'

'Dan kunnen we maar beter snel aan het werk gaan.'

'Mij best. Als ik mijn hoed mag houden.' Hij gaf zijn paard de sporen en reed door langs de afrastering.

'Dus we hebben een basis voor onderhandelingen?' riep ze hem na.

'Ja.' Hij draaide zich om in het zadel en zag het wit van haar tanden. 'Ik heb je aan het lachen gemaakt,' zei hij.

272